Klub Książki

BEST SELLERS

Informacje o serii Bestsellers
oraz <u>sklep internetowy</u> na stronie: **www.bestsellery-mira.pl** *

*** Nie płacisz za koszty wysyłki**

Mary Alice MONROE

Klub Książki

Przełożyła:
Alina Patkowska

/5079729

Tytuł oryginału:
The Book Club

Pierwsze wydanie:
Mira Books, 1999

Redaktor prowadzący:
Mira Weber

Korekta:
Małgorzata Pogoda

Arlekin – Wydawnictwo Harlequin Enterprises sp. z o.o.
00-975 Warszawa, ul. Rakowiecka 4

Skład i łamanie:
COMPTEXT®, Warszawa

Printed in Spain by Litografia Roses, Barcelona

ISBN 978-83-238-1755-0

PROLOG

Wigilia powrotu
7 stycznia 1998

Dziś wieczorem wrócę do Klubu Książki.

Od ostatniego spotkania, na którym byłam, minęło już pół roku. Wiem, że moje koleżanki będą dla mnie miłe. Będą starały się mnie pocieszyć i nie powiedzieć nic, co mogłoby mi przypomnieć o mojej tragedii. Mam nadzieję, że nie dostrzegę w ich wzroku litości. Nie potrzebuję litości, lecz zrozumienia, ciepła i wyciągniętej ręki, która pozwoli mi przełamać długotrwałą izolację i na nowo ożywić dawne przyjaźnie.

Bo przecież się przyjaźnimy. Doris i ja założyłyśmy ten klub z desperacji, piętnaście lat temu. Obydwie byłyśmy wtedy młodymi matkami, mieszkałyśmy przy tej samej ulicy i potrzebowałyśmy towarzystwa, odrobiny intelektualnej atmosfery – oraz opiekunek do dzieci. Wtedy, w 1983 roku, nasz Klub Książki był właściwie kombinacją klubu czytelniczego i punktu opieki nad dziećmi. Rósł razem z naszymi maluchami, przybywało mu członkiń, niektóre wyprowadzały się w inne okolice, ale rdzeń zawsze pozostawał niezmienny: ja, Doris, Midge i Gabriella. A teraz jeszcze Annie. Bywały spotkania, na które większość z nas przychodziła z niemowlętami przy piersi, zdarzały się takie, gdy któraś zasypiała na kanapie po nieprzespanej z powodu chorego dziecka nocy, i takie, gdy bez wyraźnej przyczyny wypijałyśmy za dużo wina i prawie w ogóle nie rozmawiałyśmy o książkach. Teraz nasze dzieci są już gotowe do wyfrunięcia z gniazda, a my na nowo szukamy książek, by nadać sens kolejnemu etapowi naszego życia.

Wiem, że moja długa nieobecność była dla grupy niełatwa. Martwiły się o mnie. Annie już dwa razy dzwoniła, żeby upewnić się, czy na pewno przyjdę. Przeczytałam zadaną książkę, biografię Eleonory Roosevelt, ale nie mam wiele do powiedzenia na temat tej inteligentnej kobiety, która ze wszystkich swoich osobistych tragedii wyszła zwycięsko. Zastanawiam się, czy moje przyjaciółki wybrały tę książkę właśnie ze względu na mnie; może po to, by mnie zainspirować albo podkreślić pozytywną wymowę mojego powrotu? Moje życie nie jest pełne triumfów. Czyje zresztą jest?

Wychowałam się na spokojnym przedmieściu

Chicago i podobnie jak większość kobiet z Klubu Książki jestem produktem szkół katolickich z lat pięćdziesiątych. Wszystkie teraz wybuchamy śmiechem, gdy napotykamy w książkach wzmianki o katechizmie z Baltimore albo o pobrzękujących różańcami gromadach zakonnic w wykrochmalonych kornetach. Bardzo lubimy książki, które pozwalają nam powrócić do tych czasów niewinności, gdy w letnie wieczory bez żadnych obaw można było bawić się na ulicy nawet do dziesiątej. Ile jest książek, opisujących przejście od Motown do Beatlesów i wreszcie do acid rocka? Albo tragiczne decyzje z lat wojny w Wietnamie? Wszystkie znałyśmy tych chłopców: jedni wkładali mundury, drudzy pacyfki, któryś uciekł za granicę i słuch o nim zaginął. A teraz niektóre z nas poznają na nowo swoich mężów – już nie takich młodych, a w dodatku starzejących się bez wdzięku – którym zdarza się zrywać więzy rodzinne i uciekać. Pochłaniamy ich historie z dreszczem emocji.

Brakowało mi klubu, czytania książek i rozmawiania o nich. Książki stanowią klucz do naszej grupy, to dzięki nim nasze dyskusje są wciąż żywe. Stanowią bezpieczne pole wymiany myśli. Podczas spotkań możemy się dzielić refleksjami, a później problemami. A jeszcze później – sekretami. Najbardziej jednak brakuje mi przyjaźni. To ona stanowi prawdziwą magię grupy. Widzę moje życie jako wspólnie czytaną opowieść. I choć są tu niespodziewane zwroty akcji, brakuje puenty. Jestem taka jak wy. Moja historia mogłaby być waszą.

Pewnego dnia, zupełnie niespodziewanie, moje życie zmieniło się. Pojawiło się nowe miejsce akcji, postacie przybrały nowe oblicza. Gdyby akcję przedstawić w formie diagramu, to krzywa znalazłaby się poza skalą. Jedyny stały element to sposób prowadzenia narracji: pierwsza osoba, ja, spoglądająca na zewnątrz i do wewnątrz, i nie dostrzegająca nic.

Nie przeczułam tej zmiany. Chyba to właśnie pisarze nazywają „elementem zaskoczenia". Grom z jasnego nieba, który wyrzuca bohatera w nowym kierunku. Stary trick z rewolwerem w szufladzie. Czy chodzi o powieść sensacyjną, przygodową, romans, komedię czy dramat – po prostu nikt nie wie, co będzie dalej.

Dla mnie zmiana nadeszła 21 czerwca 1997 roku.

ROZDZIAŁ PIERWSZY

Życie to opowieść, a każdy z nas codziennie zbiera opowieści.

Rachel Jacobsohn
Podręcznik grupy czytelniczej

21 czerwca 1997

Eve Potter wyszła na słoneczny poranek i od razu osłoniła ręką oczy: światło było za ostre.

W domu panował spokój i półmrok. Bronte i Finney wciąż spali w swoich pokojach, pies skamlał, a ona sama nie wypiła jeszcze porannej kawy. Tom kręcił się nerwowo, zbierając papiery i wrzucając do walizki ostatnie przybory. Przeważnie rankiem Eve powoli wypijała swoją kawę, a potem otwierała okno, by odetchnąć świeżym, porannym powiewem wiatru i nacieszyć się kilkoma chwilami samotności, dopóki rodzina jeszcze spała. Dzisiaj jednak przed dom wypędziło ją wyczuwalne w zachowaniu męża pełne niechęci napięcie oraz własne poczucie winy. Zapragnęła wyjść na słońce.

Przypominała sobie dni, gdy krok w krok chodziła za Tomem przygotowującym się do wyjazdu. „To są twoje bilety. Znalazłam pager. Może zadzwonić po taksówkę? Na pewno nie zjesz śniadania? Doleję ci kawy". Zachowywała się jak wierny pies albo, jak Tom kiedyś to ujął, jak nawigator statku, którego on był kapitanem.

Jednak od jakiegoś czasu statek zaczął nabierać wody i Eve bez wyraźnego powodu zaczęła szukać jakiejś szalupy. Nie wątpiła w kompetencje Toma, ale złocisty blask guzików na jego kapitańskim mundurze jakby przygasł. A może po prostu podróż trwała już zbyt długo.

Odsunęła od siebie buntownicze myśli i zeszła po schodkach.

– Dzisiaj będzie dobry dzień – powiedziała do siebie stanowczo. – Nie pozwolę, żeby on go zepsuł.

Szła przez zielony, pełen ptasiego świergotu ogród, coraz dalej od pogrążonego w półmroku, zamkniętego domu. Powietrze pachniało świeżością, słońce ożywiało kolory roślin. Przykucnęła i wpatrzyła się w błyszczące na włochatym liściu krople rosy.

Uświadomiła sobie, że to pierwszy dzień lata, i to odkrycie natychmiast podniosło ją na duchu. Uwielbiała wszelkiego rodzaju „kamienie milowe": urodziny, rocznice, święta, nawet znaki na wykresie wzrostu. Dziś zaczynał się wyjątkowy, zupełnie nowy dzień. Czuła to w głębi duszy. Zaczynało się lato, słoneczne dni i ciepłe, wonne noce, nieformalne spotkania przy grillu i kąpiele w basenie. Zakończenie roku szkolnego było wielką ulgą. Tęskniła już do czasu spędzanego z dziećmi.

Powinna je obudzić, by pożegnały się z ojcem, ale wiedziała, że są zmęczone, i postanowiła, że pozwoli im dłużej pospać. Finney miał w południe mecz futbolowy, a Bronte chciała o drugiej pojechać do centrum handlowego. Nieobecność Toma miała potrwać dwa dni, a skoro dzieci nie chodziły już do szkoły, Eve również mogła liczyć na odrobinę relaksu. Pomyślała, że może nawet uda jej się przed południem spędzić trochę czasu w ogrodzie. Trzeba było poobrywać uschnięte kwiaty tytoniu ozdobnego.

Przyklękła obok rabatki. Ziemia była przyjemnie chłodna. Cienka bawełna piżamy natychmiast przemokła od rosy. Jeśli chodzi o pielęgnację ogrodu, Eve już dawno przestała oczekiwać od rodziny pomocy. Dzieci od lat robiły, co mogły, by się od tego wykręcić, a Tom... No cóż, on nigdy nie miał czasu i, prawdę mówiąc, nie interesowało go to szczególnie. Wszyscy mieli wiele zajęć, a jej obowiązkiem, jako matki i żony, było dopilnować, by w rodzinie sprawy toczyły się gładko. Ale dom był taki duży... ogród też. Ich posiadłość należała do największych w Riverton. Dzieci były dumne z tego domu i Eve uznawała to za swój sukces. Sama urządziła dwanaście pokoi, uszyła niezliczoną ilość metrów zasłon i doglądała przeróbek. Nawet ogród był od początku do końca jej dziełem. Własnymi rękami zasadziła ponad pięćdziesiąt krzewów i rozmaite byliny.

Ogrodnictwo to w końcu moje hobby, pomyślała, zanurzając ręce w ziemi. Nikt jej nie prosił, żeby tu cokolwiek sadziła, dlaczego więc mieliby jej pomagać? Czy doskonałe prowadzenie domu nie było po prostu obowiązkiem matki? Czyż nie była niezastąpiona? Mimo wszystko jednak myśl, że nikt jej nie pomaga, niosła ze sobą poczucie przykrości.

Drzwi otworzyły się i Eve podniosła wzrok znad roślin. Tom zbiegł po kamiennych schodkach i poszedł do garażu. Szybki krok rozwiewał poły jego płaszcza. Potknął się o walizkę i Eve wyraźnie wyczuła jego irytację. Choć ciemny garnitur wyglądał nienagannie, koszula lśniła bielą, a krawat dobrany był tak, by wzbudzać dyskretną zazdrość, znała go zbyt dobrze, by nie zauważyć zaciśniętych ust, które sprawiały, że opalona twarz Toma nabierała surowego wyrazu, co ostatnio Eve widywała u niego często. Tom nie był mężczyzną próżnym. Włosy zaczynały mu się już trochę przerzedzać i w pasie miał o kilka centymetrów więcej niż kiedyś, ale nadal wyglądał jak amant filmowy. Gdyby nie inteligencja i współczucie dla ludzkiego cierpienia lśniące w jego ciemnych oczach, ten wygląd mógłby być nawet przeszkodą w jego lekarskiej karierze.

Eve nie mogła teraz dostrzec wyrazu jego oczu; słońce świeciło zbyt ostro. Przymknęła powieki, odprowadzając wzrokiem jego cień.

– Zadzwonię wieczorem – zawołał przez ramię zdawkowo.

Nie odpowiedziała, ale z dłońmi opartymi na udach wciąż za nim patrzyła. Otworzył bagażnik i wrzucił do środka nową torbę, którą kupiła mu na pięćdziesiąte urodziny, a potem starannie ułożył obok drugą, z komputerem. Eve dokładnie wiedziała, co jest w tej pierwszej. Poprzedniego wieczoru leżała w łóżku z rękami mocno zaciśniętymi na brzuchu i patrzyła, jak się pakował. Przypominając sobie tę chwilę, znów poczuła rozdrażnienie.

– Tom, dlaczego ty zawsze czekasz z pakowaniem do ostatniej chwili? – zapytała z niezadowoleniem. – Już prawie północ. Jestem zmęczona, a jutro musimy wcześnie wstać. Masz samolot o siódmej, więc o szóstej musisz wyjechać.

– Wcześniej nie miałem czasu – odrzekł ostro, wrzucając do torby koszulę.

Uświadomiła sobie, że to prawda, i ugryzła się w język. Nie chciała go denerwować, ale nie potrafiła pohamować własnej frustracji. Nic go nie obchodziło, że dopóki on się nie spakuje, ona nie będzie mogła zasnąć.

– Dlaczego nie poprosiłeś, żebym ci pomogła? Zrobiłabym to z przyjemnością.

– Przecież mówiłem ci, że wyjeżdżam.

– Tak – westchnęła ze znużeniem. – Ale dopiero wczoraj powiedziałeś, dokąd i po co.

Kiedyś zawsze wiedziała, dokąd Tom wyjeżdża i o czym będzie mówił, a z pakowania jego rzeczy uczyniła cały ceremoniał. Wybuchali śmiechem, gdy przykładała krawaty do jego twarzy i potwierdzała trafność wyboru pocałunkami. Była równie dumna z jego wyglądu jak z dzieci. Ostatnio jednak wyjazdy zdarzały się coraz częściej; zawodowy prestiż Toma rósł i o kolejnym wyjeździe czasami zapominał jej powiedzieć; przypominał sobie dopiero wtedy, gdy czegoś potrzebował. Tak samo było wczoraj: ,,Och, Eve, mogłabyś sprawdzić, czy wystarczy mi koszul na San Diego?'' Sama już nie wiedziała, czy to ona przestała śledzić jego terminarz, czy też on przestał go ujawniać; wiedziała tylko tyle, że niespostrzeżenie, nie wiadomo kiedy, zaczął sam pakować swoje rzeczy. Leżała więc sztywno w łóżku i patrzyła.

– Pozwól mi skończyć – rzucił obojętnie Tom, grzebiąc w szafie. – Idź spać, mnie to zajmie jeszcze chwilę.

Bez słowa zacisnęła usta i skrzyżowała ramiona na piersiach. W chłodnym milczeniu, które wzbierało w niej już od kilku lat, patrzyła, jak jej mąż pakował się przed dwudniową podróżą, i potrafiła dokładnie uzasadnić wybór każdej rzeczy. Trzy zmiany bielizny, jedna na wypadek, gdyby poszedł popływać, dwie pary ciemnych kaszmirowych skarpet, koszulka polo. Trzy koszule z egipskiej bawełny, dobrany do nich krawat od Hermesa, spodenki kąpielowe, butelka szkockiej, bo lubił późnym wieczorem pracować w swoim pokoju, i w końcu skórzana saszetka z przyborami toaletowymi. Miała ochotę zapytać go, po co wciąż trzyma w niej prezerwatywy, skoro ona ma podwiązane jajowody, ale nigdy tego nie zrobiła.

Wiedziała, że Tom nie miewa romansów, i nie chciała, by myślał, że nie ma do niego zaufania. Za miesiąc, w lipcu, przypadała dwudziesta trzecia rocznica ich ślubu. Po tylu latach każda kobieta dobrze zna swego męża. W noc poślubną Eve i Tom zawarli umowę, którą oboje uważali za świętą. Przysięgli, że jeśli którekolwiek z nich będzie miało ochotę na romans, to powie o tym drugiemu, zanim cokolwiek się stanie. W następnej kolejności mógł z tego wyniknąć rozwód albo nie, ale obiecali sobie, że nie będą naruszać poczucia wzajemnej godności i szacunku. Byli dumni ze swojej uczciwości.

Klęcząc obok grządki, z plecami nagrzanymi słońcem, Eve przypomniała sobie te prezerwatywy w saszetce i mocniej wbiła palce w czarną ziemię. Do cebuli żonkila przywarła duża, wijąca się gąsienica. Strząsnęła ją, usłyszała trzaśnięcie bagażnika i znów podniosła wzrok.

– Kochanie, w jakim hotelu będziesz? – zawołała.

– Och, nie pamiętam.

Jego głos miał dziwną, spłoszoną barwę. Eve przechyliła głowę. Tom patrzył na nią z dziwnym wyrazem twarzy, jakby czekał na jakieś jej słowa, albo zastanawiał się nad czymś, co sam chciał jej powiedzieć. Wstrzymała oddech w oczekiwaniu na sygnał z jego strony, najlżejszy choćby znak świadczący o tym, że chce ją pocałować na pożegnanie, przytulić i klepnąć po pośladku, jak to miał zwyczaj robić. Kiedyś bardzo lubił ją przytulać.

Upór, który nie pozwolił jej podbiec, żeby go objąć, był dla niej nowością. Urażone poczucie godności po tym, jak potraktował ją poprzedniego wieczoru, nie pozwoliło jej tego zrobić. Nie mogła teraz podejść do niego pierwsza.

Patrząc na niego w milczeniu, zauważyła, że jego włosy są wilgotne od potu. Tom zawsze mocno się pocił, podobnie jak wszyscy Porterowie, ale teraz, rankiem, nie było jeszcze takiego upału, a on przed chwilą wyszedł z klimatyzowanego wnętrza domu. Eve pomyślała, że gdy jej mąż dotrze do San Diego, będzie musiał wziąć prysznic.

– Zadzwonię, gdy będę na miejscu – powiedział z odrobiną smutku w głosie. – Podam ci numer pokoju.

Od jakiegoś czasu tak to właśnie wyglądało. Inaczej niż kiedyś, gdy Eve starannie przypinała kartkę z numerem pokoju i telefonu na tablicy w kuchni, nad terminami przeglądu samochodu, numerami telefonów, pod którymi można było zamówić pizzę, oraz numerem pogotowia. Skinęła głową i otworzyła usta, by życzyć mu dobrej podróży, może nawet powiedzieć, że go kocha, ale on już się odwrócił.

Znów pochyliła się nad rabatą i wbiła paznokcie w ziemię. Łzy nabiegły jej do oczu. Usłyszała trzaśnięcie drzwi samochodu, odgłos zapalanego silnika i chrzęst opon na cementowym podjeździe. Gdy wszystko ucichło, ogarnęło ją dojmujące poczucie utraty. Nie można tak dalej żyć, pomyślała, pociągając nosem. Gdy Tom wróci, będą musieli porozmawiać, może pójść gdzieś na kolację. Otarła oczy przedramieniem i zaczęła metodycznie wyrywać malutkie listki koniczyny wypełniające przestrzeń między innymi roślinami.

Zanim nadeszła szósta wieczorem, Tom już dawno przestał zajmować jej myśli. Przez cały dzień była zajęta i nie miała czasu na rozmyślania. Prawdę mówiąc, ostatnio tak często nie było go w domu, że nauczyła się radzić sobie bez niego. Była szefem kuchni, pomywaczką, wszystkim, kim trzeba. Dzieci liczyły na nią w każdej sytuacji. Wiedziała, że ich świat kręci się dokoła niej. Dzisiaj, pierwszego dnia wakacji, Finney zdobył dla swojej drużyny futbolowej rozstrzygający punkt, a Bronte wróciła do domu z triumfalnym uśmiechem i torbą ciuchów kupionych na wyprzedaży w Nordstrom za pieniądze, które dostała na urodziny. Eve odsunęła się od zlewu i wytarła ręce zadowolona z siebie, bo chociaż przez większą część dnia pełniła funkcję szofera, udało jej się jeszcze zrobić zakupy na targu i upiec ciasto z jagodami. Zamierzała podać je jako niespodziankę z okazji pierwszego dnia wakacji.

– Dzieci, kolacja! – zawołała głośno w stronę schodów i zeszła do ogrodu, by zerwać kilka kwiatów na stół. O tej porze nie było ich jeszcze zbyt wiele, większość nie wypuściła nawet pąków. Uważnie przyjrzała się rabacie.

– Mamo! Telefon! – Głos Finneya załamał się na ostatniej sylabie.

Uśmiechnęła się i spojrzała na zegarek.

– Jakiś akwizytor?

Nie cierpiała takich telefonów w porze kolacji. Ostrożnie ścięła różę, potem jeszcze dwie. Po chwili znów usłyszała głos syna:

– Mamo! Ona mówi, że to ważne.

Eve ściągnęła usta z irytacją. Ci akwizytorzy stawali się coraz bardziej nachalni.

– A kto to jest?

– Mówi, że dzwoni ze szpitala w San... San-coś-tam.

Poczuła na plecach zimny dreszcz. Przez chwilę nie poruszała się, a potem odwróciła głowę i ujrzała dziwnie wyostrzony obraz, jakby patrzyła przez lornetkę. Zobaczyła swój dom z czerwonej cegły z imponującym portalem i krzewami rododendronów o szerokich liściach przed wejściem, cień swojej czternastoletniej córki, która właśnie szła

do jadalni z telefonem przy uchu, chudego dwu-
nastolatka, który stał przy framudze otwartych
drzwi i z młodzieńczą niecierpliwością oczekiwał
na jej instrukcje. To był jej doskonały świat;
w błysku instynktu pomyślała, że widzi go takim
po raz ostatni.

Czuła przyspieszenie własnego oddechu. Zawsze miała skłonności do dramatyzowania. Tom
miał odwiedzić również szpital w San Diego. Na
pewno chodziło po prostu o wiadomość od niego.
Co się z nią ostatnio dzieje?

— Powiedz, że już idę! — odkrzyknęła, wbiega-
jąc do domu na uginających się kolanach. Zignorowała dziwne, mroczne spojrzenie Finneya i podeszła prosto do stołu, na którym leżała słuchawka.

— Halo — wykrztusiła przez wyschnięte usta.
— Mówi Eve Porter.

— Dzień dobry, pani Porter — odezwał się miły,
spokojny głos nieznanej kobiety. — Mówi doktor
Raphaelson z Centrum Medycznego San Diego.

— Słucham, czym mogę pani służyć?

— Czy jest pani żoną doktora Thomasa Portera
z Riverton w Illinois?

— Tak...

Zapadło krótkie milczenie. Eve czuła, że jej
pierś przygniata wielki kamień, z sekundy na
sekundę coraz cięższy. Wstrzymała oddech.

— Pani Porter, z wielką przykrością muszę panią zawiadomić, że pani mąż zmarł dzisiaj po
południu na atak serca.

Eve zacisnęła palce na słuchawce.

– Co? Jak to? Gdzie?

– Gdy to się wydarzyło, był w szpitalu, ale zawał był zbyt rozległy. Bardzo mi przykro. Robiliśmy wszystko, co było w naszej mocy.

Eve nie rozumiała z tego ani słowa. Tom wyjechał do San Diego na sympozjum. Miał wrócić za dwa dni. Musieli porozmawiać, wyjaśnić sobie pewne rzeczy. O czym ta kobieta właściwie mówi?

– Nie, to niemożliwe.

– Bardzo mi przykro. Pani mąż zmarł o wpół do trzeciej po południu czasu zachodniego.

Słowa tej kobiety kołatały w mózgu Eve, ale ich treść jeszcze do niej nie docierała. „Bardzo mi przykro". Puk, puk. „Naprawdę jest mi przykro". Puk, puk. Wiedziała, że jeśli dopuści do siebie ich sens, to usłyszy bicie dzwonu: On nie żyje, nie żyje, nie żyje. Całe jej ciało zastygło, odrętwiałe. Telefon wypadł z jej zesztywniałych dłoni razem z trzema różami. Spojrzała w dół i zauważyła kropelki krwi spływające po ręce.

Wszystko odbywało się jakby w zwolnionym tempie. W uszach huczały fale oceanu. Z szeroko otwartymi oczami, z trudem chwytając oddech, powoli powiodła wzrokiem po kuchni. Widziała wystraszone twarze dzieci i wyciągnęła przed siebie ręce, by się od nich odgrodzić; nie chciała czuć teraz ich dotyku. Potrząsnęła głową i bezgłośnie poruszyła ustami. Do jej umysłu powoli wdzierały się straszne, bolesne słowa: Tom nie żyje.

Ucisk w klatce piersiowej stawał się nie do zniesienia. Poczuła, że za chwilę rozerwie ją od wewnątrz. Przyłożyła dłonie do ust i zawyła jak zranione zwierzę, a potem wyciągnęła ręce i ze wszystkich sił przycisnęła do siebie głowy swoich dzieci.

ROZDZIAŁ DRUGI

Albowiem krew moja już ma być wylana na ofiarę, a chwila mojej rozłąki nadeszła. W dobrych zawodach wystąpiłem, bieg ukończyłem, wiary ustrzegłem.

2 Tym. 4, 6-7

Wers, który Eve wybrała na zawiadomienia o pogrzebie Toma.

Kościół katolicki pod wezwaniem świętego Łukasza, podobnie jak całe Riverton, był mały, ale odgrywał w okolicy istotną rolę. Neogotycka architektura, ciemne deski i belki, witraże i kute żelazo wyraźnie wskazywały zarówno na zmysł artystyczny rzemieślników, jak i na hojność bogatych mecenasów. W każdą niedzielę stałe grono katolików z Riverton klękało na podłodze kościoła świętego Łukasza. Ale nawet jak na tutejsze standardy, frekwencja na pogrzebie Toma Portera była imponująca. Dobrze ubrani, opaleni ludzie wypełniali przejścia i wylewali się poza drewniany portal, na dziedziniec.

Doris Bridges zajęła swoje miejsce w jednym z pierwszych rzędów, złożyła ręce na ławce i z wysuniętym do przodu podbródkiem przyglądała się przechodzącym przed nią ludziom, jak generał podczas inspekcji wojsk na defiladzie. Była grubokoścista, o szerokich biodrach i pełnym biuście, teraz falującym z przejęcia. Na szczęście w ostatniej chwili przyszło jej do głowy, by zająć się organizacją pogrzebu. Inaczej cała ceremonia skończyłaby się ogólną klapą. Parodia. Biedna Eve była zupełnie bezradna. Zwykle odznaczała się dużą inwencją i była dobrym organizatorem, ale śmierć Toma wprawiła ją w odrętwienie. A ci teściowie... Nie było z nich żadnego pożytku. Mieli więcej lat niż egipskie piramidy! W żadnym wypadku nie nadawali się do organizacji dużego pogrzebu. Doris w duchu wyraziła sobie uznanie za to, że zrobiła to, co każda przyjaciółka powinna zrobić.

Dobra robota, pomyślała jeszcze raz, obrzucając całość wzrokiem pani domu. Dziesiątki wysokich, białych lilii otaczały ołtarz przykryty białym płótnem. Obok, przy barierce, gdzie udzielano komunii, stał stół, a na nim duża fotografia Toma oraz niezwykła kompozycja z białych kwiatów. Eve uwielbiała kwiaty. Doris osobiście wybierała je do tej wiązanki i była pewna, że Eve zauważy jej troskę. Kwiaciarnia zdana na własny wybór na pewno przygotowałaby bukiet z goździków.

Doris zajmowała miejsce za pogrążoną w rozpaczy rodziną, na tyle daleko, by nie narzucać się swoją obecnością, ale na tyle blisko, by inni nie mieli wątpliwości, że należy do najbliższego kręgu przyjaciół zmarłego. Obróciła głowę i mimochodem poszukała w tłumie znajomych twarzy. Oczywiście znała większość obecnych, stykała się z nimi na gruncie towarzyskim, w szkole lub w interesach. Jej wzrok przyciągnęła wysoka, rudowłosa kobieta w bocznej nawie, która bez przerwy płakała niepowstrzymanym potokiem łez. Doris nie rozpoznawała jej. Nie mogła jej się dobrze przyjrzeć, bo czarny kapelusz z wielkim rondem prawie całkiem zasłaniał twarz. Na litość boską, pomyślała Doris z niesmakiem, cóż za żenujący spektakl. Można by pomyśleć, że to ona jest wdową. Niektóre kobiety zupełnie nie umieją się kontrolować. Miała poczucie, że jej obowiązkiem jako wiodącej członkini społeczności było nadawać ton. Gdy napotkała wzrok kobiety, rzuciła jej ostrożny, szybki uśmiech wyraźnie nakazujący powściągliwość, rudowłosa dama nie zwróciła jednak na to najmniejszej uwagi i wciąż zanosiła się szlochem.

Doris spojrzała z kolei na wdowę po Tomie, dla odmiany stojącą w milczeniu i nieruchomo. Pod ciemną koronkową woalką twarz Eve wydawała się ledwie bladym cieniem. Doris poczuła przypływ serdecznych uczuć dla przyjaciółki. Oto kobieta, która powinna szlochać. Została taka samotna! Tom był jej jedyną ostoją. Zawsze pełen życia i energii, przez wszystkich znany, lubiany i szanowany. Eve była bardziej zamknięta w sobie, ciepła i przyjazna, życzliwa, lecz zawsze zachowująca dystans. Tom i dzieci stanowili cały jej świat. I choć poświęcała sporo czasu przyjaciołom, nie była zbyt towarzyska. Doris przypomniała sobie, jak kiedyś, przy kawie, Eve wyznała, że przyjaciółki z Klubu Książki to najważniejsze kobiety w jej życiu. Doris, która zawsze była duszą towarzystwa, zrozumiała te słowa i po cichu przyznała jej rację.

Gdzie one są? – zastanawiała się, spoglądając w stronę drzwi.

Gabriella siedziała po drugiej stronie przejścia w towarzystwie swojego męża Fernanda i czwórki dzieci. Zajmowali prawie całą ławkę. Niedaleko padły jabłka od jabłoni, pomyślała Doris, spoglądając na rząd pochylonych głów o lśniących czarnych włosach. Cała szóstka była ładna i oddana sobie nawzajem. Gabby kochali wszyscy, którzy ją znali, nie tylko za szeroki uśmiech i roziskrzone czarne oczy, ale przede wszystkim za wielkie, szczodre serce. Przez ostatnie dni Gabby w typowy dla siebie sposób drżała o los Eve i jej biednych osieroconych dzieci, dbając o wszystkie ich potrzeby i przywożąc im sterty domowego jedzenia. Nic dziwnego, że teraz siedziała w ławce wyraźnie przygarbiona.

Za Gabriellą zajęła miejsce Midge Kirsch, jak

zwykle sama. Nie była kobietą atrakcyjną, ale nawet z daleka rzucała się w oczy siła emanująca z jej prostych kwadratowych ramion, nieruchomego spojrzenia ciemnych oczu i dramatycznego kontrastu między długą, powiewną czarną spódnicą a stalowoniebieskim szalem. Oczywiście, na taki strój może sobie pozwolić tylko wysoka kobieta, pomyślała Doris. Musiała jednak przyznać, że Midge wszystkiemu, co nałożyła, nadawała swój styl.

Annie Blake przystanęła w przejściu obok własnej ławki. Na widok jej smukłej sylwetki w gołębioszarym kostiumie o nienagannym kroju, bardzo odpowiednim dla dobrze prosperującej prawniczki, Doris poczuła ukłucie zazdrości. Cała postać Annie emanowała gładkością i samokontrolą. Szare czółenka na wysokich obcasach lśniły, szykowna torebka z czarnej skóry na pierwszy rzut oka kojarzyła się z pedanterią, a z włosów zwiniętych nisko na karku nie śmiał wysunąć się ani jeden starannie ufarbowany jasny kosmyk. Doris dobrze wiedziała, że ona sama nigdy nie będzie tak wyglądać, bez względu na to, ile wyda pieniędzy. W głębi serca była przekonana, że szczupłe, atrakcyjne kobiety sukcesu pilnie strzegą sekretu swojego wyglądu wyłącznie po to, by doprowadzać do rozpaczy kobiety pulchne i przeciętne.

Annie obiegła sąsiadów szybkim spojrzeniem kocich oczu. Doris wiedziała, że żaden szczegół nie uszedł jej uwagi. Gdy ich spojrzenia się spotkały, Annie uśmiechnęła się uprzejmie, a potem w typowy dla siebie sposób szybko podjęła decyzję i z wdziękiem wsunęła się na miejsce obok Midge.

Doris wygładziła ręką zmarszczki na granatowej lnianej spódnicy, trochę już przyciasnej i kilkuletniej. Nie była tak elegancka jak strój Annie, ale dobre ubrania powinny być długowieczne. Matka Doris nosiła kostiumy od Chanel po dziesięć, dwadzieścia lat. Jakość zawsze jest w cenie, powtarzała. Spódnica jednak nielitościwie piła w pasie i Doris, wciągając brzuch, obiecała sobie, że od jutra zacznie dietę proteinową, o której czytała, i będzie ćwiczyć. Bóg jeden tylko wie, ile nam jeszcze zostało tych jutrzejszych dni, pomyślała, znów spoglądając na lśniącą trumnę przed ołtarzem.

Kto by pomyślał, że Tom Porter umrze tak nagle? Zawsze wydawał się pełen energii, taki przystojny, z żywym uśmiechem i błyszczącymi, czarnymi oczami. Doris niejednokrotnie zazdrościła Eve szczęścia i namiętności, które wyraźnie istniały w tym małżeństwie, w odróżnieniu od jej własnego. Przyłożyła palec do ust. Śmierć młodego, pełnego życia mężczyzny zawsze była szokiem, ale gdy był to ktoś taki jak Tom Porter, wszyscy odczuwali to bardzo mocno. Oczywiście, współczuli żonie i dzieciom straty męża i ojca, ale przedwczesna śmierć działa na wyobraźnię; powyżej pewnego wieku każdy człowiek czuje już na sobie cień przypominający, że śmierć nie jest zarezerwowana wyłącznie dla starców i każdy dzień może się stać tym ostatnim.

Poczuła nagły przypływ niepokoju o własnego męża. Odwróciła głowę i po raz chyba dwudziesty spojrzała w stronę wejścia. Jej serce zabiło z nadzieją, gdy dostrzegła w drzwiach kościoła Johna, męża Annie. Jego wysoka sylwetka, skandynawskie rysy twarzy i bardzo jasne włosy skontrastowane z opaloną cerą z daleka rzucały się w oczy; prawie wszystkich przewyższał o głowę. On również rozglądał się po kościele i uśmiechnął się szeroko, gdy udało mu się dostrzec Annie. Podszedł do niej z gracją sportowca, nieświadomy, że oczy młodszych i starszych kobiet zwracają się ku niemu. Doris zastanawiała się, jak musi się czuć kobieta tak uwielbiana przez męża.

Znów wpatrzyła się w drzwi. R.J., pracodawca Johna, powinien pojawić się zaraz za nim. Na pewno razem wyszli z jakiegoś spotkania.

Po kilku minutach zerknęła na zegarek. R.J. spóźniał się niewybaczalnie! Poprzedniego wieczoru miał czelność oświadczyć, że nie jest pewien, czy w ogóle znajdzie czas, by tu przybyć. Doris kategorycznie zabroniła mu nawet myśleć o czymś takim. Jak można nie pojawić się na pogrzebie sąsiada, przyjaciela, tylko z powodu jakiegoś głupiego spotkania w interesach! To nie byłoby już nawet niegrzeczne, tylko wręcz niewybaczalne! Wszyscy by to zauważyli. Nawet teraz nie potrafiła powstrzymać oburzonego syknięcia. Jak mógł jej to zrobić? Ale takie rzeczy zdarzały się ostatnio zbyt często i R.J. czasem w ogóle nie uważał za stosowne się usprawiedliwiać. A pory, w których wracał do domu... Naprawdę trzeba z nim o tym porozmawiać. Nie był już taki młody. Miał pięćdziesiąt cztery lata, pił za dużo i od rana do wieczora zajmował się wyłącznie firmą budowlaną. Wszystko, czego potrzeba, by dostać ataku serca. Jeśli nie zacznie o siebie dbać, to ona też niedługo zostanie wdową, pogrążoną w żałobie i samotną jak Eve.

Wzdrygnęła się na tę myśl i spojrzała na Eve. Biedactwo. W czarnym kostiumie wydawała się jeszcze drobniejsza. Długa, koronkowa woalka podkreślała kredową bladość twarzy. Jasnoniebieskie, załzawione oczy patrzyły na trumnę ze zgrozą i niedowierzaniem. Wydawała się tak krucha i delikatna, jakby mógł ją unieść każdy powiew wiatru. Po obu jej stronach stały dzieci.

Doris w nagłym przypływie uczucia pochwyciła za rękę swoją córkę, Sarę, i syna, Bobby'ego. Para nastolatków zwróciła na nią zażenowane spojrzenia. W ich twarzach jej rysy mieszały się z rysami R.J.: oboje byli żywymi dowodami ich związku. Doris mocniej uścisnęła ich dłonie. Rodzina jest wszystkim. Biedna Eve. Myśl o utracie R.J. i o samotności napełniała Doris strachem.

Annie nie mogła się już doczekać, kiedy zostanie

sama. Stała przed kościołem, postukując butem w chodnik, i czekała na Johna, który poszedł po samochód. Zostało jeszcze kilka osób, ale większość uczestników pogrzebu już pojechała na stypę albo do domów.

Annie miała uczucie, jakby ktoś wrzucił ją do głębokiej, wzburzonej wody. Śmierć Toma wstrząsnęła nią. Zaledwie kilka tygodni wcześniej ze śmiechem wygoniły go z biblioteki podczas spotkania Klubu Książki. Annie wróciła późno z pracy i gdy Gabriella zadzwoniła, by jej przekazać smutną wiadomość, poczuła się tak wytrącona z równowagi, że wypiła za dużo wina i przez całą noc desperacko tuliła się do Johna. Jako egzystencjalistka nie wierzyła w życie pozagrobowe, więc nie miała pojęcia, dlaczego ta śmierć tak bardzo nią wstrząsnęła. Nie znała Toma zbyt blisko. Lubiła go, ale to Eve była jej przyjaciółką. Członkinie Klubu Książki traktowały mężów uprzejmie i dwa razy do roku wszyscy razem urządzali sobie przyjęcia. Mężowie byli mili, ale, szczerze mówiąc, kobiety mało ich znały i traktowały jako element wyposażenia wnętrza, coś w rodzaju mebli. A mimo to śmierć Toma wstrząsnęła nimi wszystkimi.

Ktoś ze znajomych zatrzymał się obok niej i powiedział niewyraźnie kilka słów o tragicznym wydarzeniu. Annie odpowiedziała podobnym frazesem i odetchnęła z ulgą, gdy intruz sobie poszedł. Nie cierpiała takich uroczystości: poważnych twarzy, banalnych zwrotów i Doris, która rozstawiała wszystkich po kątach z miną najwyższej kapłanki świątyni. A kim właściwie była ta ruda kobieta, która szlochała w bocznej nawie? Annie miała ochotę podejść, uderzyć ją w twarz i wykrzyknąć: uspokój się, kobieto, w końcu to nie był twój mąż!

Eve nie płakała i to było bardzo niepokojące. Gdy wywożono trumnę z kościoła, na jej twarzy pojawiło się bolesne zdumienie. Annie przeczuwała, że to, co Eve czuje, daleko wykracza poza zwykły smutek i żal. Czy był to strach, czy może poczucie winy? Ale z jakiego powodu? Małżeństwo Eve i Toma wydawało się doskonałe, było związkiem, który dla przyjaciół lśnił jak iskierka nadziei. Zawsze można było wskazać Porterów jako żywy przykład istnienia dobrych małżeństw. Jednak Annie przeprowadziła w życiu wiele rozwodów i lata pracy nauczyły ją, że za zamkniętymi drzwiami dzieją się niezwykłe rzeczy i że każda historia ma swoje trzy wersje: jej, jego i prawdziwą.

Westchnęła i ze smutkiem potrząsnęła głową, pewna, że Eve niełatwo przyjdzie pogodzić się ze śmiercią męża i odzyskać spokój. Wyraz twarzy przyjaciółki świadczył o tym dobitnie.

Tuż obok rozległ się klakson samochodu. Annie podniosła głowę i zobaczyła Johna za kierownicą bmw.

– Wracamy do domu? – zapytał, gdy wsiadła.

Skinęła głową i uśmiechnęła się do niego, wdzięczna za to, że zawsze bezbłędnie odgadywał jej życzenia. Był na każde jej zawołanie, zawsze gotów nieść pomoc i pociechę. Rozpieszczał ją jak dziecko.

John ruszył i kościół wreszcie został za nimi.

– Bogu dzięki, że już po wszystkim. Co za okropny obowiązek. Nie miałam pojęcia, że msza katolicka może trwać tak długo – mówiła Annie, rozpinając guziki żakietu. Przypomniała sobie, o czym mówił ksiądz: że czas każdego człowieka na ziemi jest ograniczony. Choć w kazaniu chodziło o to, by zawsze i w każdej chwili być przygotowanym na życie wieczne, dla Annie oznaczało to tyle, że należy w pełni przeżywać każdy dzień.

– Jak się czuje Eve? – zapytał John.

Annie wzruszyła ramionami.

– Martwię się o nią. Ale na razie nic nie mogę dla niej zrobić. Doris jak zwykle wszystko kontroluje. Moja kolej przyjdzie później, gdy będzie jej potrzebna porada prawna. Mam nadzieję, że Tom o nią zadbał, bo jeśli nie, to czekają ją ciężkie czasy.

Przyłożyła dłonie do czoła i zamknęła oczy. Eve wydawała się zupełnie zagubiona, było jasne, że będzie potrzebowała pomocy. Annie wiedziała, jak trudna i wyboista droga czeka kobietę, która zaczyna zupełnie nowe życie, i wiedziała, że przez jakiś czas będzie musiała towarzyszyć Eve przy każdym jej kroku.

– Może coś zjemy? – zapytał John.

– Prawdę mówiąc, przydałby mi się solidny drink.

John przymrużył oczy i mocniej zacisnął dłonie na kierownicy.

– Nie sądzisz, że jest trochę za wcześnie? Właściwie nic jeszcze nie jedliśmy. Może pojedziemy gdzieś na późny lunch? – Spojrzał na nią z ukosa i dodał: – Możemy to nazwać wczesną kolacją, jeśli wolisz.

Annie machnęła ręką, zirytowana niepokojem w jego głosie.

– Nie jestem głodna. Ten pogrzeb był o wiele za smutny. Jeszcze nie doszłam do siebie. Czuję się chora od współczucia i myślenia o śmierci. Czy nie sądzisz, że powinniśmy coś zrobić, och, sama nie wiem, coś, co byłoby afirmacją życia?

– Jedzenie jest afirmacją życia...

– Nie. Mam ochotę wrócić do własnego domu, wypić zimnego drinka z własnej szklanki, a potem aż do wieczora kochać się z własnym mężem.

Twarz Johna rozjaśniła się uśmiechem.

– To brzmi całkiem nieźle – stwierdził.

– Tak myślałam – odrzekła, tęskniąc już za dotykiem jego gładkiego, ciepłego ciała.

Skóra przy skórze. John był pięknym mężczyzną, pięknym wewnętrznie i zewnętrznie. Kochała go, potrzebowała go, w tej chwili jeszcze bardziej niż kiedykolwiek. Uznała, że ten przypływ emocji musi być skutkiem pogrzebu. Nie poddawała się łatwo sentymentom, ale w kościele, gdy patrzyła na Eve idącą za trumną Toma, doznała swego rodzaju objawienia, gdy zauważyła, jak mocno jej przyjaciółka ściska dłonie swych dzieci. W jednej chwili dotarło do niej, że Eve czerpie z Bronte i Finneya co najmniej tyle samo siły, ile daje im sama. Istniała między nimi więź, namacalny przepływ energii.

Po raz pierwszy w życiu Annie zapragnęła mieć dziecko.

– Wiesz – powiedziała, pochylając się i splatając palce z jego palcami – skoro już mówimy o afirmacji życia i skoro mamy zamiar się kochać... to wpadłam na jeszcze jeden pomysł.

John powoli odwrócił głowę i przeniósł na nią spojrzenie – najpierw zaciekawione, zaraz jednak na jego twarzy pojawiło się napięcie, a w oczach zabłysło skupienie, jakby już się domyślił, co usłyszy.

Annie ciągnęła powoli, starannie dobierając słowa:

– John, wiem, że już od dawna chciałeś mieć dziecko. Teraz, gdy czekałam na ciebie przed kościołem, myślałam o tym, jak krótkie i cenne jest życie. Chyba nie powinniśmy dłużej czekać.

Jego policzki powoli zabarwił rumieniec. Spojrzał na nią po raz trzeci. W jego oczach błyszczały iskierki podniecenia, ale widziała, że John stara się pohamować entuzjazm, by jej nie wystraszyć. Powstrzymała uśmiech, myśląc, że byłby bezna-

34

dziejnym prawnikiem; oczy zdradziłyby go w każdej sytuacji.

— Jesteś pewna? — wykrztusił.

— A ty nie? — odrzekła kpiąco.

Odchrząknął ze śmiertelną powagą.

— Oczywiście, jestem pewny. Ale chciałbym być równie pewny, że z twojej strony to nie jest tylko odreagowanie emocji po śmierci Toma. Chcę powiedzieć, Annie, że to takie nagłe. Jesteśmy małżeństwem od pięciu lat i do tej pory nie chciałaś nawet rozmawiać o dziecku. Za każdym razem z miejsca ucinałaś temat. Nie stajemy się młodsi. Ja już chyba nawet pogodziłem się z tym, że nie będziemy mieli dzieci, a ty nagle chcesz. A co z twoją praktyką? Co z tymi wszystkimi sprawami publicznymi, w których tak chętnie się udzielasz? Jak pogodzisz to wszystko z wychowywaniem dziecka?

Annie wesoło postukała go palcem w ramię.

— Więc... uważasz, że nie powinniśmy mieć dziecka?

— Nie! — zaprotestował gwałtownie i zatrzymał samochód na skraju drogi. — Nie — powtórzył, biorąc głęboki oddech i patrząc jej prosto w oczy. — Chcę się tylko upewnić, że ty chcesz tego naprawdę.

To takie podobne do niego, pomyślała, patrząc w przejrzyste, szczere oczy Johna. Ze ściśniętym sercem pogładziła go po ramieniu i powiedziała:

— Jestem pewna.

Udało jej się wytrzymać jego spojrzenie, a potem, chcąc zmienić zbyt poważny nastrój, mrugnęła i dodała:

– Ale chyba nie będziemy go robić tutaj? Te fotele nie są zbyt wygodne, a poza tym przeszkadzałaby dźwignia biegów. Gaz do dechy, kochanie, i wieź mnie do łóżka!

Midge wróciła do domu położonego na wschodnich krańcach Oakley, dzielnicy, którą jej przyjaciółki z Klubu Książki uważały za niebezpieczną, ponieważ graniczyła z zachodnimi przedmieściami Chicago o wysokich statystykach przestępstw, zamieszkanymi przez rodziny o niskich dochodach.

Ale Oakley było również okolicą, w której przebudowywano stare kamienice, tworząc wspaniałe przestrzenne mieszkania, pełną etnicznych restauracji, miejscem, gdzie artyści, wytwórcy koralików, pisarze oraz wyznawcy eklektycznych religii mogli sobie pozwolić na wynajem dużych powierzchni. W Oakley kwitła twórcza, wielokulturowa atmosfera i dzielnica szybko przeobrażała się w snobistyczną enklawę indywidualistów wszelkiej maści.

W latach siedemdziesiątych, gdy Midge, po skończeniu college'u i rozpadzie małżeństwa, wróciła z Bostonu do domu, Oakley dokładnie odpowiadało jej potrzebom. Szukała dużego, otwartego pomieszczenia, które mogłoby być równocześnie pracownią malarską i na które mogłaby sobie pozwolić, i które ponadto byłoby piękne architektonicznie i w miarę bezpieczne. Zwykle oznaczało to zamieszkanie w zupełnie niemodnej dzielnicy, przeciwko czemu Midge nic absolutnie nie miała. Nigdy nie przejmowała się obowiązującymi trendami, a wręcz z upodobaniem płynęła pod prąd. Kupiła duży strych w jednym z pierwszych odremontowanych budynków, na długo przed tym, zanim moda na strychy opanowała cały kraj, i tak jej się tu spodobało, że potem kupiła całą kamienicę za dobrą cenę, w okresie, gdy wydawało się, że ceny w tej dzielnicy będą już tylko spadać.

W miarę upływu lat Oakley zmieniło się z solidnej dzielnicy robotniczej w niebezpieczną i przestępczą, a potem odrodziło się dzięki staraniom społeczności homoseksualistów i stopniowo przekształciło w pełną swoistego klimatu siedzibę porządnych wielokolorowych rodzin, homoseksualistów i artystów. Jednocześnie wartość kamienicy szła w górę, w dół i znów w górę jak trasa górskiej kolejki, ponieważ ludzie bali się, że ich budynki stracą na wartości, gdy w okolicy zamieszkają kolorowi. Gdy znajomi gratulowali Midge inwestycji, ta zawsze odpowiadała ze wzruszeniem ramion:

— Widzisz, opłaca się nie mieć uprzedzeń. Może sam też spróbujesz?

Jednak uprzedzenia były dla Midge chlebem powszednim. Prowadziła terapię sztuką z dziećmi i nastolatkami, w których kipiał gniew spowodowany biedą i uprzedzeniami. Wiedziała, że ten gniew to bomba z opóźnionym zapłonem. Ale najtrudniejsze w całym jej życiu było to, że gdy wyczerpana wracała do domu, nie było tam nikogo, kto by ją objął i powiedział, że ją kocha i że jest bezpieczna.

Midge dobrze znała smak samotności, i z całego serca współczuła Eve, wiedząc, co ją czeka. Przejście od małżeństwa do stanu wolnego, od bycia kochaną do bycia zapomnianą, było długie i bolesne. Z czasem silne osobowości przystosowywały się i zaczynały rozkwitać. Ale tak jak każdy budynek potrzebuje dbających o niego lokatorów i porządnej społeczności, by nie rozsypać się w gruzy, podobnie Eve potrzebowała uczucia i wsparcia przyjaciółek.

Eve w każdym razie ma rodzinę, pomyślała Midge, wyciągając z kieszeni okazały pęk kluczy na dużym metalowym kółku. Stała przed wejściem do swego domu. Szeroki budynek z czerwonej cegły zajmował połowę długości przecznicy. Na parterze mieściło się kilka sklepów i pracowni, a dwa górne piętra zajmowały mieszkania wynajmowane głównie przez właścicieli tychże sklepów. Za budynkiem, w miejscu niegdyś zajmowanym przez okazałą stertę śmieci, Midge stworzyła wielki ogród. Warzywa, kwiaty, altana, dzwoneczki i korytka dla ptaków cieszyły wszystkich mieszkańców. Midge była dumna ze swego gospodarstwa i przyjaznych związków z lokatorami. To oni byli jej rodziną.

A jednak było przecież oczywiste, że nie jest to prawdziwa rodzina. Midge była realistką i nie miała żadnych iluzji. Wchodząc na górę po ciemnych schodach, słuchała stukotu obcasów o drewniane stopnie i wydawało jej się, że to echo jej samotności. Tak dobrze znała tę drogę. Zatrzymała się u progu swojego mieszkania z bezwładnie opuszczonymi rękami, przygotowując się na chwilę, gdy wejdzie do środka i będzie musiała stawić czoło swej samotności.

Mieszkanie było duże i przestronne, urządzone śmiało i nowocześnie, w nieco męski sposób, pozbawione typowo kobiecego dążenia do przytulności i jednolitości stylu. Podobnie jak sama Midge. Zwykle zamykała za sobą drzwi z wyraźną ulgą i przyjemnością. Rzucała płaszcz i torebkę na krzesło i wkraczała we własną przestrzeń. Wyciągała z lodówki kawałek sera i krakersy albo miskę płatków – nigdy nie przejmowała się tym, co je – a potem od razu chwytała za książkę albo farby.

Czasami jednak samotność dokuczała jej bardziej niż zwykle i wtedy cisza wydawała się dojmująca. Midge słyszała swój oddech i miała wrażenie, że jest żywcem zamknięta w trumnie. Dzisiaj w czasie pogrzebu coś poruszyło w niej nutę melancholii, którą starała się trzymać na wodzy. Czy była to rozpacz rodziny, czy też właśnie siła rodzinnych więzów, nie uginających się nawet w obliczu przeciwności? Wciąż miała w oczach obraz Eve kurczowo ściskającej dłonie dzieci. Taki piękny obraz... a dla niej coś zupełnie nieosiągalnego.

Zamknęła za sobą drzwi, zarazem odcinając się od niechcianych myśli. Tom Porter był w tym samym wieku co ona. Miała pięćdziesiąt lat i nie mogła już liczyć na znalezienie bezpieczeństwa w małżeństwie czy macierzyństwie. Musiała przyzwyczaić się do świadomości, że w przypadku depresji albo fali lęku skazana jest na szukanie poczucia bezpieczeństwa w sobie. Gdy w zimną noc miała ochotę obejrzeć film w łóżku, jedynie kot mógł dotrzymać jej towarzystwa. Gdy budziła się sama w poranek Bożego Narodzenia, no cóż... Wzięła głęboki oddech i powiedziała sobie surowo, że powinna dobrze się rozejrzeć i odnaleźć wszystkie rzeczy, za które może być wdzięczna Bogu. Miała swoją pracę i przyjaciół. To było jej życie; dokonała wyborów i teraz musiała żyć w zgodzie z ich konsekwencjami.

Szybko rozejrzała się za czymś do zrobienia, by odpędzić melancholię. Wcisnęła guzik automatycznej sekretarki i czekała, aż taśma się przewinie. Ciszę przerwał nosowy głos:

– Nie masz żadnych wiadomości.

Gabriella weszła do skromnego ceglanego domku w północnej części Oakley i, nie mówiąc ani słowa, skierowała się prosto do sypialni. Zamknęła drzwi i szybko zdjęła lnianą sukienkę oraz ciemne przepocone pończochy, a gdy jej skóra znów zetknęła się z powietrzem, westchnęła głęboko. Nie cierpiała dopasowanych obcisłych ubrań; miała wrażenie, że oplata ją liana. Ale dzisiaj szczególnie doskwierała jej duchota w zatłoczonym kościele, powstrzymywane łzy i cierpienie dzielone z przyjaciółką, Eve, i z tymi biednymi, osieroconymi *bebes*... Gabriella z trudem powstrzymywała się, by nie wybuchnąć szlochem, tak jak ta ruda wariatka. Po mszy mocno pocałowała męża oraz całą czwórkę dzieci i kazała im obiecać, że nigdy, przenigdy nie umrą przed nią.

Spięła długie, gęste czarne włosy spinką i weszła do chłodnej, porcelanowej wanny. Namydlając pulchne ciało, miała wrażenie, że razem ze strugami chłodnej wody spływa z niej cały nagromadzony smutek. Westchnęła i przymknęła oczy. Nie, naprawdę nie potrzebowała tych niedobrych myśli. Nie chciała, by smutek pogrzebu wtargnął do jej domu. Nie była przesądna... ale ostatnio wszystko układało się zbyt dobrze. Zbyt dobrze.

A zawsze, gdy tak było, musiało się wydarzyć coś niedobrego. Na tę myśl gwałtownie zakręciła wodę, wytarła się i narzuciła luźną, jaskrawożółtą sukienkę.

– Mami, jestem głodny – zawołał jej najmłodszy syn, wciąż ubrany w swoje najlepsze spodenki i koszulę. Stał przy szafce w kuchni, patrząc w telewizor i podjadając żelki.

Najpierw się przebierz, dobrze? I powieś ubranie w szafie – odrzekła, gładząc go po głowie.

– Zrobię lunch. Idź, odłóż te cukierki i nie oglądaj już więcej telewizji.

Wyjęła z szafki kilka garnków. Przygotowywanie jedzenia i zajmowanie się domem w weekend było zawsze niemożliwym wręcz przedsięwzięciem, ale uwielbiała byś w centrum tego huraganu. W końcu matka to serce rodziny, prawda? Dwaj najstarsi synowie grali dziś mecze piłki nożnej w szkole, a ona nigdy nie pozwalała im wyjść z domu bez porządnego posiłku. Z kolei szesnastoletnia córka wciąż była na diecie odchudzającej i Gabriella musiała staczać z nią nieustanne bitwy, by w ogóle cokolwiek zjadła. Co by tu ugotować? – zastanawiała się, szperając w pełnej lodówce. Za plecami usłyszała kroki męża i obejrzała się.

Fernando był potężnym mężczyzną o szerokich barach, owłosionym ciele i z okrągłym brzuszkiem, który wystawał mu nad paskiem spodni. Często się po nim drapał albo klepał, gdy o czymś myślał. Teraz też się drapał, zauważyła Gabriella, i zmarszczyła brwi na widok jego dziwnie potulnego wyrazu twarzy. Byli małżeństwem od dwudziestu pięciu lat i Gabriella odbierała symptomy nadchodzącej burzy lepiej niż najczulszy barometr. Teraz w jej głowie rozdzwonił się sygnał alarmowy.

– Dobrze się czujesz? – zapytała, gdy wyjmował piwo z lodówki. – Pogrzeb cię przygnębił?

Fernando zdjął kapsel i pociągnął solidny łyk piwa.

– Chyba tak – odpowiedział nieobecnym tonem. – Tom Porter był mniej więcej w moim wieku.

– Ty masz zdrowe serce – powiedziała zbyt szybko. Była pielęgniarką i dobrze wiedziała, że czasami ataki serca zdarzały się mężczyznom w wieku jej męża bez ostrzeżenia. Przymrużyła oczy i uważnie mu się przyjrzała. Był blady.

– Przecież dopiero co byłeś u lekarza, robiłeś sobie badania. Masz dobry poziom cholesterolu. O co chodzi? – powiedziała z nagłym niepokojem. – Boli cię coś w klatce piersiowej?

Potrząsnął głową i znów napił się piwa. Ręce Gabrielli znieruchomiały na blacie szafki. Czekała na to, co miało nastąpić. Fernando lekko zacisnął usta. Jego twarz nie drgnęła, ale oczy pozostawały niespokojne.

– Pamiętasz, jak ci mówiłem, że po firmie krąży wiadomość o fuzji? Mówiono wtedy, że będą duże zwolnienia – powiedział, omijając ją wzrokiem i patrząc w ścianę.

Owszem, pamiętała. Długo wtedy rozmawiali o tym, że stanowisko Fernanda może być zagrożone. Był okręgowym menedżerem firmy elektronicznej. Wówczas jednak stwierdził, że nigdy nie opuścił ani jednego dnia w pracy, często zostawał po godzinach, gdy pojawiały się jakieś problemy, i pracował w swojej firmie już od ponad dziesięciu lat. Wydawał się bardzo pewny siebie i wierzył, że będzie ostatnim pracownikiem, którego firma chciałaby się pozbyć. Teraz jednak, na widok wyrazu jego oczu, Gabriella zaczęła obawiać się najgorszego. Przypomniały jej się wcześniejsze przeczucia i w duchu zaczęła się modlić: nie, nie, niech tylko nie traci pracy. *Madre de Dios*, proszę, nie każ nam przez to przechodzić. Gabriella znała biedę i bardzo się jej bała.

Bez słowa wzięła jego dłoń w swoje.

– Wyrzucili mnie – wyznał wreszcie z brutalną szczerością. – Dali mi wymówienie. Za sześć tygodni zostanę bez pracy.

Spojrzał na nią ostrożnie, a równocześnie ze złością, jakby oczekiwał, że żona wybuchnie i zacznie go obwiniać o coś, o co z pewnością on również obwiniał siebie. Gabriella na moment zastygła. To już nie był tylko możliwy scenariusz, gdybanie, to się zdarzyło naprawdę. Wyrzucili go, zwolnili, dali wymówienie, jakkolwiek jeszcze to się nazywa... zabrali mu pensję.

Opuściła nisko głowę, próbując to jakoś zrozumieć.

– Nie mieści mi się to w głowie – powiedziała cicho. – Przecież byłeś pewny, że cię zatrzymają, że to nie... Jak mogli ci to zrobić?

– Nie tylko mnie. Wymówienia dostało stu pięćdziesięciu ludzi, przeważnie ze średniego szczebla zarządzania. Tak się dzieje wszędzie. – Przesunął ręką po krótko przystrzyżonych czarnych włosach. – To mnie najbardziej martwi. Będzie duża konkurencja na odpowiednie stanowiska.

Zmarszczył czoło i potarł skronie, zasłaniając oczy ręką. Gabriella usłyszała w jego głosie niepokój o los rodziny. Jako młody człowiek Fernando pracował i jednocześnie studiował, a do tego część każdej pensji oddawał rodzicom. Wzięli ślub młodo, wkrótce potem pojawiły się dzieci i Fernando przez cały czas ciężko pracował na utrzymanie rodziny. Patrząc na jego twarz, Gabriella widziała na niej gorycz porażki i miała świadomość, że ta porażka może go zabić wcześniej niż cholesterol.

Skoro już stracił pracę, to czego jeszcze mogła się obawiać? Kochała go. Był jej mężem, ojcem jej dzieci. Widziała w oczach Eve głębię osamotnienia kobiety, której mąż zmarł. Czym była utrata pracy w porównaniu ze stratą taką jak tamta?

Podeszła do Fernanda i objęła go mocno.

– Wszystko będzie dobrze – powiedziała i poczuła ulgę, gdy otoczyły ją jego ramiona. Przytuliła policzek do jego piersi, wchłaniając jego zapach i ciepło ramion. – Żyjesz, jesteś zdrowy i mamy czworo wspaniałych dzieci. Na szczęście ja mam pracę, więc jakoś sobie poradzimy, dopóki nie znajdziesz sobie czegoś odpowiedniego, a na pewno nie potrwa to długo. Nie martw się, sam się przekonasz. Wszystko będzie dobrze – powtórzyła. – Musimy zachować wiarę.

ROZDZIAŁ TRZECI

Pomiędzy mrokiem a dniem
Gdy noc zaczyna opadać
Nadchodzi przerwa w codziennych zajęciach
Znana jako Godzina Dzieci.

Henry Wadsworth Longfellow
Godzina Dzieci

Dla matek dzieci w wieku szkolnym pierwszymi sygnałami nadchodzącej jesieni nie są żółknące liście czy poranny chłód w powietrzu, ale promocje przyborów szkolnych, kupowanie teczek, segregatorów i długopisów oraz mieszanka paniki i podekscytowania na twarzach dzieci.

Doris Bridges przykucnęła na podłodze biblioteki, przewracając kartki starej książeczki dla dzieci doktora Seussa i czując, jak ogarnia ją fala melancholii. Właśnie pożegnała syna, Bobby'ego Juniora, który wyjechał do college'u. Pierwszy wyfrunął z gniazda i jego nieobecność pozostawiła ranę w jej sercu. Otworzyła książkę i zalały ją wspomnienia. Czytała dzieciom te historie niezliczoną ilość razy, w tym samym pokoju. Wszyscy troje, Sarah, Bobby, a także ona sama, kochali fantastyczne światy doktora Seussa. Dzieci bawiły się sylabami dziwnych słów. Każde z nich miało swoją ulubioną historię: Sarah o wiernym słoniu, który nie chciał opuścić przyjaciół, Bobby zaś lubił marszowy rytm wierszyka „O zielonych jajkach i szynce".

Doris uwielbiała chwile, gdy walczyli o to, kto usiądzie na jej kolanach. W końcu zawsze jedno opierało się na jej lewym udzie, a drugie na prawym. Gdy przymknęła oczy, wciąż czuła ich głowy oparte na jej piersi, zapach włosów wilgotnych po kąpieli. Co za zapach! Ambrozja! Bóg chyba stworzył go specjalnie dla matek. Ten zapach poruszał pierwotny instynkt nakazujący kochać i chronić dzieci.

Jej dzieci... Otworzyła oczy z ciężkim westchnieniem. Teraz na jej kolanach spoczywała tylko stara książka, a i dłonie o pomalowanych paznokciach przewracające kartki były o wiele starsze. Szerokie, piegowate dłonie ozdobione dużymi pierścionkami. Kiedyś ich nie nosiła z obawy, by nie podrapać dzieci.

Ich głosy żywo dźwięczały w jej pamięci, podobnie jak gromki śmiech R.J. stojącego obok niej. Gdzie się to wszystko podziało? Dokąd odeszło? Czasami miała wrażenie, jakby te książki były wszystkim, co pozostało z dawnych czasów.

Podobnie jak Horton, niezgrabny słoń, miała ochotę stanąć pośrodku wielkiego, pedantycznie urządzonego domu, który w wielkim świecie był niczym więcej jak tylko drobiną kurzu, i zawołać na cały głos: Tu jestem! Tu jestem!

Pochyliła głowę i pociągnęła nosem. Miała wrażenie, że spowija ją ciężka, czarna chmura.

R.J. wszedł do biblioteki i zatrzymał się o kilka metrów od niej. Spod opuszczonych powiek widziała jego szeroko rozstawione w rozkroku stopy i domyślała się, że ręce oparł na biodrach. Skurczyła się wewnętrznie, świadoma, że mąż patrzy z niechęcią na nią, znów zapłakaną i pogrążoną we wspomnieniach. Ostatnio często popadała w smutek i choć próbowała to ukrywać, czasami łzy płynęły same. Ta niemożność opanowania się przerażała ją i niezmiernie irytowała jej męża.

– Powinnaś częściej wychodzić z domu – powiedział ze zniecierpliwieniem.

– Nic mi nie jest – westchnęła, zmuszając się do uśmiechu. – Wzruszyłam się na widok tej książki. Pamiętasz, jak czytałam ją dzieciom? To była jedna z ich ulubionych.

– Posłuchaj, zapomniałem dać te papiery Johnowi – rzekł R.J., zupełnie ignorując jej słowa. – Czy mogłabyś mu to podrzucić?

Podniosła wzrok. R.J. ubrany był w płócienne sportowe spodnie i niebieską marynarkę. Pachniał wodą kolońską. Ciemne włosy, przyprószone nieco siwizną, zaczesał do tyłu. Był, jak mawiała jej matka, odpicowany jak stróż w Boże Ciało. Wyciągał w jej stronę dużą kopertę, którą ona z kolei zignorowała.

– Wychodzisz?

– Za pół godziny muszę być w mieście. Nie zdążę już ich zawieźć sam. Powiedz mu, że te szkice są mi potrzebne już teraz.

Było to bardziej polecenie niż prośba. Doris zamknęła książkę z niechętnym westchnieniem. Do kolacji została jeszcze godzina. Chciała poczytać, a poza tym nie miała ochoty jechać do domu Johna, obawiała się bowiem, że może tam spotkać Annie. Cicha rywalizacja między nimi przerodziła się ostatnio w otwartą wojnę. Nadal obie uczestniczyły w spotkaniach Klubu Książki i jadały razem lunch, ale uprzejme uśmiechy kryły wrogość, z której obydwie dobrze zdawały sobie sprawę.

– Dlaczego on sam nie może po to przyjechać? W końcu pracuje u ciebie.

– Jest zajęty w domu. Układa płyty gipsowe.

On wiecznie coś tam remontuje. Żyją jak w cygańskim taborze. Nic nie działa, nie ma na czym usiąść, wszędzie poniewierają się jakieś śmieci i materiały budowlane. Mógłby przecież wynająć jakąś firmę i skończyć to w parę tygodni. Doris nie potrafiła zrozumieć ludzi, którzy nie mieli w domu porządku.

– Nie mam pojęcia, jak oni mogą tak żyć.

– A co cię to obchodzi? On chce wszystko zrobić sam.

– Grzebie się z tym remontem już ponad rok. Nie rozumiem, jak Annie to wytrzymuje.

– Annie nie jest mazgajem i takie rzeczy jej nie denerwują.

Słabo zakamuflowana krytyka sięgnęła celu. Niechęć Doris do Annie jeszcze się pogłębiła.

– Poza tym – wzruszył ramionami R.J. – John nie jest jakimś tam byle murarzem, tylko artystą, a ten dom powstał według projektu Franka Lloyda Wrighta. Nie dziwię mu się. Nie chce, żeby ktoś mu to spartaczył. Nie spieszy się, bo chce to zrobić dobrze.

– Tak nagle zacząłeś doceniać sztukę? – odparowała Doris lodowato. – O ile pamiętam, zawsze narzekałeś, że John pracuje za wolno.

– Bo tak jest. Nie cierpię ślamazarności, gdy kosztuje mnie to pieniądze. Ale mam na tyle rozumu, żeby wiedzieć, że John jest najlepszy i trzeba go zostawić w spokoju, a przynajmniej wtedy, gdy pracuje nad własnym projektem. W wolnym czasie może robić wszystko, co mu się podoba. – Spojrzał na zegarek i zmarszczył brwi. – No dobra, nie mam czasu się nad tym rozwodzić. Zawieziesz te papiery, co? I tak nie masz nic lepszego do roboty.

Znów zabolało.

R.J. potrząsnął żółtą kopertą.

– Możesz przecież zostać tam dłużej i pogadać sobie z Annie.

Doris słyszała w jego głosie tłumioną irytację

i wiedziała, że jeśli jednak odmówi, to za chwilę nastąpi wybuch. Wzięła więc kopertę. Już chciała powiedzieć R.J., że właśnie chce uniknąć spotkania z Annie, ale ugryzła się w język. Mąż uważał, że skoro on przyjaźni się z Johnem, to ona i Annie również powinny być przyjaciółkami. Tak było mu łatwiej.

Przypomniała sobie swoje pierwsze spotkanie z Annie przed pięcioma laty. R.J. przejął wtedy Johna od konkurencyjnej firmy. John Svenson był tam głównym cieślą, szanowanym rzemieślnikiem, i R.J. natychmiast docenił jego potencjał. Doris nie mogła zrozumieć, dlaczego John przyjął stanowisko konsultanta architektonicznego w Bridges Building Company, skoro, o ile wiedziała, pełnił właściwie funkcję chłopca na posyłki z żałośnie niską pensją, którą tylko upór R.J. utrzymywał na takim poziomie. John był lojalny i harował jak wół. Doris wiedziała, że R.J. lubi mieć poczucie władzy, lubi być otoczony wierną świtą i przykuwać ludzi do siebie emocjonalnie. Zamiast uczciwej płacy wolał oferować im inne korzyści. Jedną z nich była okazyjna możliwość kupna zniszczonego domu według projektu Franka Lloyda Wrighta. Dla rzemieślnika takiego jak Jonh Svenson ten dom był spełnieniem marzeń i jedyną okazją w życiu. R.J. wiedział o tym i użył go jako przynęty.

Na szczęście mężczyźni dobrze się dogadywali i po kilku miesiącach stali się nierozłączni. R.J. pełnił funkcję lidera, architekta zajmującego się planami i kontraktami, John zaś pozostającego w cieniu szefa artysty skupionego na szczegółach. Była to znakomita kombinacja. Przesądziła o tym, że ich żony również musiały się spotkać i oczekiwano od nich, że również się zaprzyjaźnią.

No cóż, Doris w każdym razie próbowała. Zaprosiła Annie do uczestnictwa w Klubie Książki. Annie Blake miała jednak niepokorny charakter, nie lubiła chodzić na niczyim sznurku i szybko pojawiły się między nimi subtelne tarcia, walka o przewodnictwo stada. Nie było żadnej nadziei, że kiedykolwiek zaprzyjaźnią się naprawdę.

Z tą myślą Doris ciężko podniosła się z fotela. R.J. podał jej rękę. Starała się nie opierać na niej zbyt mocno, żeby nie sprowokować komentarza na temat swojej tuszy.

– Nie rozumiem, dlaczego nie potraficie się porozumieć – mruknął R.J. – Jesteście jak woda i oliwa.

– Raczej soda i ocet – mruknęła Doris.

Nie wspomniała o tym, że ostatnie zbliżenie Annie i Eve było kroplą przepełniającą czarę. Doris czuła się jak siódmoklasistka, której najlepsza przyjaciółka znalazła sobie nową koleżankę.

– Dokąd się dzisiaj wybierasz? – zapytała męża.

– Jestem umówiony z klientami w klubie. Wrócę późno.

– Poczekam na ciebie.

– Nie zawracaj sobie mną głowy. Jeśli zrobi się

bardzo późno, przenocuję w klubie. Nie lubię prowadzić po alkoholu.

– To nie pij.

R.J. tylko prychnął. Wyjął z kieszeni kluczyki i podrzucił je do góry jak podekscytowany chłopiec. Doris przymrużyła oczy: na jego palcu coś zabłysło; był to wąski sygnet ze złota i czarnego onyksu z pojedynczym brylantem pośrodku. Nigdy wcześniej go nie widziała. Sygnet był ładny i nie rzucał się w oczy, ale Doris zmarszczyła nos, jakby nagle poczuła nieprzyjemny, obcy zapach. Wiedziała, że mąż nigdy nie kupował sobie biżuterii, a jej ojciec nie miał zaufania do mężczyzn, którzy nosili sygnety.

Pochylił się szybko, cmoknął ją w czubek głowy i poklepał po ramieniu.

– Dzięki za zawiezienie tych papierów.

Wyszedł z biblioteki sprężystym krokiem, nie oglądając się za siebie. Zawsze był energiczny i skupiony na swoich celach. Doris powoli odłożyła książkę na półkę, wyciągnęła przed siebie lewą dłoń i obróciła na palcu ślubną obrączkę wysadzaną niedużymi brylantami. W ciągu dwudziestu pięciu lat małżeństwa jej mężowi nigdy jeszcze nie przyszło do głowy, że nie powinien jeździć po alkoholu.

Annie odwiesiła słuchawkę telefonu i uśmiechnęła się z satysfakcją.

– Wyglądasz jak kot, który właśnie zjadł kanarka – zauważył jej mąż.

Podniosła głowę i spojrzała na niego. Siedział na drabinie ustawionej pośród stert śmieci, narzędzi i płyt kartonowych, które zagracały całą podłogę. Miał na sobie tylko białe robocze spodnie. Szczupły, opalony tors i mięśnie były ciałem mężczyzny młodszego o dwadzieścia lat. Jasne włosy ściągnął z tyłu gumką, przez co kości policzkowe wydawały się jeszcze bardziej wyraziste.

Jest bardzo przystojny, pomyślała, czując znajomy dreszcz podniecenia. Pochwyciła jego spojrzenie. Szeroki uśmiech powiedział jej, że on pomyślał o tym samym. John był niezwykle wyczulony na wszelkie kwestie związane z seksem. Zauważyła, że zerknął na zegar, a potem sugestywnie uniósł jedną brew. Była piąta po południu, jej ulubiona pora na miłość. Od kiedy zaczęli się starać o dziecko, nazywali tę porę Godziną Dzieci.

– To była Doris – wyjaśniła Annie, zsuwając z nóg sandały. – Zajrzy tu później, żeby ci podrzucić jakieś papiery. Zdaje się, że R.J. jest z kimś umówiony na kolację.

John wytarł dłonie w zwisający z drabiny ręcznik.

– Pewnie chodzi o budynek Delanceya. Myślałem, że zabierze mnie na to spotkanie. To miał być nieformalny, towarzyski wieczór.

Annie wyciągnęła gumkę z włosów.

– Widocznie nie należymy do tego towarzystwa.

John zmarszczył brwi.

– Oczywiście, że należymy. Przecież obydwoje przyjaźnimy się z Bridgesami.

– Poprawka. Ty pracujesz u R.J., a ja chodzę na spotkania Klubu Książki razem z Doris. – Potrząsnęła głową i oparła dłonie na biodrach. – Ale to nie znaczy, że jesteśmy ich prawdziwymi przyjaciółmi.

John skrzywił się. Zabolała go opinia, że nie jest równy R.J. Bridgesowi i nie należy do jego kręgu towarzyskiego. Oczywiście nie mógł się z nim równać finansowo, uznawał się jednak za równego intelektualnie, jak mężczyzna wobec mężczyzny. Annie z kolei cierpiała, widząc, że John jest albo zbyt naiwny, albo zbyt uparty, by zauważyć, że w biznesie R.J. nikogo nie stawiał na równi ze sobą, a szczególnie osób, które wolał utrzymywać w podporządkowanych sobie rolach. Znała wielu takich mężczyzn; wśród prawników nie byli rzadkością. Czasami miała wrażenie, że gdy ona – kobieta – wygrywa sprawy w sądzie, umniejsza to męskość kolegów w ich własnych oczach. W kwestiach płci Temida wciąż nosiła opaskę na oczach.

Zauważyła tę cechę u R.J. Bridgesa już przy pierwszym spotkaniu. Wszystko, od wilgotnej dłoni przy powitaniu po rozbierające kobietę spojrzenie, sprawiało, że czuła się przy nim brudna. Ale John tego nie zauważał. Nie miał instynktu myśliwego i za to go kochała. Westchnęła, patrząc w jego niebieskie oczy. Kochany, niewinny, ufny

John. Musiała być przy nim, by strzec go od drapieżników takich jak R.J.

– Chcę się z tobą zaprzyjaźnić – powiedziała już zupełnie innym tonem, pociągając za nogawkę jego spodni. – Masz ochotę zejść na dół i pobawić się ze mną?

Wyraz jego twarzy zmienił się natychmiast. Przechylił głowę i rzucił jej lekki uśmiech.

– A w co chcesz się bawić?

– Pomyślałam, że najpierw moglibyśmy się rozebrać – odrzekła, leciutko kołysząc biodrami i jednocześnie rozpinając guziki białej bawełnianej bluzki. – Potem wziąć gorący prysznic i nawzajem umyć sobie plecy.

Wydęła usta, patrząc na niego z ukosa. W sylwetce Johna pojawiło się charakterystyczne napięcie, jak u kota szykującego się do skoku na zdobycz.

– A potem? – zapytał szeptem.

Annie nieznośnie powoli odpięła kolejny guzik. Wiedziała, że rozbierając się w ten sposób, potrafi doprowadzić Johna do szaleństwa. Sprawiało to przyjemność im obojgu – drażniła się z nim, czekając, aż on wykona decydujący ruch. Inaczej niż w codziennym życiu, w miłości on był stroną dominującą.

Podeszła do kąta ze sprzętem grającym i nastawiła bluesa, a potem wyjęła z lodówki butelkę białego wina. Przez cały czas patrzyła na Johna. Nalała wina do dwóch kieliszków, upiła trochę z jednego i powoli oblizała usta.

– Mam ochotę wrzucić tu piękną, soczystą, czerwoną truskawkę.

Oczy Johna zabłysły – Annie wiedziała, że to na wspomnienie tego, co robili z truskawkami kilka dni wcześniej.

Powoli rozpięła ostatnie guziki i pozwoliła, by bluzka zsunęła się po jej gładkich ramionach na podłogę. Nie nosiła biustonosza. Piersi miała małe, ale okrągłe i jędrne, o czubkach w kolorze dojrzewających truskawek. John przesunął językiem po wargach.

Teraz Annie zaczęła rozsuwać zamek dżinsów i unosząc najpierw jedną nogę, a potem drugą, zrzuciła je na podłogę.

John omal nie spadł z drabiny. Jednym skokiem znalazł się przy niej i przyciągnął ją do siebie. Uwielbiała, gdy jego pragnienie było tak oczywiste, gdy całe jego ciało drżało jak w gorączce. Podniecenie ogarniało go szybko, zawsze był gotowy wtedy, gdy ona tego potrzebowała, i był nienasyconym kochankiem. Na początku połączyło ich pożądanie, ale wrażliwość i czułość Johna szybko zburzyły obronne bariery Annie i sprawiły, że się w nim zakochała.

Zręcznymi palcami rozpiął swoje spodnie i zdjął z nich obojga bieliznę.

– John, poczekaj – szepnęła Annie ze śmiechem. – Kolacja! Wyjmę szynkę.

Pociągnął ją w dół, na płachtę malarską pokrywającą podłogę.

– Mniejsza o szynkę – odrzekł z ustami tuż przy jej szyi. – Mam wielką ochotę na truskawki.

Doris zaparkowała lexusa przy krawężniku przed domem Annie i Johna. Chciała zostawić kopertę i oddalić się stąd jak najszybciej. Frontowe drzwi zastawione były rusztowaniami. Mruknęła coś z niechęcią. By dostać się do tylnego wejścia, musiała obejść dom dookoła, omijając sterty cegieł i desek zagracających podjazd. Wreszcie wspięła się na schodki i sięgnęła do dzwonka. Po chwili nerwowo postukała nogą w podest i jeszcze raz nacisnęła guzik. Zza drzwi nie dochodził żaden dźwięk. Zaklęła pod nosem, uświadamiając sobie, że podobnie jak wszystko w tym domu, dzwonek prawdopodobnie nie działa. Czy ktoś w ogóle był w środku?

Podeszła do okna kuchni, pochyliła się nad parą drewnianych koziołków i zajrzała do środka; na moment przestała oddychać.

John i Annie tańczyli w pustym pomieszczeniu w rytm jakiejś własnej, wewnętrznej muzyki. Szczupłe ramiona Johna obejmowały nagą Annie mocno i zaborczo, jedna jego dłoń opierała się na jej biodrze, a druga otaczała ramiona tak ciasno, że twarz Annie chowała się w jego szyi. Oczy mieli zamknięte i kołysali się miarowo, przytuleni biodrami. Namiętność między nimi była wręcz namacalna. Doris patrzyła na nich z bolesną tęsknotą. Gdy John odchylił głowę Annie do tyłu i pocałował ją zachłannie, Doris z westchnieniem dotknęła językiem własnych wyschniętych ust i poczuła dreszcz zawiści.

Odsunęła się od okna, starannie wsunęła kopertę między drzwi a siatkę przeciwko owadom i niezauważona, na drżących nogach wróciła do samochodu.

Nie była gotowa, by wrócić do pustego domu. Po drodze zatrzymała się przed domem Eve. Od śmierci Toma rzadko ją widywała, choć wszystkie przyjaciółki starały się do niej dzwonić i zaglądać od czasu do czasu. Eve jednak stanowczo odrzucała wszystkie propozycje wyjścia i z upodobaniem kultywowała swoją samotność.

Jej dom był imponującą budowlą z czerwonej cegły. Stał na dużej działce otoczonej czarnym metalowym płotem i starymi, wielkimi sosnami. Przejeżdżając przez bramę, Doris nie po raz pierwszy pozazdrościła Eve umiejętności stępiania ostrych krawędzi, zarówno w otoczeniu materialnym, jak i w kontaktach z ludźmi. Tak jak barwne gazony i klomby łagodziły prostą, surową architekturę budynku, podobnie jej łagodny, kobiecy charakter wyciszał i łagodził konflikty między oponentami – zarówno w Klubie Książki, jak i na placu zabaw, kiedy ich dzieci były jeszcze małe. Doris brakowało obecności Eve w codziennym życiu. Nie przypuszczała, że śmierć Toma będzie jednocześnie oznaczać utratę najbliższej przyjaciółki. To nie było sprawiedliwe! To Eve zwykle przynosiła torby zbędnych sadzonek ze swego ogrodu albo odbierała ze szkoły Sarę i Billa, gdy Doris była chora. To właśnie do niej Doris dzwoniła, gdy miała chandrę albo po prostu chciała z kimś pogadać.

Idąc do drzwi, ze zdumieniem zauważyła chaos panujący w ogrodzie. Grządki usłane były suchymi liśćmi. Kwiaty smętnie zwieszały głowy i wydawało się, że całkiem już się poddały naporowi chwastów. Zasłony w oknach były zaciągnięte, co jeszcze powiększało wrażenie zaniedbania. Złe znaki! Doris zebrała się na odwagę i zastukała do drzwi.

Po chwili uchyliły się i w szparze pojawiła się blada twarz. Blask słońca spowodował, że Eve zamrugała powiekami, ale zmusiła się do uprzejmego powitania. Oczy jednak miała martwe, pozbawione blasku.

– Zostałam dziś sama – oznajmiła Doris, wchodząc do holu. W domu panował półmrok. – Twoje dzieci są chyba na obozie, tak?

– Tak, i bardzo mi ich brakuje – westchnęła Eve, zamykając drzwi. – Wyjechały już tydzień temu. Nie będzie ich jeszcze przez tydzień. Chyba im się tam podoba. Lekarz uznał, że przyda im się trochę świeżego powietrza i zmiana miejsca. Ale w domu bez nich jest tak cicho...

Urwała i w jej oczach pojawiło się cierpienie. Jaka szkoda, że ona też nie może wyjechać na jakiś obóz, pomyślała Doris. Jej bladość wyraźnie świadczyła o tym, że nie wychodzi na zewnątrz i nie odżywia się dobrze.

– A więc obie jesteśmy same. Może masz ochotę wyjść gdzieś na kolację?

Eve potarła ramiona dłońmi i potrząsnęła głową.

– Nie, raczej nie. Czuję się zmęczona. Właściwie zamierzałam dzisiaj położyć się wcześniej, może pooglądać trochę telewizję. – Ziewnęła, zasłaniając usta dłonią. – Przepraszam. – Potrząsnęła głową. – Ostatnio ciągle chce mi się spać.

– Dobrze się czujesz? – zaniepokoiła się Doris, przyglądając jej się uważnie. – Jesteś blada i bardzo schudłaś.

Eve tylko machnęła ręką.

– Ze mną wszystko w porządku. Cóż, jestem sama...

– Próbowałam do ciebie dzwonić... – wtrąciła Doris.

– Wiem. Wszyscy próbowali... Jestem wam bardzo wdzięczna. Ale to nie za wami tęsknię, tylko za Tomem – wyznała. – Ta tęsknota odbiera mi całą energię. Ale nie martw się – dodała z uprzejmym uśmiechem – podobno to jest normalne. Lekarz mówi, że nie ma w tym nic niezwykłego. To taki etap.

– Mnie się to nie wydaje normalne. Nie należy z niczym przesadzać. Pojedźmy do mnie na kolację.

Eve znów potrząsnęła głową.

— Nie, nie jestem w nastroju. Przepraszam, nie chciałabym być nieuprzejma. Uznaj, że przechodzę przez okres hibernacji. Przez jakiś czas będę dużo spać. Niedługo znów będę sobą.

Doris przyjrzała się jej z powątpiewaniem. Wiedziała, że nie powinna zostawiać przyjaciółki samej, ale nie przychodził jej do głowy żaden sposób, żeby wyciągnąć ją z domu. Doris zawsze pierwsza biegła naprawiać wszystko, co się zepsuło. Nie była w stanie ścierpieć wystającej nitki przy sukience ani podać komuś kawy w wyszczerbionej filiżance, a teraz Eve była... pęknięta. Nagle Doris pomyślała o ogrodzie. Każda kobieta czuje się lepiej, gdy ma w nim porządek.

— Dobrze, niech będzie, jak chcesz. Nie pojedziemy na kolację. Ale twój ogród jest trochę zaniedbany. Może zajmiemy się nim wspólnie, tak jak kiedyś? Jest piękny wieczór. Chodź, nie leń się. Trzeba to zrobić. Weź rękawiczki, dla mnie też. Trochę go uporządkujemy, zanim słońce zupełnie zajdzie.

W oczach Eve pojawił się lekki błysk. Wzruszyła ramionami i ze zrezygnowanym uśmiechem poszła po rękawiczki. Doris rozpromieniła się. Udało jej się, a poza tym uniknęła samotnego wieczoru. Podwijając rękawy, pomyślała z ulgą, że nie będzie miała czasu rozmyślać o tym, co widziała przez okno w domu Annie, i porównywać jej małżeństwa do własnego. Tego wieczoru nie tylko Eve potrzebowała troski.

Poczuła nagły przypływ energii. Weszła do kuchni, zapaliła światło i zawołała:

– Może zadzwonię do Północnej Gwiazdy i zamówię jakąś chińszczyznę?

ROZDZIAŁ CZWARTY

Będę świętować Boże Narodzenie w sercu. Będę żyć w Przeszłości, Teraźniejszości i Przyszłości. Duchy Trzech Czasów znajdą we mnie schronienie. Nie zamknę się na lekcje, które mi przyniosą.

Charles Dickens, *Opowieść wigilijna*

Światełka na choince lśniły jak gwiazdy w mrocznym salonie. Należąca do Eve kolekcja Świętych Mikołajów była starannie ustawiona na stolikach i delikatnej, drewnianej kołysce, którą razem z Tomem kupili na poprzednie Boże Narodzenie i ustawili na honorowym miejscu na fortepianie. Eve siedziała na końcu kanapy pokrytej zielonym aksamitem, skulona pod starym, afgańskim pledem. Bardzo schudła i odczuwała zimno znacznie dotkliwiej niż kiedyś.

Naprzeciwko niej, po drugiej stronie, z nogami wyciągniętymi przed siebie, siedziała Annie Blake. Jedną ręką pociągała za kosmyk włosów. Piły kawę z brandy i słuchały piosenki Franka Sinatry „Będę w domu na Boże Narodzenie".

Kolorowe światełka odbijały się w oczach Eve. W domu na Boże Narodzenie. To był jej jedyny cel od sześciu miesięcy, od śmierci Toma: utrzymać dom do Bożego Narodzenia. Teraz jednak wydawało się to zupełnie bezcelowe. Choć wszystkie dekoracje były na swoich miejscach, dom wydawał się pusty i zimny jak opuszczony teatr. Kiedyś był gościnny i wesoły. Tłumy przyjaciół i krewnych ściągały tu ze świąteczną wizytą, by ogrzać się w jego atmosferze. Tym razem jedyną osobą, która nacisnęła dzwonek, była Annie.

– W ogóle nie odczuwam tego, że są święta – powiedziała Eve cicho.

Annie westchnęła z wyczerpaniem i oparła filiżankę na kolanie.

– A czego się spodziewałaś? To twoje pierwsze święta bez Toma. Musisz się pogodzić z tym, że są inne. Twoje życie jest teraz inne i żadne dekoracje tego nie zmienią.

Eve drgnęła i ciaśniej owinęła się pledem.

– Bzdury – mruknęła. Nie chciała tego słyszeć.

Annie z desperacją potrząsnęła głową.

– I co ja mam z tobą zrobić? Widzę, jak coraz głębiej osuwasz się w ten dół, i nic nie mogę zrobić, żeby cię z niego wyciągnąć. Okropnie schudłaś. Jesteś niemożliwie uparta.

– Nie jestem uparta! – odparła Eve z urazą. – Jestem w żałobie!

– Nie, żałobę masz już za sobą. Teraz po prostu się wykańczasz. Nikniesz w oczach. Nie mogę tego znieść.

– Przykro mi – powiedziała Eve ze ściśniętym gardłem, wtulając się jeszcze głębiej w kąt kanapy. – Skoro tak źle się czujesz w moim towarzystwie, to może już pójdziesz?

– Do cholery, czy myślisz, że nie przyszło mi to do głowy? – wybuchnęła Annie. – Ciężko mi nawet patrzeć na ciebie. Każdemu, kogo obchodzi twój los, jest ciężko. Nie słuchasz, co się do ciebie mówi. Jesteś głucha na wszystkie dobre rady. Można od tego zwariować. Wszyscy twoi przyjaciele martwią się o ciebie. – Urwała na chwilę i zauważyła, że Eve podciągnęła kolana pod brodę. – Przykro mi to mówić, Eve, ale czy nie zauważyłaś, że wiele osób zupełnie przestało cię odwiedzać?

Eve poczuła, że policzki jej płoną.

– Oczywiście, że zauważyłam – odrzekła. – Nie winię ich za to. Są święta, a ja siedzę tu sama, w depresji, i nie nadaję się do życia. Wszyscy czują się nieswojo, bo muszą chodzić koło mnie na palcach, a poza tym trudno znaleźć dla mnie miejsce przy stole. Samotna kobieta, której nie wypada połączyć w parę z wolnym mężczyzną tak niedługo po...

– Po śmierci Toma. Powiedz to głośno.

Eve zacisnęła usta.

– Nie rozumiesz, skarbie, że właśnie o tym

mówię? Dość już wykrętów. Tom nie żyje. Odszedł. A ty musisz jakoś się pozbierać i żyć dalej. Nie tylko dla siebie, ale również dla dzieci. Wpadłaś w kompletny bezruch i pogrążasz się coraz głębiej.

– Jakoś sobie radzę...

– Komu to mówisz? – zirytowała się Annie. – Nie uda ci się przede mną udawać. Możesz opowiadać takie rzeczy Doris i pozostałym matronom z Riverton, ale ja jestem nie tylko twoją przyjaciółką. Jestem także twoim prawnikiem. Prowadzę twoje rachunki. Znam twoją sytuację finansową lepiej niż ty sama i jeśli mówię, że pogrążasz się coraz głębiej, to wiem, co mówię. Toniesz szybciej niż *Titanic*. A ten dom jest równie wielki jak on.

– To nie jest po prostu jakiś dom. To mój dom.

– Posłuchaj, skarbie, wiem, że bardzo chciałaś, a nawet potrzebowałaś przeciągnięcia wszystkich spraw na tyle, żeby móc spędzić tu święta. Finansowo była to zła decyzja, nie podobała mi się, ale trudno, nie nalegałam ze względu na dzieci. Ale teraz już musisz się stąd wyprowadzić, i to jak najszybciej.

– Mogę jeszcze trochę poczekać.

– Nie, nie możesz. Prawdę mówiąc, i tak już bardzo się martwię, co się stanie, jeśli nie uda się sprzedać domu szybko. Powinnaś to zrobić w lecie, bo wtedy dostałabyś wyższą cenę. Ale – ciągnęła, rozglądając się po dużym, wysokim wnętrzu ze sztukateriami na ścianach – ten mahoń i balsa sprawiają, że jest to idealny dom wakacyjny. Po świętach wielu ludzi będzie reagowało na takie wnętrza bardzo emocjonalnie. Jako twój prawnik radzę ci wystawić go na sprzedaż, a jako przyjaciółka będę cię błagać, żebyś zrobiła to już teraz.

Eve już wcześniej słyszała wszystkie te argumenty, wiedziała, do czego Annie zmierza i miała wrażenie, że ściany zamykają się wokół niej jak pułapka.

Drżącą ręką odstawiła filiżankę na szklany stolik.

– Dokąd mam się wynieść? – wychrypiała, podnosząc na przyjaciółkę oczy rozszerzone strachem. Po raz pierwszy udało jej się wyartykułować to pytanie.

– A dokąd byś chciała? – zapytała Annie łagodnie.

Eve wzruszyła ramionami i potrząsnęła głową.

– Już się nad tym zastanawiałam. Ale Bronte i Finney są tu szczęśliwi. Mają tu przyjaciół. Nie mogę ich wyrwać ze znajomego otoczenia, nie po tym wszystkim, przez co przeszli.

– Skarbie – powiedziała Annie niskim, modulowanym głosem. – Nie jestem pewna, czy możesz sobie pozwolić na pozostanie w Riverton.

– Są mniejsze domy...

– W tej okolicy nie stać cię nawet na mały dom.

Eve wstrzymała oddech i uniosła dłoń do ust.

– Boże, co więc mam zrobić?

– Sama musisz odpowiedzieć sobie na to pytanie.

– Nie mogę! Nie mogę...

– Oczywiście, że możesz – pospiesznie wtrąciła Annie, kładąc ręce na dłoniach przyjaciółki. – I nie jesteś sama. Jestem tu z tobą. Nie zapominaj, że zarabiam na życie, pomagając kobietom takim jak ty. Nie masz się czego bać. Musisz po prostu uznać, że jesteś w okresie przejściowym. Krok po kroku, jakoś sobie ze wszystkim poradzisz.

Eve bez przekonania skinęła głową, wiedząc, że właśnie tego się po niej oczekuje. Przez całe życie przywykła robić to, czego po niej oczekiwano. Znów wtuliła się w kąt kanapy. Annie westchnęła, cofnęła ręce i też się odsunęła.

Przez dłuższą chwilę Eve milczała, przygryzając usta. Annie zaczynała już tracić cierpliwość.

Eve patrzyła na długą, szczupłą sylwetkę przyjaciółki w kaszmirowym kostiumie, z brylantowymi kolczykami w uszach, na jej krótkie, polakierowane paznokcie i jasne włosy luźno spięte spinką. Annie emanowała pewnością siebie. Właściwie całe swe życie przeżyła samodzielnie. Gdy miała trzynaście lat, uciekła z biednego, dziwacznego domu, hippisowskiej komuny w Oregonie, i zamieszkała u dziadków w Chicago. Annie potrafiła wszystko. Właśnie ta aura samowystarczalności i sukcesu przyciągała do niej tak wiele rozwiedzionych, owdowiałych i zagubionych samotnych kobiet, które liczyły na to, że uda im się uszczknąć nieco z jej pewności siebie.

Eve, siedząca na drugim końcu sofy, czuła się tylko cieniem kobiet, które potrafiły stawić czoło światu i same zarabiały na swoje utrzymanie. Nie czuła nawet zazdrości, lecz zagubienie. Kim była ta żałosna istota zwinięta w kłębek pod pledem? Gdzie się podziała atrakcyjna, pewna siebie, kompetentna kobieta, jaką Eve Porter była wcześniej? Wyglądało na to, że odeszła razem z Tomem.

– Annie, jak to się stało? – zapytała nagle. – Przecież nie jestem głupia ani naiwna. Zawsze byłam dumna ze swojej inteligencji. Ale przez dwadzieścia trzy lata to Tom podejmował wszystkie decyzje dotyczące pieniędzy. Lubił się tym zajmować, a ja... A mnie nic to nie obchodziło. Oczywiście, używałam książeczek czekowych, płaciłam rachunki, zlecałam strzyżenie trawnika, sprzątanie dwa razy w tygodniu i pranie koszul. Nie jestem głupia. Wychowałam dzieci. Wspierałam męża. Prowadziłam dom. Byłam w tym wszystkim dobra.

Słyszała we własnym głosie tony obronne i naraz ogarnął ją smutek na myśl, że wszystko to nie ma już znaczenia. Jej dom nie był ważny.

Czuła się gorsza od kobiet takich jak Annie, które miały pracę i wykonywały jakiś zawód. W głębi duszy poczuła do siebie niechęć.

– Oczywiście, że byłaś w tym dobra, Eve – powiedziała łagodnie Annie, znów nakrywając jej dłoń swoją. – Nikt nie twierdzi, że było inaczej.

– Nie mów do mnie takim tonem – prychnęła Eve.

– Jakim?

– Takim uspokajającym. „Biedna mała Eve, biedna głupia, bezradna kobietka". Kobiety takie jak ty, pracujące, świetnie potrafią go używać.

– Rozumiem.

Eve podniosła wzrok i zobaczyła napięcie w wyrazie twarzy Annie. Ogarnęło ją poczucie winy. Wyciągnęła rękę i ujęła dłoń przyjaciółki.

– Przepraszam.

Annie prychnęła.

– Chyba rzeczywiście byłam trochę protekcjonalna. Ja też nie cierpię, kiedy ktoś mnie tak traktuje. Zresztą nie tylko mnie, w ogóle nie znoszę takiego traktowania kobiet. Jeśli jeszcze raz to zrobię, możesz mi przyłożyć.

– Nie omieszkam.

Obydwie kobiety roześmiały się głośno. Napięcie zniknęło.

– Przecież wiesz, że jestem po twojej stronie.

– Wiem.

– Chcę ci tylko powiedzieć, że nie stać cię już na życie takie jak dotychczas. Bardzo mi przykro, Eve. Wolałabym, żeby było inaczej. Ale Tom... No cóż, sama wiesz.

Eve wiedziała. Tom, jak większość ludzi sukcesu, spodziewał się dożyć późnej starości. Był chirurgiem u szczytu swych możliwości zawodowych i znakomicie zarabiał. Sądził, że ma jeszcze mnóstwo czasu, by zacząć oszczędzać na starość.

Nie spodziewał się, że umrze w wieku pięćdziesięciu lat, i zostawił rodzinę zupełnie niezabezpieczoną. Nie mieli, co prawda, długów, ale żyli na bardzo wysokiej stopie. Ubezpieczenie na życie pozwoliło Eve i dzieciom przetrwać sześć miesięcy, ale pieniądze topniały bardzo szybko. Prawdę mówiąc, byli już bankrutami, a nie można chyba odczuwać czegoś takiego boleśniej niż podczas świąt Bożego Narodzenia.

– Popatrz tylko – powiedziała Eve, wskazując na kilka niewielkich paczek pod choinką. – Dzieci będą w tym roku zawiedzione. Nie mogłam sobie pozwolić na zbyt wiele prezentów, a zwykle dostawały ich całe sterty. Przez cały dzień tylko otwieraliśmy paczki.

– No wiesz, ja nigdy nie dostawałam wielu prezentów, więc wybacz, ale nie potrafię im współczuć – wzruszyła ramionami Annie. – To znaczy współczuję im, ale nie z powodu prezentów. Czy one zdają sobie sprawę, ile cię kosztowało utrzymanie domu do świąt?

– Nie, i nie chcę, żeby wiedziały. Dzieci nie powinny się martwić o pieniądze.

– Bzdury. Gdy miałam trzynaście lat, wiedziałam więcej o gospodarowaniu pieniędzmi niż moi zaćpani rodzice. Nie musisz ich straszyć, ale powinnaś im szczerze powiedzieć, jak wygląda sytuacja. Co w tym złego, jeśli się dowiedzą, że nie macie żadnych oszczędności? Twoje dzieci są mądre i na pewno same już się tego domyśliły. Coś będziesz musiała im powiedzieć, i to już niedługo. – Obróciła się i spojrzała na drzwi. – A właściwie to gdzie oni teraz są?

Eve uważała, że Annie nie ma pojęcia, o czym mówi. Miała czterdzieści trzy lata i zaledwie pięć lat wcześniej wyszła za mąż, w dodatku za mężczyznę o trzy lata od siebie młodszego. Nigdy nie pragnęła mieć dzieci i miała do nich stosunek taki jak do komarów podczas pikniku.

– Są u przyjaciół. Ostatnio ciągle dokądś wychodzą. Chyba nie lubią być w domu – odrzekła Eve, myśląc o tym, że przedtem dom zawsze był pełen ludzi. Teraz wydawał się pusty jak mauzoleum. – Może jest tu zbyt wiele wspomnień.

Annie uśmiechnęła się smutno.

– Więc może przeprowadzka nie jest takim złym pomysłem?

Eve podniosła głowę i zobaczyła w niebieskich oczach Annie błysk zimnej prawdy. Jej przyjaciółka miała rację. Dzieci nie były już szczęśliwe w tym domu. Ona też nie. Ich życie tutaj płynęło wyłącznie siłą bezwładu. Dryfowali. Eve trzymała się tego miejsca w nadziei, że jakimś cudem odzyska dawny świat, ten, w którym Tom podejmował większość decyzji, a jej pozostawało tylko dbanie o szczegóły.

Żyła jak we śnie, choć powinna była myśleć

i starannie planować każdy następny krok. Powinna zastanowić się, jaką pracę ma szansę znaleźć, do jakich szkół mogłaby przenieść dzieci, na jaką dzielnicę miasta będzie ją stać. Zamiast żyć przeszłością, musi się skupić na przyszłości. Powinna też zająć się swoimi emocjami. Tymczasem straciła wiele miesięcy na rozmyślaniach... Nie, uświadomiła sobie z nagłą jasnością. Nie rozmyślała, tylko snuła się po pokojach, patrząc bezmyślnie na ulubione przedmioty i podtrzymując próżną nadzieję, że jeśli uda jej się przetrwać w tym stanie jeszcze trochę, to...

To co? Zdarzy się cud? Czy liczyła na to, że Święty Mikołaj wejdzie do domu przez komin i położy jej pod choinką worek pieniędzy za to, że była grzeczna? Stojąc w kolejce w supermarkecie z kilkoma kupionymi na wyprzedaży prezentami w koszyku, przekonała się, że Święty Mikołaj nie przyjdzie do niej ani w tym roku, ani w następnym.

– Wystawię dom na sprzedaż – usłyszała własny głos. Kiedyś potrafiła szybko podejmować decyzje i teraz poczuła ulgę, czując, że ta część jej samej odnalazła się. Tuzin uśmiechniętych, brzuchatych i rumianych Mikołajów na stolikach wydał jej się nagle stertą śmieci. Poczuła nagle ochotę, żeby wrzucić je wszystkie do pudełka, uprzątnąć pokład i wyruszyć w drogę pod pełnymi żaglami.

– No, wreszcie! – zawołała Annie. – Boże, czy to znów nie zabrzmiało protekcjonalnie? Bardzo cię przepraszam!

Eve potrząsnęła głową i wpatrzyła się we własne ręce, mocno zaciśnięte na kolanach. Gdy wreszcie się odezwała, słowa popłynęły jak lawina.

– Annie, ja nic nie potrafię zrobić. Nic! Nie znam się na podatkach, na hipotece, na planowaniu finansów. Boję się! Nie jestem do tego wszystkiego przygotowana.

– Poradzisz sobie.

– Nie mam pojęcia, jak się podpisuje umowę wynajmu – mówiła Eve coraz szybciej. – Ani jak się wylicza składki ubezpieczenia domu, samochodu, zdrowotne. Nawet nie wiem, jakie pytania powinnam zadawać. Boże, gdzie ja znajdę pracę? Nie pracowałam od dwudziestu lat! Muszę coś zrobić. – Urwała, zdziwiona. – Moje dzieci mają tylko mnie.

– I to zupełnie wystarczy.

Eve w milczeniu mrugała powiekami.

– Wystarczy – powtórzyła Annie stanowczo.

Eve powoli przyjmowała te słowa do wiadomości. Wystarczy? Boże, pomóż mi, modliła się w duchu. Nie mogę zawieść dzieci.

Podciągnęła nogi na kanapę i znów owinęła się pledem. Annie zrobiła to samo. Judy Garland śpiewała piosenkę o świętach, a obok w kominku za metalową kratą trzaskał ogień. Eve czuła, że ciepło płomieni powoli wnika w jej duszę i zaczyna rozpuszczać lodowaty chłód, który zmroził ją i odrętwiał od miesięcy, usztywniał kręgosłup i ruchy, malował policzki bladością i sprawiał, że za każdym razem, gdy zdawkowo odpowiadała na świąteczne życzenia, obawiała się, że roztrzaska się na miliony szklanych kryształków.

Czuła, jak lodowata depresja zaczyna znikać i w duszę Eve powoli wlewało się ciepło Bożego Narodzenia.

Po chwili Annie znów się odezwała:

– Widzę, że masz na stole *Opowieść wigilijną* Dickensa. To lektura Klubu Książki na ten miesiąc.

– Naprawdę? – rzuciła Eve zdawkowo.

Annie leciutko wygięła usta. Wszyscy wiedzieli, że Eve kocha książki. Czytanie było jej pasją i nie potrafiła wybaczyć, gdy którakolwiek z przyjaciółek przychodziła na zebranie klubu nieprzygotowana. Teraz wszystkie bardzo się martwiły, że Eve przestała nawet czytać.

– Dlaczego nie byłaś na ostatnim spotkaniu? Brakowało nam ciebie.

Eve podciągnęła wyżej stopy i na jej policzkach ukazał się lekki rumieniec.

– To było spotkanie przedświąteczne. Na pewno niewiele rozmawiałyście o książkach.

– Nie o to chodzi. Powinnaś być z nami. Jesteś nam potrzebna.

– Wiem... Tylko że nie byłam jeszcze gotowa na rozmowę o sobie.

– Spotkałyśmy się u Doris – mówiła Annie. – Jak zwykle wszystko było zorganizowane bez zarzutu, włącznie z niekapiącymi świecami i puddingiem śliwkowym.

– Co u niej słychać?

– Nie wiesz? Myślałam, że często do ciebie wpada.

– Teraz już nie tak często. Pewnie dlatego, że jest zajęta. Są święta, a R.J. lubi przyjmować gości.

Annie prychnęła i odwróciła wzrok. Nie sądziła, żeby to był prawdziwy powód, ale nie chciała pokazać tego Eve.

– Myślę, że byłoby bardzo dobrze, gdybyś wróciła do grupy. Poczytamy, porozmawiamy, pośmiejemy się, napijemy wina. To dobre dla duszy i serca. Nic powinnaś się tak izolować.

W jej głosie zabrzmiała szczera troska.

– Jeszcze nie teraz – upierała się Eve.

– Dobrze, dobrze – westchnęła Annie. – Po sześciu miesiącach już dobrze znam ten twój ton. Ale nie zwlekaj zbyt długo. Dziewczyny wciąż na ciebie czekają. Wkrótce pewnie same się tu pojawią.

– Wiem – powtórzyła Eve. – Wszystkie jesteście dla mnie bardzo dobre.

– Takie już jesteśmy – zakpiła Annie. – Kupa starych bab o gołębich sercach.

W głębi duszy Annie była komikiem. Nie cierpiała sentymentalizmu. Eve uwielbiała w niej tę cechę. Była bardzo wdzięczna Annie za to, że przyjaciółka rozmawiała z nią, nie owijając niczego w bawełnę, że potrafiła ją sprowokować, zirytować, pobudzić do reakcji, i przy tym traktowała jak normalną osobę, a nie kruchą, porcelanową lalkę, na którą ciągle trzeba uważać, żeby się nie stłukła.

– Wyobrażam sobie, jak będziemy wyglądały za dziesięć czy dwadzieścia lat – ciągnęła Annie tym samym lekko ironicznym tonem. – Usiądziemy przy stole w domu starców i będziemy czytać książki z dużym drukiem, kłapiąc sztucznymi szczękami i przekrzykując się nawzajem, bo wszystkie będziemy już głuche.

Eve śmiała się tak, że z oczu popłynęły jej łzy.

– Tak! Ja też to widzę – przyłączyła się do pantomimy. – Będziemy miały wielkie, fioletowe kapelusze i spadające z nóg brązowe buty.

– Będziemy głośno puszczać bąki i udawać, że tego nie zauważamy. Zresztą pewnie i tak nie będziemy w stanie tego usłyszeć. „Co powiedziałaś? Ooo, przepraszam! Co???"

Eve trzymała się za boki. Jak dobrze było znowu śmiać się na cały głos. Annie zawsze potrafiła ją rozbawić.

– Och, przestań już! – wyjąkała.

– Co? Myślisz, że znajomi będą nas za plecami nazywali „stare prukwy"? Ale nawet jeśli będę puszczać bąki, to przez obcisłe, seksowne dżinsy Calvina Kleina!

Eve była w stanie w to uwierzyć. Annie Blake dołączyła do klubu przed pięcioma laty i od samego początku wszystkie kobiety zdawały sobie sprawę, że nie jest zwykłym typem matrony z Riverton. Zachowywała się nieco głośniej, nieco śmielej, z nieco większym dystansem, a jej opinie zawsze były szczere i trafiały w sedno sprawy. Do tego Annie miała duszę wolną i niezależną. Eve bardzo szybko wyczuła w niej siostrzaną osobowość.

– Chciałabym cię o coś zapytać – powiedziała Annie, ocierając oczy i opadając na poduszki. – Już od miesięcy bezskutecznie próbowałam ci wbić do głowy, że powinnaś pozbyć się tego domu i na nowo zorganizować sobie życie. A teraz nagle tak po prostu podjęłaś decyzję. – Pstryknęła palcami. – Co się stało? Czy mam większy dar przekonywania, niż sądziłam, czy też coś mi umknęło?

Przez twarz Eve przebiegł cień uśmiechu. Wpatrzyła się w leżącą na stole książkę Dickensa. Jak miała wyjaśnić Annie, że sterty papierów, które podpisywała, nic dla niej nie znaczyły? Pomiędzy kartkami tej książki spoczywały płatki trzech żółtych róż zerwanych przed sześcioma miesiącami.

Opowieść wigilijna Dickensa była pierwszą książką, jaką Eve przeczytała od śmierci Toma. Dzisiaj wieczorem miała wrażenie, jakby odwiedziły ją świąteczne Duchy Przeszłości, Teraźniejszości i Przyszłości i wytrąciły ją z odrętwienia.

– Powiedzmy po prostu, że podobnie jak Scrooge obudziłam się w końcu i uznałam, że czas już na zmianę.

Annie uniosła brwi.

– Hm. Jak to nigdy nic nie wiadomo. – Wzięła

do ręki swoją filiżankę z kawą i wzniosła toast.
– W takim razie wypijmy za zmianę!

Eve również podniosła swoją filiżankę. Na ustach miała śmiały uśmiech, choć w środku drżała z lęku, jakby szykowała się do skoku w przepaść.

– Za nas wszystkie – powiedziała, modląc się gorąco o odwagę.

ROZDZIAŁ PIĄTY

Przed ślubem sądziła, że jest zakochana. Ale szczęście, które powinno z tego stanu wyniknąć, nie chciało nadejść; uznała więc, że widocznie oszukiwała samą siebie. Emma pragnęła się przekonać, co naprawdę oznaczają słowa „szczęście", „namiętność" i „ekstaza" – słowa, które tak pięknie wyglądały w książkach.

Gustave Flaubert, *Pani Bovary*

7 stycznia 1998

Doris stała w holu swego ceglanego, kolonialnego domu i czekała na członkinie Klubu Książki, ze zmysłową przyjemnością rozglądając się po wnętrzu, by się upewnić, że wszystko jest w należytym porządku. Miało to być pierwsze spotkanie Klubu w tym roku i zależało jej, żeby wszystko było przygotowane jak najdoskonalej. Lśniące, kryształowe kieliszki do wina stały na stoliku razem z butelkami: białe, schłodzone, i czerwone, otwarte, by pooddychało – nauczyła się tego od ojca. Duży stół jadalny, który kiedyś należał do jej matki, nakryty był śnieżnobiałym lnianym obrusem i serwetkami po babci z wykrochmalonego adamaszku, złożonymi w skomplikowany sposób, który Doris wypatrzyła w jakimś ilustrowanym piśmie. Pomyślała z dumą, że cały stół wygląda jak na fotografii w kolorowym magazynie.

Wiedziała, że przyjaciółki będą podziwiać bukiety ze świeżych kwiatów i gałązek wiecznie zielonych krzewów, które sama ścięła rankiem w ogrodzie. Przeczytała kiedyś, że kobiety z dobrych domów zawsze mają pod ręką sekator, i jeszcze tego samego dnia zawiesiła go na szerokiej tasiemce obok tylnych drzwi.

Ale hitem wieczoru miały być francuskie przystawki, nad którymi spędziła wiele godzin. Oczywiście musiała przygotować coś z kuchni francuskiej, ponieważ w tym miesiącu obowiązkową lekturą była *Pani Bovary*, należąca do klasyki powieść, którą Doris przeforsowała, gdy z fałszywym zdumieniem odkryła, że żadna z przyjaciółek jej nie czytała.

Prawdę mówiąc, ona sama też nie czytała *Pani Bovary*, ale gdyby nie Klub, zabrałaby ten sekret do grobu, razem z ocenami ze szkoły średniej. Oczywiście słyszała o tej książce i widziała film, starą wersję z Jennifer Jones, o której wszyscy wiedzieli, że jest najlepsza. Ale teraz już nie musiała dłużej udawać, bo w końcu przeczytała powieść – a co więcej, była nią zachwycona, chociaż Emma Bovary, główna bohaterka, bardzo ją denerwowała. Jak mogła porzucić doskonale ułożone życie i męża dla wymykających się spod kontroli namiętności? Na samą myśl o takim uczynku Doris odczuwała przyspieszone bicie serca. Jakie to miało znaczenie, czy Emma zaznała „szczęścia", „namiętności" czy „ekstazy"? Stany te niewiele miały wspólnego z cechami osoby szanowanej w społeczeństwie. A gdy się zastanowić, to nawet z kobiecością jako taką. Ważne były inne cechy: cierpliwość, samodyscyplina, autokontrola, wierność, umiejętność dostosowania się do innych. Szczególnie ta ostatnia. Cechy, które posiadała jej matka i które babcia wpoiła jej w dzieciństwie, nie tyle słowami, co własnym przykładem. W opinii Doris Emma była niemoralną egoistką. Zasługiwała na śmierć.

Ale jednak, pomyślała Doris po chwili, może to zbyt surowa ocena. Nietrudno było współczuć Emmie, szczególnie na początku. Wszystkie panny młode marzą o małżeństwie pełnym miłości i namiętności, blasku księżyca, mężu na piedestale, pięknych zasłonach w oknach, abażurach do lamp obszywanych frędzelkami. Doris też o tym wszystkim marzyła.

Emma jednak posunęła się za daleko, gdy znudzona porzuciła obowiązki, zwłaszcza gdy opuściła też własne dziecko. Jaka matka mogłaby wybaczyć coś takiego drugiej! Może jej mąż był trochę nudny i przyziemny, ale nie był taki zły. Mężczyźni to mężczyźni, pomyślała Doris, odsuwając od siebie myśli o własnym mężu. Emma Bovary powinna była zadowolić się tym, co miała. W końcu Doris tak zrobiła! Robiła tak większość kobiet, wykonywała swoje obowiązki, trzymała się swych kobiecych zasad i wszystko dzięki temu jakoś się kręciło. Doris nie mogła się doczekać, kiedy zaprezentuje swoje poglądy przyjaciółkom.

Wysoki, stojący zegar wybił siódmą. Doris po raz ostatni spojrzała w kryształowe weneckie lustro, przygładziła sięgające podwójnego podbródka rudawe włosy i z zadowoleniem stwierdziła, że układają się porządnie, ale nie nazbyt sztywno. To była jedna z podstawowych zasad jej matki: wszystko powinno wyglądać tak, jakby przychodziło bez wysiłku. I jeszcze: traktuj rodzinę jak gości, a gości jak rodzinę.

Uważała kobiety z Klubu za rodzinę. Wśród nich nie była żoną architekta i budowniczego R.J. Bridgesa, ani matką osiemnastoletniego Boba Juniora i czternastoletniej Sarah, ani przewodniczącą komitetu rodzicielskiego, ani prezeską Towarzystwa Przyjaciół Dzieci. Przy tych czterech kobietach, które znała od dwudziestu pięciu lat, stawała się po prostu Doris. W ich towarzystwie, szczególnie po kilku kieliszkach wina, potrafiła zadziwić samą siebie własnymi komentarzami na temat przeczytanej książki, jakiejś sprawy czy tajemnicy, która właśnie ni stąd, ni zowąd została ujawniona. Czuła się wolna od jakiejkolwiek cenzury. Nie osądzały jej, były jej równe, były jej przyjaciółkami.

Przyjaciółki. Doris poczuła ukłucie rozczarowania, gdy przypomniała sobie, że Eve Porter nie pojawi się na spotkaniu. Jak Eve mogła jej to zrobić? – zastanawiała się z urazą. Zrozumiała powody, dla których Eve w ciągu ostatnich miesięcy opuszczała spotkania w domach innych kobiet, wybaczyła jej nawet, że nie przyszła na przyjęcie przed Bożym Narodzeniem. W końcu matka Doris zawsze powtarzała, że idąc z wizytą, nie należy zabierać ze sobą swoich problemów, gdyż stawia się wówczas gospodarzy w niezręcznej sytuacji. Ale jak Eve mogła nie przyjść na spotkanie do niej, do Doris? Czegoś takiego nie robi się przyjaciółce. Od śmierci Toma Eve utrzymywała stałe kontakty tylko z Annie Blake, tak jakby wszystkie lata przyjaźni z Doris, gdy razem chodziły na zakupy i do fryzjera, a ich dzieci bawiły się wspólnie, zupełnie nic nie znaczyły.

Zadzwonił dzwonek u drzwi. Doris natychmiast, jak pies Pawłowa, przywołała na twarz szeroki uśmiech i z wystudiowanym wdziękiem odmierzonymi krokami podeszła do drzwi.

To była Annie Blake. Od jakiegoś czasu Doris reagowała na nią wręcz fizyczną niechęcią. Zwykle objawiało się to uciskiem w żołądku. Annie uosabiała wszystko, czego Doris brakowało. Jedynie kształcona nieustannie cnota samodyscypliny pozwoliła jej zachować uśmiech na twarzy. Słyszała napięcie we własnym głosie. Ponad jej ramieniem Annie obiegła wzrokiem pokój. Jej spojrzenie znieruchomiało na moment, gdy uświadomiła sobie, że przyszła pierwsza, będzie zatem musiała prowadzić z gospodynią uprzejmą rozmowę o niczym. Doris poczuła się upokorzona we własnym domu.

— Naleję ci wina — zaproponowała.

— Dzięki — zgodziła się Annie. — Przyda mi się łyk czegoś odrobinę mocniejszego.

Doris z zazdrością wzięła od niej kaszmirowy płaszcz.

— Coś się stało?

— Miałam koszmarny dzień. Dlaczego w nowym roku wszystkie kobiety naraz pragną odmienić swoje życie, i to w takim pośpiechu? Czy to skutek postanowień noworocznych? Telefon dzwonił przez cały dzień jak oszalały. Biedna Lisa wychodziła z siebie.

Lisa była sekretarką Annie. Doris znów poczuła się niepewnie w obecności kobiety, która miała nawet własną sekretarkę. Dla Doris było to zupełnie niepojęte. Ona sama nigdy nie pragnęła „pracować poza domem", jak to nazywała. Codziennie dziękowała Bogu, że jest wystarczająco bogata, by nie być do tego zmuszoną, a jednak w kobietach robiących zawodową karierę było coś, co ją fascynowało.

— Czerwone czy białe?

- Białe. Tylko proszę schłodzone. Okropnie chce mi się pić.

- Ależ oczywiście – odrzekła Doris takim tonem, jakby mówiła: *mais qui!*

Idąc za Annie do salonu, Doris patrzyła na jej kostium ze spodniami z cienkiej wełny w czekoladowym kolorze, miękko układający się na szczupłym, wysportowanym ciele. Jedwabna kremowa bluzka miała rozpięte trzy górne guziki. Doris poczuła irytację. Jej zdaniem Annie wyglądała głupio jak na swój wiek.

Jej samej nikt nie mógłby zarzucić, że ubiera się niestosownie do wieku albo że nie wie, co jest właściwe w stroju, sposobie bycia i manierach. Może jej sylwetka nie była już taka szczupła jak kiedyś, ale przecież nie była już młodą dziewczyną! I nie ubierała się jak młoda dziewczyna, w przeciwieństwie do Annie, która mogłaby się wymieniać ubraniami z nastoletnią córką Doris. Wiadomo, że dzieci czują się zażenowane, gdy ich rodzice noszą zbyt młodzieżowe lub zbyt seksowne stroje.

Mimo wszystko zaczerwieniła się, gdy pochwyciła w lustrze własne odbicie z wałeczkami tłuszczu na biodrach i brzuchu, które pasek drogiej sukienki z jasnobłękitnego jedwabiu jeszcze podkreślał. Doris dobrze wiedziała, że Annie nie włożyłaby czegoś podobnego za żadne skarby świata. Zdaniem jej córki, była to „sukienka dla starszych pań".

– Och, jakie piękne! – zawołała Annie na widok kilku tac wypełnionych przystawkami, tak pracowicie przygotowanymi przez Doris. – Co to jest?

– Tartinki – odrzekła Doris dobitnie i z wyższością, wyraźnie wymawiając każdą głoskę.

W oczach Annie błysnęło rozbawienie i coś jeszcze, co Doris uznała za litość.

– Wiem, ale z czego są zrobione? To krewetki czy kraby? Mam alergię na kraby.

Doris pobladła, ale zmusiła się do rozciągnięcia ust w uśmiechu.

– Kraby.

Annie sięgnęła po *quiche* ze szpinakiem i rozejrzała się po salonie ze źle ukrywanym znudzeniem.

– Widziałaś się z Eve? – zapytała Doris. – Nie będzie jej dzisiaj.

– Wiem – skinęła głową Annie, ocierając usta adamaszkową serwetką, jakby to była zwykła bibułka. – Próbowałam ją tu przyciągnąć, ale wiesz, jak ona potrafi się uprzeć.

– No cóż, nie sądzę, żeby trzeba ją było siłą ciągnąć do mojego domu. Bywała tu wielokrotnie, w ciągu wielu lat – rzekła Doris z wyższością i urazą.

– Nie w tym rzecz – odrzekła Annie szybko. – Wszędzie trzeba ją teraz wyciągać na siłę. Wiesz, jak się ostatnio izoluje. Musi się jakoś wyrwać z tego stanu.

Doris uniosła brwi.

— To ciekawy sposób opisania żałoby po mężu. Zawsze sądziłam, że rok to odpowiednio długi okres.

Annie przez chwilę milczała, a gdy znów się odezwała, jej głos był odrobinę niższy niż zazwyczaj.

— Nie mówię o żałobie. Może nie zauważyłaś, ale Eve jest w bardzo złym stanie. Nie jest sobą i martwię się o nią.

— W depresji? Nasza Eve? — Doris wzruszyła ramionami i protekcjonalnie położyła rękę na ramieniu Annie. — Po prostu przechodzi trudny okres. Wyjdzie z tego.

Annie nie drgnęła.

— Wiem, że wyjdzie. Osobiście tego dopilnuję.

— Czy to również należy do zakresu twoich obowiązków? — zapytała Doris z uprzejmym uśmiechem.

Annie skupiła na niej spojrzenie przymrużonych oczu. Doris zdołała utrzymać ten sam uśmiech. Dzwonek u drzwi zabrzmiał jak dzwonek na bokserskim ringu. Doris uprzejmie przeprosiła i poszła otworzyć z uczuciem, jakby właśnie otrzymała mocny prawy sierpowy. To była dopiero pierwsza runda. Na widok Gabrielli i Midge poczuła niezmierną ulgę i prawie siłą wciągnęła je do środka.

Weszły roześmiane, strząsając z siebie śnieg i wyjaśniając, że po drodze wstąpiły na spaghetti we włoskiej dzielnicy. Doris natychmiast się zmartwiła.

– Mam nadzieję, że jesteście jeszcze głodne!

Zapewniły ją, że owszem, i rzuciły na podłogę duże skórzane torby pełne papierów. Każda z nich wyciągnęła swój egzemplarz *Pani Bovary*; z książki Gabrielli wystawały dziesiątki zakładek z żółtego papieru. Doris uśmiechnęła się; gdy Gabriella przychodziła na spotkania przygotowana, dyskusja zawsze była ożywiona. Złożyła ręce na piersiach i znowu słuchała narzekań na ciężki dzień. Dwie kolejne pracujące kobiety. Oczywiście zawsze o tym wiedziała, ale tego dnia, tuż przed swoimi pięćdziesiątymi urodzinami, odniosła nagle wrażenie, że oto zadano jej kolejny cios. One były ciągle zajęte, pełne energii. Ich życie miało cel.

Midge była artystką i terapeutką, Gabriella pielęgniarką i matką. Same tak się określały i obydwie kładły przy tym akcent na spójnik „i". Obie pracowały na Uniwersytecie Illinois i tam zrodziła się ich bliska przyjaźń. Doris nazywała je w myślach „dziwną parą", bo trudno byłoby znaleźć dwie bardziej przeciwstawne osobowości.

Midge była niezamężną feministką. Nosiła swoje długie, ciemne spódnice i artystyczne swetry jak mundur. Otwarcie występowała przeciwko modzie; Doris w rozmowie z Eve nazwała ją kiedyś „snobką na odwrót". Wszystkie kobiety w Klubie Książki skrycie podziwiały jej chropowatą urodę, twarz bez makijażu, długą grzywę włosów przyprószonych naturalną siwizną, których Midge nie chciała ufarbować i nosiła luźno opuszczone na ramiona. Żadna z nich nie wybrałaby takiego stylu dla siebie, ale wszystkie zgadzały się, że pasuje on do wysokiej, płaskiej sylwetki Midge i do jej skomplikowanej, intensywnej osobowości.

Dla kontrastu Gabriella cała składała się z umiejętności przystosowania i uśmiechów. Doris nie mogła zrozumieć, jak można zachować taką pogodę ducha, pracując i wychowując czwórkę dzieci. Z okrągłej, płaskiej twarzy Gabby nigdy nie znikał uśmiech ukazujący duże białe zęby. Jej oczy zwężały się przy tym w dwa wąskie półksiężyce nad nienaturalnie dużymi policzkami. Gabriela również nie używała makijażu, ale kochała żywe barwy i przyodziewała swe niskie, okrągłe ciało w ostre pomarańcze, szokujące róże i słoneczne żółcie. Ze swą złocistą skórą podobna była do miękkiej, dojrzałej gruszki.

Teraz, gdy były już w komplecie, pogrążyły się we wstępnych, niezobowiązujących rozmowach. Najpierw zachwycały się francuskim menu i winem, a gdy ten etap konwersacji został zakończony, zaczęły opowiadać, co działo się w ich życiu przez ostatni miesiąc.

Doris bezwstydnie chwaliła się sukcesami Bobby'ego w Georgetown.

– Dostał się do drużyny. Wyobraźcie sobie, jaka to będzie radość odwiedzić go w Waszyngtonie na wiosnę, gdy zakwitną wiśnie! Już widzę

Bobby'ego w łódce podczas wyścigów na Potomaku!

– Regat – skorygowała sucho Midge.

Studiowała w Bostonie i uwielbiała przekłuwać nadęte baloniki.

Doris zarumieniła się ze złości. To był kolejny cios.

Mąż Gabrielli ciągle nie znalazł pracy. Z miesiąca na miesiąc Gabby brała w szpitalu coraz więcej dyżurów. Fernando wpadał w depresję, więc musiała nie tylko więcej pracować, ale również wkładać więcej wysiłku w utrzymanie dobrej atmosfery w rodzinie.

– Fernando chciałby znaleźć taką pracę, jaka mu odpowiada, a nie po prostu cokolwiek – wyjaśniła z szerokim uśmiechem, który miał przekonać wszystkie przyjaciółki, że znalezienie odpowiedniego zatrudnienia jest tylko kwestią czasu i że zupełnie jej to nie martwi.

Tylko Midge znała prawdę.

Ona z kolei spodziewała się w przyszłym tygodniu wizyty matki mieszkającej na stałe na Florydzie i obawiała się, jak to zniesie.

– Ta kobieta doprowadza mnie do szału – jęknęła, potrząsając głową. – Uważa, że musi odbywać tę macierzyńską pielgrzymkę co roku, a chodzi jej tylko o to, żeby się dowiedzieć, kiedy znów wyjdę za mąż. Powinna już się przyzwyczaić do myśli, że nie zostanie babcią.

– Dlaczego nie? Fakt, że nie masz męża, nie

oznacza jeszcze, że nie możesz zostać matką – zauważyła Annie.

Trzymająca kanapkę dłoń Midge zastygła w powietrzu. Spojrzała na Annie, jakby ta postradała rozum.

– Na litość boską, przecież ja mam pięćdziesiąt lat!

– I co z tego? Jesteś sprawna fizycznie, dobrze się odżywiasz, masz świetną kondycję. Kto powiedział, że nie możesz urodzić dziecka? Mnóstwo starszych od ciebie kobiet rodzi teraz dzieci.

– Ja mówię, że nie mogę mieć dziecka! Nie jestem typem matki. Poza tym po co mi w tym wieku zmienianie pieluszek i karmienie piersią? Ciężko pracowałam, żeby się przekonać, kim jestem, i nie chcę teraz oglądać się za siebie. Niech żyją pięćdziesięciolatki.

– Wiek nie ma z tym nic wspólnego – upierała się Annie.

– Owszem, ma wiele wspólnego z naszymi jajeczkami – włączyła się Gabriella. – Midge wygląda młodo, ale jej jajeczka są wyschnięte. Widziałam takie pod mikroskopem i wiem, co mówię.

Twarz Annie pociemniała. Uniosła wyżej głowę i rzuciła prowokacyjnie:

– Nie wierzę, że to się odnosi do wszystkich. Przecież ciągle czyta się w gazetach o kobietach, które rodzą dzieci w późnym wieku. Niektóre nawet po sześćdziesiątce! Wyglądają jak babcie, ale rodzą dzieci!

– Ze sztucznego zapłodnienia. Jajeczka pochodzą od innych kobiet.

– Nie wszystkie – upierała się Annie. – Mnóstwo kobiet po czterdziestce decyduje się na dziecko. Na przykład Susan Sarandon.

Gdy Annie zaczynała mówić takim tonem, nikt nie był w stanie jej przekonać; oznaczało to, że nie zmieni zdania. Gabriella, która wiele razy słyszała podobne dyskusje w Centrum Zdrowia Kobiet, westchnęła i potrząsnęła głową, wiedząc, że przytaczanie danych na nic się nie zda.

– Prawdę mówiąc – dodała Annie – ja też mam nowiny.

Wszystkie kobiety uciszyły się jak na komendę.

– John i ja zdecydowaliśmy się na dziecko. Próbujemy już od kilku miesięcy.

Nastąpiła długa, pełna napięcia chwila ciszy.

– Nie krzyczcie tak wszystkie naraz – powiedziała wreszcie Annie sucho, ale rumieniec zdradzał jej emocje.

Gabriella zerwała się z miejsca i uścisnęła ją.

– Okropnie mi przykro z powodu tego, co mówiłam o jajeczkach. Oczywiście bardzo się cieszę, jeśli naprawdę tego chcesz.

– Czy na pewno tego chcesz? – zapytała Midge, przechylając głowę na bok. – Czy to tylko pragnienie Johna?

– Chcemy obydwoje. John pragnął dziecka od

samego początku, a ja po pogrzebie Toma uznałam, że... cóż... teraz albo nigdy. Zegar biologiczny już się nie cofnie.

On już wskazuje wieczorną godzinę, pomyślała Doris. Annie miała czterdzieści trzy lata! Kogo chciała oszukać? Powinna się martwić menopauzą, a nie dzieckiem.

– Czy jesteś pewna, że masz ochotę przygotowywać kanapki i wozić dziecko na pływalnię, gdy będziesz miała pięćdziesiąt trzy lata? Albo sześćdziesiąt? – zapytała. – I czy to nie będzie kolidowało z twoją pracą?

– Wszystko się jakoś ułoży – oznajmiła Annie z typową dla siebie brawurą. – Nie pozwolę, by kolidowało to z moją pracą. Mogę wziąć pomoc, a jeśli chodzi o sześćdziesiątkę, cóż to takiego? Czuję się młodo, więc jestem młoda. To moje motto. Ważne jest wnętrze.

– Wierz mi, że twoje wnętrze też będzie się czuło zmęczone – odparowała Doris sucho.

Rozległ się chór potwierdzeń, żadna z kobiet jednak nie powiedziała głośno tego, o czym wszystkie myślały: że po czterdziestce szanse na zajście w ciążę były niewielkie, a na zespół Downa, jeśli dziecko się urodzi, rosły bardzo szybko.

Annie przygarbiła się i w obronnym geście skrzyżowała ramiona na piersiach.

– A ja uważam, że to wspaniałe – powiedziała naraz Midge autorytatywnym tonem, zaskakując je wszystkie. – My tu martwimy się zmarszczkami, rozmawiamy o termoforach, siwych włosach i wiotczejących piersiach, a ty zamierzasz zajść w ciążę! – Uniosła kieliszek w toaście. – Śmiało naprzód, dziewczyno!

W jednej chwili nastrój zebranych uległ zmianie. Naraz wszystkie się ożywiły i dołączyły do toastu, a na ich twarzach pojawiła się ulga i poczucie zwycięstwa. Opowiadały żarty o menopauzie, starzeniu się i nieuniknionych zmianach, w których stronę aż do tej chwili maszerowały równym krokiem jak żołnierze idący na pewną śmierć. A teraz miały Annie i mogły nieść ją przed sobą niczym sztandar. Jej płodność stała się symbolem płodności ich wszystkich.

Wśród krzyków i zamieszania nikt nie usłyszał dzwonka do drzwi ani nie zauważył drobnej postaci w długim, czarnym płaszczu, która wsunęła się do holu, przyciskając do siebie wypożyczony z biblioteki egzemplarz *Pani Bovary*. Eve stała cicho w progu salonu i czekała z niepewnym wyrazem twarzy.

Doris wyczuła czyjąś jeszcze obecność i pierwsza odwróciła głowę. Serce zabiło jej mocniej z radości i poczucia triumfu. A więc nie myliła się w swoim przekonaniu, że Eve musi przyjść na spotkanie w jej domu!

– Eve! – zawołała i zerwała się z miejsca, podbiegając do niej z wyciągniętymi ramionami.

Wszystkie głowy zwróciły się w ich stronę i po chwili Eve, ściskana i całowana przez cztery kobiety, uśmiechnęła się blado i przez napływające do oczu łzy wyznała, że bardzo za nimi tęskniła. Czy mogą jej wybaczyć, że tak długo unikała spotkań? Tak, oczywiście, przeczytała książkę!

Delikatnie, lecz w jakiś sposób nieodwołalnie zagarnęły ją w swój krąg, w którym znów nie brakowało żadnego ogniwa.

Później, kiedy spotkanie dobiegło końca, Doris niemal unosiła się w powietrzu. Wieczór był fantastyczny, jeden z najbardziej udanych. Powtarzały to wszystkie przyjaciółki i Doris wiedziała, że to prawda. Potrafiła wydawać dobre przyjęcia. „Traktuj rodzinę jak gości, a gości jak rodzinę". Kryształowe kieliszki dźwięczały w jej dłoniach jak dzwony, gdy uprzątała resztę naczyń z biblioteki, gdzie Klub Książki odbył jedną ze swych najbardziej owocnych dyskusji. Annie z zapałem broniła Emmy Bovary, nie zostawiając suchej nitki na jej mężu, biednym, tępym Charlesie. Ostatecznie jednak to Doris zdobyła poparcie grupy dla swego stanowiska, które, krótko mówiąc, sprowadzało się do opinii, że Emma była dziwką.

— Bogu dzięki, że już sobie poszły — mruknął R.J., wchodząc do biblioteki. Obecność jej męża natychmiast zdominowała atmosferę w domu. — Nie zniósłbym tego pisku ani chwili dłużej.

— Przecież nie piszczymy — oburzyła się Doris. — Po prostu rozmawiamy i śmiejemy się.

Podniosła tacę tartinek.

— Zostaw to. Jestem głodny — mruknął i gdy

odstawiła tacę z powrotem na stolik, postukał w nią wskazującym palcem, a potem zapytał: – Co to takiego?

Doris przymrużyła oczy, przypominając sobie Annie. Annie i R.J. byli do siebie bardzo podobni: ta sama śmiałość, tupet, powszechna akceptacja – i przenikliwość.

– Kraby.

R.J. skrzywił się z niechęcią i sięgnął po *quiche*.

– To jest niezłe – powiedział z pełnymi ustami. – O co był ten cały pisk?

– Och, R.J. – rozpromieniła się Doris, ignorując jego obraźliwy ton – coś wspaniałego! Eve wróciła do nas. Wiedziałam, że nie opuści spotkania w naszym domu! Tak bardzo się przyjaźnimy. Szkoda, że nie widziałeś twarzy Annie – dodała ze złośliwą satysfakcją. – Nie wierzyła, że Eve się pokaże. Ciekawe, co sobie pomyślała? Eve i ja przyjaźnimy się w końcu od lat, jesteśmy sąsiadkami. Razem wychowywałyśmy dzieci. Pamiętasz, jak Sarah i Bronte chciały codziennie ubierać się tak samo? I jak jednocześnie założono im aparaty ortodontyczne? Takiej przyjaźni się nie zapomina. Nigdy nie zrozumiem kobiet takich jak Annie Blake. Uważa, że jest lepsza od wszystkich, tylko dlatego, że jest prawnikiem.

– Jest bardzo dobrym prawnikiem.

– Powinna w takim razie wiedzieć, jak należy się ubierać w jej wieku.

R.J. zerknął na żonę ze złośliwym uśmieszkiem i zakręcił kostkami lodu w szklance z whisky.

– Moim zdaniem ubiera się bardzo dobrze.

Doris znała ten wyraz jego oczu i w ułamku sekundy poczuła się tak, jakby otrzymała cios, który powalił ją na kolana. Poczucie sukcesu zniknęło w jednej chwili. Pobladła i zadrżała.

– Powinnaś trochę poćwiczyć – ciągnął R.J., znowu sięgając po *quiche*. – Zapisz się do jakiegoś klubu. No, czemu tak się nastroszyłaś? Przecież chciałabyś chyba dobrze wyglądać?

Doris spojrzała na jego wysokie, muskularne ciało; jej mąż wiele lat uprawiał futbol, piłkę ręczną, a ostatnio grał w golfa.

– Nie sądziłam, że nie wyglądam dobrze.

– Daj spokój, przecież przytyłaś co najmniej dziesięć kilo.

Piętnaście, poprawiła go w myślach. Wciągnęła brzuch i przygarbiła ramiona.

– Dla kogo mam się odchudzać? Sobie podobam się taka, jaka jestem. Nie udaję, że mam dwadzieścia lat. – Na widok mieszaniny niechęci i rezygnacji w jego oczach dodała szybko: – Ale to prawda. Przydałoby mi się więcej spacerów. Sama myślałam o tym, żeby zrzucić kilka kilogramów i teraz, gdy święta już się skończyły, chyba pomyślę o diecie.

R.J. już jej jednak nie słuchał. Wstał i podszedł do telewizora. Doris zacisnęła usta, czując znajomy ucisk w klatce piersiowej. Opanowała się jednak i wyszła z biblioteki, choć kipiała z wściekłości. R.J. nie słuchał jej już od lat. Również od lat nie usłyszała od niego żadnego komplementu. I tak samo długo nawet nie próbował zbliżyć się do niej. Nie tak powinien zachowywać się mężczyzna wobec swojej żony.

Przy schodach obejrzała się i zauważyła, że R.J. wkłada do odtwarzacza kasetę z jednym z „tych" filmów. Poczuła w gardle kulę gniewu i wstydu. Wolał szukać przyjemności samotnie niż z nią w małżeńskim łóżku. Przypuszczała, że powodem może być impotencja; czytała, że to się zdarza mężczyznom w jego wieku, ale nie była w stanie nawet pomyśleć, że mogłaby go o to zapytać. W pismach dla pań pisano, że należy rozmawiać ze sobą otwarcie o wszystkim, ale Doris czuła się zażenowana, wymawiając słowa takie jak „impotencja", „seks" czy „orgazm". Na myśl, że mogłaby wypowiedzieć je przy nim, nawet szeptem, poczuła dreszcz odrazy. Nie wiedziała nawet, co to takiego punkt G, a tym bardziej, gdzie się znajduje.

Pochwyciła poręcz tak mocno, że aż zbielały kostki jej palców. Jej mąż, jej kochanek, sięgnął po kilka tartinek, a potem umieścił swoje pięćdziesięcioczteroletnie ciało w ulubionym skórzanym fotelu i wolną ręką zamknął drzwi.

Doris spuściła głowę i powoli, noga za nogą, wspięła się po schodach do sypialni, po drodze przypominając sobie argumenty przedkładane przez Annie i pozostałe przyjaciółki w obronie Emmy Bovary. Annie z typową dla siebie pasją broniła Emmy, twierdząc, że pozostała ona wierna swoim marzeniom aż do końca, nawet jeśli te marzenia były wymyślone i nierealistyczne. Midge poparła ją; jakie to smutne, powiedziała, że kobiety tak często wyrzekają się własnych marzeń.

— I mężczyzn, których kochają — dodała Gabriella.

Ale to Eve wypowiedziała zdanie, które najgłębiej utkwiło wszystkim w pamięci.

— Nie powinnyśmy tej kobiety zbyt pochopnie oceniać ani potępiać. Gdyby Emma miała choć jedną prawdziwą przyjaciółkę, kogoś, kto mógłby z nią porozmawiać i komu mogłaby się wygadać, to wierzę, że byłaby w stanie poradzić sobie ze wszystkim.

— Szkoda, że nie należała do Klubu Książki — stwierdziła Gabriella. — Potrzebna jej była rozmowa z drugą kobietą.

— Tak — skinęła głową Midge. — Ale ona uzależniała swoje szczęście wyłącznie od mężczyzn i same zobaczcie, jak to się skończyło.

Wszystkie się roześmiały — wszystkie oprócz Doris. Teraz jednak, gdy weszła do swojej sypialni i stanęła przed ogromnym łóżkiem, tak wielkim, że nawet potężny R.J. i pulchna Doris mogli w nim spać, przez całą noc nie dotykając się ani razu, wybuchnęła dziwnym, dławiącym śmiechem.

Eve siedziała przy stole w kuchni i powoli piła gorące mleko. Nie wiedziała, czy to prawda, czy tylko przesąd, że pomaga ono zasnąć, ale nie szkodziło spróbować. Od śmierci Toma rzadko udawało jej się przespać całą noc. Budziła się po kilka razy, ogarnięta panicznym strachem. Gdyby mleko nie zadziałało, zdecydowana była spróbować prozaku. Znów podniosła kubek do ust, gdy zadzwonił telefon.

– Chciałam tylko sprawdzić, czy dotarłaś bezpiecznie do domu.

To była Annie. Eve wiedziała, że tak naprawdę przyjaciółka chciała zapytać, jak się czuje po powrocie do Klubu.

– Oczywiście, że tak, dziękuję. Przecież to tylko kilka przecznic.

– I co teraz myślisz?

– W pewnej chwili wydawało mi się, że ty i Doris rzucicie się na siebie pośrodku tego perskiego dywanu.

– Szkoda, że tak się nie stało. Lubię walkę. A poza tym ona jest taka przemądrzała. Każdemu chce narzucić własne zdanie.

– Jest bardzo pobudliwa. No i na każdy temat ma wyrobioną opinię.

– Tak samo jak R.J. Nie mogę pojąć, jak oni wytrzymują ze sobą pod jednym dachem.

– To wielki dom – zauważyła Eve, a Annie roześmiała się.

– Cieszę się, że wróciłam.

— Ja też się bardzo cieszę, że wróciłaś. Wszystkie się cieszymy.

Eve uśmiechnęła się, wiedząc, że słowa Annie są szczere.

— Annie? Pamiętasz, jak mówiłam, że dobrze jest mieć przyjaciółkę, której można się zwierzyć? Że to może ocalić psychikę? – Zamilkła, czując, że łzy napływają jej do oczu. – Mówiłam o tobie.

Nastąpiła pauza, po czym Annie odrzekła cicho:

— Wzajemnie, Eve.

ROZDZIAŁ SZÓSTY

Gdy problem staje się zbyt wielki lub położenie zbyt ciężkie, ludzie chronią się, nie myśląc o nim. Wnika on jednak do wnętrza i stapia się z innymi rzeczami, które tam zalegają, i z tej mieszanki wynika niezadowolenie i niepokój, poczucie winy i przymus, by coś zdobyć – cokolwiek – zanim wszystko odejdzie.

John Steinbeck, *Zima naszej goryczy*

Radio włączyło się o siódmej. Ulubiona stacja nadawała ballady rockowe. Annie mruknęła coś, przetarła oczy i odruchowo sięgnęła po termometr. Dom był szary i zimny. Leżąc z termometrem w ustach, myślała o tym, że nie znosi lutego i nie potrzebuje prognozy pogody, by wiedzieć, że nadchodzi burza. W takie poranki najchętniej otuliłaby się kołdrą i zwinięta w kłębek została w łóżku z dobrą książką.

Leżący obok niej John ziewnął głośno, w półśnie pogładził ją długimi palcami po udzie, pod-

104

niósł się i chwiejnym krokiem poszedł do łazienki. Od pewnego czasu każdy ranek wyglądał tak samo: podczas gdy ona leżała w łóżku z termometrem w ustach, on brał prysznic, golił się i parzył kawę. Zastanowiła się nagle, kiedy w ich życie wkradła się taka rutyna? Znała jednak odpowiedź: od czasu, gdy zaczęli się starać o dziecko.

Wyjęła termometr i wpatrzyła się weń, przymrużając oczy: coraz trudniej było jej odczytać drobne cyferki. Przysunęła termometr bliżej i uśmiechnęła się szeroko. Tego ranka czekało ich przełamanie rutyny! Temperatura wyraźnie wzrosła.

Usiadła na łóżku i sięgnęła do nocnej szafki, gdzie znajdował się wykres jej owulacji z ostatnich sześciu miesięcy. Kupiła co najmniej tuzin książek, w których szczegółowo omówione były zasady tworzenia takich wykresów. Dotychczas jej pomiary nie chciały się układać w żaden wyraźny schemat, co doprowadzało ją do rozpaczy, dzisiaj jednak nawet największy tuman nie mógłby mieć żadnych wątpliwości: po uprzednim spadku temperatura wyraźnie skoczyła do góry.

– John! – zawołała z wielkim przejęciem. – Wracaj zaraz do łóżka! Popatrz, mam jajeczkowanie!

John wysunął głowę z łazienki. Połowę twarzy miał pokrytą kremem do golenia.

– W tej chwili? – zapytał z lekkim grymasem.

Ton, w jakim zadał to pytanie, zirytował ją.

– Przecież tego nie da się zaplanować. Ale sam

zobacz! Modelowy wzór, jak z podręcznika! Musimy to zrobić!

John westchnął ciężko.

– Posłuchaj, i tak już jestem spóźniony. Muszę zdążyć na inspekcję.

– To zajmie tylko chwilę!

Zaśmiał się krótko i wymamrotał coś pod nosem. Annie poczuła wzbierającą złość.

– Przecież sam rozumiesz...

– Może poczekamy do wieczora? Nie mam teraz czasu, ani, prawdę mówiąc, nastroju. Jestem pewien, że to jajeczko nie rozpuści się przez parę godzin.

– Wieczorem nie mogę. Jestem umówiona na spotkanie.

John oparł dłonie na biodrach i zastanawiał się przez chwilę.

– No to w porze lunchu. Postaram się tu być, powiedzmy, o wpół do pierwszej.

Annie zmarszczyła brwi i potrząsnęła głową.

– Nie mogę. Przed południem mam rozprawę. Boże, trudniej umówić się z tobą niż na służbowe spotkanie.

– Nasze życie erotyczne coraz bardziej przypomina takie właśnie spotkania.

– A czyja to wina? – odparowała Annie, odrzucając kołdrę. – Za każdym razem, kiedy się kochamy, wygląda to tak samo: raz, dwa, raz, dwa, dziękuję pani!

John zaczerwienił się pod warstwą kremu.

— Bo tak się ostatnio czuję. Muszę cię obsługiwać na każde wezwanie. Leżysz jak kamień, a gdy już jest po wszystkim, nawet się nie odezwiesz, tylko podkładasz poduszki pod biodra i patrzysz na zegarek.

— Bardzo ci dziękuję! Dobrze wiesz, że to zwiększa szanse zapłodnienia!

— To nie zmienia faktu, że przestaliśmy się przytulać i rozmawiać, tak jak kiedyś. Zaczynam mieć tego serdecznie dosyć, Annie.

— To ty chciałeś mieć dziecko!

— Nie tylko ja. Nie zrzucaj teraz wszystkiego na mnie. — Zauważyła, że ze wszystkich sił stara się powstrzymać wybuch gniewu. — I nadal chcę je mieć — ciągnął już spokojniej, łagodząc ton. — Ale dlaczego nie możemy go zrobić tak jak inni ludzie? Dlaczego musisz tak wszystko kontrolować?

— Bo prawda jest taka, że dotychczas nie odnieśliśmy wielkich sukcesów. Próbujemy już od ośmiu miesięcy i okazuje się, że to nie jest takie łatwe, jak mogłoby się wydawać. Musimy robić wszystko, żeby zwiększyć szanse. Dużo o tym czytałam.

— Czytałaś... — Potrząsnął głową i stanął tuż przed nią. — No więc minęło już osiem miesięcy. I co z tego? Zawsze jest to samo, Annie. Gdy czegoś chcesz, musisz to mieć już, natychmiast. Skupiasz wszystkie środki na celu i nie zostawiasz żadnego marginesu błędu. Tylko: zrób to, zrób tamto. Popatrz, na przykład, na swoją dietę.

Zaczęłaś się odżywiać wyłącznie kiełbaskami i bananami!

Annie podniosła wyżej głowę i oczy jej zabłysły.

– Bo od tego wzrasta poziom sodu i potasu w organizmie. Mówiłeś, że chcesz mieć chłopca.

– Nie. Ja mówiłem, że jest mi wszystko jedno. To ty chcesz chłopca, Annie. Właśnie o tym mówię. Nie wystarcza ci, że po prostu chcesz mieć dziecko. Próbujesz kontrolować nawet jego płeć!

– Brzmi to tak, jakbym była jakimś seksualnym dyktatorem!

– Bo jesteś!

– Mam dość! – krzyknęła, bezgranicznie wściekła, rzucając w górę notatnik z wykresami. Zapisane ołówkiem kartki rozsypały się po podłodze. – Mam dość, słyszysz? Możesz sobie zabrać ten cholerny termometr... – Rzuciła w niego przyrządem. – I to też! – Następny był budzik. – I możesz to sobie wsadzić!

John zdążył się uchylić. Budzik przeleciał obok niego i rozbił się o ścianę. John powoli podniósł głowę. Na jego twarzy malował się szok i wściekłość, ramiona miał napięte, dłoń zaciśniętą na maszynce do golenia.

Annie stała po drugiej stronie łóżka, z opuszczonymi rękami, i patrzyła na niego nieruchomo. Z podbródka Johna zwisał sopel kremu do golenia. Wydawał się tak wstrząśnięty, tak... tak zabawny, nagi, na wpół ogolony, wśród szczątków rozbitego budzika, że zaczęła się śmiać. Teraz, gdy już wyrzuciła z siebie złość i frustrację, mogła jasno myśleć. Zawsze tak było: gdy ogarniał ją gniew, oślepiał ją niemal całkowicie, ale po wybuchu natychmiast odzyskiwała spokój i dobry humor.

Teraz żałowała tego, co się stało. Było jej przykro za Johna i za to, że ich życie uczuciowe rozsypywało się.

– Uważasz, że to zabawne? – zapytał John.

– Tak – odrzekła szczerze, po czym dodała: – W żałosny sposób.

– Mnie się nie chce śmiać – powiedział i wrócił do łazienki.

– Dlaczego właściwie krzyczymy na siebie? – zawołała za nim. – John, chcę się z tobą kochać. Większość mężów byłaby zadowolona, budząc się przy żonie ogarniętej namiętnością.

Gdy spojrzał na nią przez ramię, ujrzała w jego oczach smutek.

– Ja też byłbym – powiedział.

To ją zabolało. Wzbierał w niej kolejny wybuch, ale pohamowała się i, zaciskając usta, wróciła do łóżka. Tylko sztywność ramion i odwrócenie głowy do ściany świadczyły o tym, że jest zła. Nie z powodu uporu Johna, ale dlatego, że jeszcze nie była w ciąży, a co więcej, John najwyraźniej zamierzał zrzucić całą odpowiedzialność na nią.

Jasno rozumiała wszystko, co nie zostało powiedziane wprost. To jej zadaniem, jako kobiety, było począć dziecko. A jeśli się to nie udawało, to była również jej klęska. Annie nie lubiła porażek.

– Zapomnijmy o tym – powiedziała niskim, nienaturalnym tonem. – Dajmy sobie spokój i zapomnijmy o tym wszystkim.

Zapadło napięte milczenie. Annie, nie oglądając się, wiedziała, że John wciąż stoi w drzwiach łazienki i patrzy na nią. Przez długą chwilę, która wydawała jej się wiecznością, czekała, wiedząc, że on zastanawia się, czy naprawdę zrezygnowała z planu urodzenia dziecka. Była to z jej strony wykalkulowana prowokacja, zawierająca element ryzyka: John potrafił pogrążać się w długim milczeniu, czasami trwającym nawet kilka dni. A ona nie miała tyle czasu. Jej ciało – jej jajeczko – potrzebowało go już dzisiaj, już teraz.

– Annie – odezwał się w końcu łagodząco. – To nie może tak dłużej trwać.

Natychmiast zrozumiała, że on nie chce zrezygnować z dziecka, i poczuła dojmującą ulgę.

– Nigdy się tyle nie kłóciliśmy – ciągnął John, podchodząc do niej. – Za bardzo się tym wszystkim przejęliśmy. Nie cierpię kochać się z tobą według kalendarza. To takie kliniczne, wyrachowane, takie rutynowe. Wszystko, z czym walczę przez całe moje życie.

– Myślisz, że mnie się to podoba?

– Myślę, że nie. – Położył rękę na jej ramieniu. To był pierwszy krok. – Bardzo chciałbym znów się z tobą kochać, Annie. Brakuje mi tego. Tak, jak robiliśmy to wcześniej. Z miłości i pragnienia.

– Mnie też tego brakuje – odrzekła cicho, przysuwając się do niego.

– Te nasze stosunki... – niemal wypluł to słowo z siebie. – Nie podoba mi się to, co się z nami dzieje. Zastanawiałem się, czy warto prowadzić tę grę.

Odwróciła się twarzą do niego, znów ogarnięta niepokojem. John musiał być bardzo sfrustrowany, skoro jednak rozważał rezygnację z ich planów. Ale ona nie chciała z nich zrezygnować za nic. Pragnęła dziecka bardziej niż czegokolwiek innego. Po prostu musiała je mieć.

– Oczywiście, że warto, kochanie – powiedziała spokojnie. John potrzebował teraz łagodnej zachęty i upewnienia. – Przecież wiem, że marzysz o dziecku. I wiem, że mogę ci je dać. – Zdobyła się na lekki uśmiech. – Wiesz, jakie jest moje motto. Nic, co jest warte zdobycia, nie przychodzi łatwo. Uważam, że dziecko jest warte wysiłku. Nie sądzisz? Po prostu musimy się bardziej postarać. I wiesz co? – dodała lekkim tonem. – Nie potrafię sobie wyobrazić przyjemniejszego obowiązku. Chodź tutaj!

Pociągnęła za ręcznik, którym John był przepasany, i pochyliła się, by zetrzeć z jego twarzy resztę kremu.

– Spróbujmy jeszcze raz – szepnęła, pokrywając pocałunkami jego tors.

Otworzyła ramiona i uśmiechnęła się triumfalnie, gdy John ją przytulił. Najwyższa pora, pomyślała, oddając mu pocałunki.

– Och, tak! Kocham cię – szepnęła mu prosto do ucha. Naprawdę go kochała.

I była przekonana, że tego ranka uda im się począć piękne dziecko.

Midge wyjrzała przez okno i zmarszczyła czoło na widok grubej warstwy śniegu na ulicach. Jej matka miała zjawić się już wkrótce, a chociaż Edith pochodziła z Chicago, zapewne zdążyła już odwyknąć od takiej pogody. Ostatnie dziesięć lat spędziła na Florydzie. Midge nie martwiła się o nią; jej brat, mieszkający na stałe w Atlancie, często odwiedzał Edith w Vero Beach wraz ze swoją żoną i dziećmi. Ten szczęśliwy układ uwalniał Midge od poczucia winy. Lata terapii nauczyły ją doceniać własną przestrzeń w życiu.

Odsunęła się od okna i wróciła do sprzątania. Razem z prasowaniem i gotowaniem, czynności te zajmowały pierwsze miejsce na jej prywatnej liście obowiązków, których najbardziej nie cierpiała. Sprawy domowe nudziły ją, a poza tym ta praca nie miała żadnego sensu. Mieszkała sama i jedzenie szczególnie jej nie interesowało. Rano najczęściej wsypywała płatki do kubka po kawie, żeby nie brudzić drugiego naczynia, a na kolację jadała jakieś niskotłuszczowe gotowe danie z mikrofalówki. Zapach piersi z indyka, która piekła się właśnie w piecyku razem z dwoma ziemniakami, był w tym domu czymś niezwykłym.

Zebrała stertę ręczników z podłogi w łazience,

popatrzyła na nie, po czym wrzuciła je do wanny i zasunęła plastikową zasłonkę. Polała umywalkę i lustro środkiem czyszczącym i szybko przetarła je szmatką. Wygląda nieźle, oceniła, obrzucając wzrokiem łazienkę. Pomieszczenie urządzone było pod kątem funkcjonalności. Obok toalety stał wiklinowy koszyk z gazetami i czasopismami. Przybory toaletowe leżały na zakurzonym stole z kutego żelaza.

Wiedziała, że jej matce nie będzie się tu podobać. W mieszkaniu nie było tu żadnych kobiecych akcentów, które Edith uważała za zasadnicze. Żadnych wielkich, dobrze oświetlonych luster, zgranych kolorystycznie ręczników, nawet wagi – a jej matka każdy dzień rozpoczynała od pójścia do toalety i stanięcia na wadze.

No cóż, mnie się tu podoba, pomyślała buntowniczo, czując, że znów wracają do niej stare urazy. Cokolwiek w życiu robiła, nigdy nie potrafiła zadowolić matki. Ale co ją to właściwie mogło obchodzić? To był problem Edith, nie jej.

Wzięła głęboki oddech, żeby rozluźnić wewnętrzne napięcie, i poruszyła ramionami. Edith Kirsch była jedyną kobietą na świecie, która potrafiła odebrać jej pewność siebie. Całe życie spędziła na uwalnianiu się z kleszczy oczekiwań matki i za każdym razem, gdy już jej się wydawało, że wreszcie ma to za sobą i odeszła wystarczająco daleko, że jest samodzielną, niezależną osobą, bum! – matka przyjeżdżała w odwiedziny i Midge znów zaczynała się czuć jak małe dziecko.

Odpędziła od siebie te myśli; teraz nie miała czasu się nimi zajmować. Spojrzała na zegar. Matka miała tu być za dziesięć minut. Nigdy się nie spóźniała. Terapeuta nakazał Midge oddychać głęboko, uwalniając z siebie stary gniew. Wdech, wydech... Wszystko będzie dobrze, jeśli tylko przez kilka dni uda jej się schodzić matce z drogi i nie dać się wciągnąć w rozmowy o mężczyznach, małżeństwie i seksie.

Popatrzyła na butelkę z płynem do czyszczenia, którą trzymała w ręku, a potem wrzuciła ją wraz ze szmatą do wanny, na stos ręczników, i zatrzymała się przed lustrem. Dzisiaj włosy miała splecione w warkocz. Czasami zadziwiało ją, jak mało zna twarz, z którą żyje od pięćdziesięciu lat. Nigdy, nawet jako nastolatka, nie lubiła wpatrywać się we własne odbicie czy wypróbowywać różnych wariantów makijażu. Przechyliła głowę na bok i przyjrzała się układowi kości twarzy takim wzrokiem, jakim artysta patrzy na rzeźbę. Miała wyraźne, wystające kości policzkowe, mocno zarysowaną szczękę i duży nos. Z artystycznego punktu widzenia była to ciekawa twarz, chociaż trudno byłoby ją nazwać ładną czy atrakcyjną. Tak czy inaczej jako kobieta zupełnie nie odpowiadała ideałom preferowanym przez matkę.

Usłyszała dzwonek i mimo wszystko ucieszyła się. Nie widziała matki ponad rok, ale gdy otworzyła drzwi, poczuła się, jakby rozstały się zaledwie wczoraj. Na widok drobnej postaci musiała się szeroko uśmiechnąć. Edith nigdy się nie zmieniała. Wyglądała równie promiennie jak zawsze. W przeciwieństwie do córki była niska – mierzyła niewiele ponad metr pięćdziesiąt – i drobnej budowy. Midge zawsze wyobrażała ją sobie jako niewielkiego ptaszka o bajecznie kolorowych piórkach, ciemnych oczach i szybkich, pełnych wdzięku ruchach. Wszystko w jej stroju było dopięte na ostatni guzik i zgrane ze sobą, od butów po płaszcz i torebkę.

Edith obrzuciła córkę szybkim spojrzeniem, które nie pomijało żadnego szczegółu, a potem cofnęła się o krok, przechyliła głowę na bok, wydęła usta, uniosła jedną brew i spojrzała jeszcze raz. Beż żadnego słowa Midge zrozumiała, że jej własny strój, fryzura i twarz bez makijażu nie zyskały aprobaty matki. Wszystko to trwało zaledwie kilka sekund i zupełnie wytrąciło ją z równowagi. Poczuła się upokorzona, ale udało jej się zachować na twarzy uśmiech.

– Nie pocałujesz mnie nawet? – zapytała Edith.

Midge pochyliła się i objęła ją. Zawsze czuła się przy matce jak olbrzym. Znajomy zapach perfum sprawił jej przyjemność.

– Wejdź do środka – powiedziała.

– Zaraz, kochanie. Muszę zabrać bagaże z limuzyny.

Przyjaciołom matki na Florydzie udało się przekonać ją, że wynajęcie limuzyny to jedyny sposób, by wydostać się z lotniska w Chicago. Midge, która uważała, że równie dobrze może po matkę wyjechać, musiała zaakceptować jej wybór.

– Pomogę ci – zaoferowała się.

– Nie, nie – odparła Edith zbyt szybko, rzucając niespokojne spojrzenie. – Szofer przyniesie bagaże. To jest wliczone w rachunek. Zaczekaj tutaj.

Midge posłusznie stanęła przy drzwiach. Po raz pierwszy od roku, odkąd rzuciła palenie, poczuła tęsknotę za papierosem. Po kilku minutach usłyszała kroki mężczyzny niosącego ciężką walizkę. A właściwie dwie. Wysoki, muskularny szofer w tanim czarnym garniturze z trudem wtaszczył je na schody. Midge zaniemówiła, uświadamiając sobie, że taka ilość bagażu wystarczy na wiele dłużej niż tydzień.

– Zaraz przyniosę następne – powiedział szofer, zostawiając walizki za drzwiami.

– Następne? – wykrztusiła Midge.

Edith tylko pomachała ręką i zniknęła na schodach. Midge czekała nieruchomo, aż kierowca wniósł brązowe kartonowe pudło, w którym zmieściłaby się niewielka szafa. Na wierzchu kołysało się drugie pudło, na kapelusze. Kierowca znów zniknął i tym razem na schodach rozległ się tupot obcasów Edith. Midge otworzyła usta, by zapytać, po co matka przywiozła tyle rzeczy, ale od tego, co zobaczyła, zaparło jej dech.

Edith niepewnie podeszła do drzwi, tuląc w ramionach kłębek białego futra, z którego wyzierały czarne ślepka.

– Przywiozłaś psa? – wychrypiała Midge, nie wierząc własnym oczom.

– Po prostu nie mogłam go zostawić – powiedziała Edith nienaturalnie wysokim głosem, przyciskając zwierzę do siebie tak mocno, że oczy wychodziły mu z orbit. – Ostatnim razem, gdy oddałam go do tego obrzydliwego psiego hotelu, dostał strasznego rozwolnienia i przysięgłam sobie, że za żadne skarby więcej tego nie zrobię. Kochanie, bez Prince'a umarłabym z samotności. Proszę, nie złość się na mnie. To taki grzeczny chłopiec, i obiecuję, że będę starała się go trzymać z dala od ciebie! On jest taki malutki, nawet nie zauważysz, że tu jest! Podobnie jak ja!

Midge dławiła się z wściekłości. Nie była w stanie wypowiedzieć ani słowa. To tylko kilka dni, powtarzała sobie, oddychając głęboko, tylko kilka dni i obydwoje stąd znikną. Wdech, wydech... Odsunęła się od drzwi, pozwalając matce przejść, i w milczeniu szła za nią, patrząc na własne mieszkanie jej oczami. Przed kamiennym kominkiem stała sofa i zestaw krzeseł pochodzących z różnych kompletów, a na nich rzucone byle jak wielkie, pasiaste poduszki. Wyznaczający granicę kuchni długi, zaokrąglony bar zastawiony był butelkami wina, stertami książek i rozmaitymi rzeźbami. W kącie przy wielkich oknach stały dwie puste drewniane sztalugi, a obok nich poplamiony farbami stół z kolekcją pędzli. Gotowe już obrazy stały oparte o ścianę.

Midge lubiła myśleć, że jej dom jest czytelnym świadectwem jej indywidualizmu; tego, że nie kieruje się modą, lecz żyje według wskazań własnego talentu. Na twarzy matki widziała jednak, że z jej punktu widzenia mieszkanie córki wygląda jak koszmarny sen dekoratora wnętrz. Wstrzymała oddech, gdy matka zatrzymała wzrok na pokrywających całą zachodnią ścianę dużych płótnach. Midge żywiła do swoich obrazów takie uczucia, jakie matki żywią do swoich dzieci albo niektórzy ludzie do psów. Czekała w napięciu.

– Skarbie, czy mogłabyś przynieść Prince'owi wody? – zapytała Edith ze sztucznym uśmiechem.

A więc to było wszystko. Na temat jej obrazów matka nie miała nic do powiedzenia. W jej oczach nie były warte nawet jednego słowa.

– Oczywiście – wykrztusiła, kryjąc rozczarowanie. – Może napijesz się wina? Mam tu niezłe margaux.

– Och, nie, kochanie, już nie piję czerwonego wina. Od tych siarczynów boli mnie głowa. Proszę, powiedz, że masz w domu martini! Albo wódkę? Z cytryną?

Midge przymknęła oczy, czując w skroniach nadchodzący ból głowy.

– Nie mam cytryny, ale mam oliwki.

– Niech będzie – westchnęła Edith z rozczarowaniem.

Midge zacisnęła zęby i wrzuciła oliwkę również

118

do miski Prince'a z nadzieją, że pies się nią zakrztusi.

Po kilku minutach, wzmocniwszy się kieliszkiem margaux, poczuła, że powoli wraca do stanu wewnętrznej równowagi. Rozmawiały przez chwilę o locie do Chicago, potem o książkach, które Edith ostatnio czytała, o brydżu, paskudnej pogodzie – wszystkie te bezpieczne tematy pomogły przełamać lody. Temperatura nieco wzrosła, gdy Edith zaczęła narzekać na maniery swych wnuków.

– Jedzą jak zwierzęta! – oznajmiła, rzucając psu herbatnik. Prince pogryzł go hałaśliwie, rozrzucając okruchy po całej sofie.

Gdy niebo zaczęło ciemnieć, a kieliszki znów zostały napełnione, Edith zrzuciła żakiet i oświadczyła, że jej mieszkanie na Florydzie przypomina grobowiec, a życie na południu jest śmiertelnie nudne.

– Życie kulturalne w ogóle tam nie istnieje. Nie ma nic. Floryda jest fantastyczna, jeśli lubisz codziennie rano spacerować po plaży i zbierać miliony muszelek. Ale gdy już ci się to znudzi... *C'est tout!* Poza tym brakuje mi moich przyjaciół.

– Przecież masz nowych – odrzekła Midge bez cienia współczucia.

Przed dziesięciu laty jej matka bezwzględnie uparła się przy przeprowadzce na Florydę, a ponadto przez kilka miesięcy ciągnęła córkę ze sobą, wielokrotnie latając w jedną i w drugą stronę, by ta pomogła jej znaleźć mieszkanie, cały czas opowiadając, że nie zniesie jeszcze jednej zimy w Chicago.

– Wszyscy są tam za starzy – ciągnęła Edith. – Jedną nogą w grobie. I nie sposób znaleźć choćby jednego przyzwoitego mężczyzny. Sami dziwkarze albo żonaci. Tęsknię za męskim towarzystwem. Muszę ci powiedzieć – podniosła wzrok z ożywieniem – że w barze na lotnisku widziałam takiego faceta... – Sugestywnie przewróciła oczami, mrucząc jak kotka. – O la la...

Midge poruszyła się niepewnie, zaniepokojona wizją matki podrywającej w barze przystojnych podróżnych. Słuchanie opowieści o życiu uczuciowym Edith wydawało jej się w jakiś sposób nieprzyzwoite, szczególnie że ona sama nie miała żadnego.

– Tylko mi nie mów, że próbowałaś go poderwać.

– Nie! – oburzyła się Edith. – Czekała na niego jakaś kobieta, chyba żona. – Oparła się o poduszki i utkwiła spojrzenie w twarzy córki. Alkohol zaczynał już działać. – A gdybym nawet próbowała, to co? Co by w tym było złego? Czy sądzisz, że skoro osiągnęłam już pewien wiek, to nie mogę się podobać żadnemu mężczyźnie? Albo że żadnego nie mogę pragnąć?

– Nie, mamo, ale istnieje coś takiego jak godność osobista.

Edith odrzuciła głowę do tyłu i roześmiała się gardłowo.

– Myślę, że ty masz jej za nas dwie. Sama dobrze byś zrobiła, skarbie, rozwijając nieco swoje życie towarzyskie. Otrząśnij się! Nie dziwię się, że nie możesz poznać żadnego porządnego mężczyzny. Nigdy go nie znajdziesz, jeśli nie zaczniesz szukać.

– Może nie mam ochoty nikogo szukać.

Edith lekceważąco machnęła ręką.

– Oczywiście, że masz, skarbie. Jesteś po prostu nieśmiała i nie wychylasz nosa zza swoich płócien. Trzymaj się mamy. Mogę cię nauczyć kilku sztuczek.

Przesunęła dłońmi po biodrach w geście, który miał być erotyczny; Midge na ten widok zebrało się na mdłości. Przypomniała sobie nagle, jak po raz pierwszy przyjechała z college'u do domu. Był to tydzień odwiedzin dla rodziców, ale matka z jakiegoś powodu zrezygnowała z wizyty, więc Midge postanowiła sprawić jej niespodziankę. Poza tym nie miała ochoty snuć się po akademiku, gdy wszyscy inni rodzice zwiedzali uniwersytet i zabierali swoje dzieci na kolację. Ale gdy matka otworzyła jej drzwi, wcale nie wyglądała na uszczęśliwioną. „Dlaczego przyjechałaś?", zapytała szeptem, a potem szybko obejrzała się przez ramię, pochwyciła portmonetkę i, wciskając w dłoń Midge kilka dwudziestek, kazała jej pójść do hotelu, wyjaśniając nerwowo, że ma gościa. Gdy Midge powiedziała, że wolałaby zostać u siebie, Edith tylko westchnęła i oświadczyła, że jej przyjaciel nic nie wie o istnieniu jej córki w college'u, a ona woli, żeby się nie dowiedział.

– Tęsknię za domem – powiedziała teraz Edith, głaszcząc Prince'a. – Tęsknię za Środkowym Wschodem. Za jego zapachami, akcentem tutejszych mieszkańców, stylem ich życia. Brakuje mi wielkiego miasta.

Midge zauważyła, że na tej liście nie znalazło się jej imię.

– A co z twoim życiem na Florydzie? Z przyjaciółmi, z mieszkaniem?

Edith tylko wzruszyła ramionami.

Midge rzuciła szybkie spojrzenie na górę bagaży i przełknęła ślinę, zdając sobie powoli sprawę, do czego zmierza ta rozmowa. Migrena zbliżała się coraz większymi krokami.

– To może zamieszkałabyś w Atlancie? – zasugerowała skwapliwie. – Wspaniałe miasto, dobry klimat, a Joe i Liz byliby zachwyceni, gdybyś mieszkała bliżej nich.

Jej brat i jego żona zamordowaliby ją chyba, gdyby to usłyszeli. Edith doprowadzała Liz do furii swymi subtelnymi uwagami na temat wychowywania chłopców.

– Być może – odrzekła matka z westchnieniem.

Midge poczuła, że robi jej się zimno. Ostrożnie odstawiła kieliszek na stół. Opanowała się i, wytrzymując spojrzenie matki, zapytała wprost:

– Mamo, jak długo chcesz tu zostać?

Wstrzymała oddech, widząc, że na twarzy Edith pojawił się figlarny wyraz.

– Bez ograniczeń – odrzekła Edith z promiennym uśmiechem.

Midge musiała bezwiednie wykrzyknąć, bo Prince gwałtownie zeskoczył z kolan swojej pani, przypadł do nóg Midge i zaniósł się głośnym szczekaniem. Midge uniosła dłonie do uszu.

– Cicho, Prince! – zawołała Edith, klaszcząc w dłonie. – Powinniśmy zachowywać się grzecznie. Jesteśmy tu gośćmi. Natychmiast przestań i chodź do mnie w tej chwili! Prince!

Midge spojrzała w okrągłe, wybałuszone oczy pudla, który najwyraźniej nie słuchał niczyich poleceń. Pochyliła się do jego pyska, wzięła głęboki oddech i ile sił w płucach, zawyła:

– Nieee!

Pies natychmiast zamilkł i potulnie przywarł brzuchem do dywanu, po którego drugiej stronie siedziała Edith z rękami bezwładnie opuszczonymi na kolana i szeroko otwartymi ustami. Midge doznała oszałamiającego uczucia triumfu: po raz pierwszy w życiu udało jej się uciszyć matkę.

Marzec nadchodzi jak lew, a odchodzi jak baranek. Eve zawsze lubiła to powiedzenie, choć nie miała pojęcia, dlaczego. Może dlatego, że oznaczało: niech zdarzy się najgorsze, niech przejdzie choćby huragan... przetrwamy to, bo wiemy, że już niedługo nadejdą lepsze czasy.

Często powtarzała sobie te słowa na początku marca, gdy czekały ją jeszcze dwa miesiące zimnej, niestałej pogody. Zawsze miała ochotę po prostu trzepnąć kogoś, kto uznawał za stosowne przypomnieć wszystkim, że „w Chicago śnieg może spaść nawet w maju!" Zawsze ktoś taki się trafił. Tęskniła za dotykiem słońca na twarzy po długiej, ciężkiej zimie, za odrobiną radości w życiu. Wystawienie domu na sprzedaż było dla niej ciężkim przeżyciem. Bezczynne czekanie, aż ktoś go kupi, okazało się jeszcze gorsze, ale miało jeden pozytywny skutek: zaczęła sprzątać w szafach i schowkach, żeby pozbyć się stert przedmiotów, które nagromadziły się przez lata. Skąd się tyle tego wzięło? Wypchane zwierzęta, dziecinne ubranka, niedokończony haft, stare wykroje, sterty rysunków dzieci, stare książki... Porządki nie miały końca.

Ciężarówka pomocy społecznej przez kilka miesięcy regularnie pojawiała się przed domem Porterów. Na koniec zostały osobiste rzeczy Toma. Pozbycie się ich, a wraz z nimi wspomnień, było najtrudniejsze, nie tylko dla niej, ale także dla dzieci. Toteż pierwszego marca, gdy były jeszcze w szkole, nałożyła fartuch, głęboko zaczerpnęła powietrza i otworzyła jego szafę. Widok równych rzędów ciemnych spodni i marynarek, wyprasowanych koszul i barwnych krawatów poraził ją jak podmuch lodowatego wiatru. Wstrzymała oddech i podniosła wzrok na trzy górne półki, wypełnione kapeluszami, rękawiczkami i Bóg jeden wie czym jeszcze. Na dole były buty: sznurowane z niebarwionej skóry, sportowe i sandały. Przyszedł czas, żeby rozstać się z tym wszystkim.

Annie uporządkowała już ich finanse, dokumenty bankowe, inwestycyjne i polisy emerytalne. Z nieskończoną cierpliwością uczyła przyjaciółkę, jak się tym wszystkim zajmować. Teraz nadeszła kolej Eve; uporządkowanie domu było już wyłącznie jej sprawą. Zdecydowana była zrobić to jak najszybciej, ale gdy wyciągnęła pierwszy garnitur, serce jej się ścisnęło. Przyłożyła marynarkę do twarzy i wdychała ulotny zapach, którym ubranie wciąż było przesycone. Słyszała kiedyś, że zapachy są najlepszym wyzwalaczem wspomnień, a teraz przekonywała się o tym na własnej skórze. Miała wrażenie, że zagarnia ją fala przypływu.

Ale doszła już do pewnej wprawy w kontrolowaniu swoich emocji. Wytarła oczy, pociągnęła nosem i znów sięgnęła do szafy. Jeden po drugim, porządnie poskładane drogie garnitury lądowały w trzech dużych kartonach przeznaczonych dla opieki społecznej. Pakując je, przypominała sobie nostalgicznie, kiedy ostatni raz widziała w nich Toma: w tym granatowym dwurzędowym, albo w brązowej kurtce z zamszu, albo w wieczorowej marynarce... Świetnie w niej wyglądał...

Pudła szybko się wypełniły. Zaklejając je taśmą, Eve miała wrażenie, jakby zamykała w nich część własnego życia. Zachowała mundur Toma z czasów wojny w Wietnamie, a także biżuterię i akcesoria – na pamiątkę dla dzieci. Następnie przejrzała jego przybory toaletowe, oddzielając te, które można było komuś oddać, od tych, które nadawały się tylko do wyrzucenia. Bolesne było nawet wyrzucanie opróżnionego do połowy flakonu wody toaletowej czy lekarstw zaśmiecających dna szuflad. Nie mogła się pogodzić z tym, że przedmioty, które Tom kiedyś trzymał w rękach, to teraz zwykłe śmieci.

Wczesnym popołudniem porządki były na ukończeniu, w szafie pozostała tylko górna półka, którą Tom nazywał „jaskinią" i gdzie wrzucał najrozmaitsze, dziwne rzeczy. Eve wspięła się na taboret i zaczęła je przeglądać: latarki, stary stetoskop, aparat do mierzenia ciśnienia, kilka sztucznych ogni, skórzane rękawice i zakurzony kapelusz z filcu. Na samej górze, pod kocem, znalazła stare, metalowe pudełko i uśmiechnęła się ze zdziwieniem. Nie widziała go od lat! Było jedną z nielicznych rzeczy, jakie Tom posiadał jeszcze w ich pierwszym wspólnym mieszkaniu. Jacy byli wtedy młodzi! Wydawało im się, że wszystko już wiedzą... Tom trzymał w tym pudełku ważne papiery i najbliższe sercu skarby.

Eve ogarnęła ciekawość, co też może być w środku. Próbowała je otworzyć, ale było mocno zamknięte. Zeszła z taboretu, poszła do kuchni i podważyła wieczko nożem, a potem z biciem serca usiadła przy stole i powoli podniosła pokrywkę.

W środku było tylko kilka przedmiotów. Zobaczyła stary zegarek kieszonkowy ze stłuczonym szkiełkiem. Wiedziała, że była to pamiątka po dziadku, którego Tom nie pamiętał. Dalej była stara, rzymska złota moneta, którą po ukończeniu szkoły średniej dostał od swego ukochanego wujka. Serce Eve biło coraz szybciej: pudełko zawierało największe skarby jej męża. Znalazła jeszcze jego pierwsze narzędzia chirurgiczne, pęk kluczy nieznanego przeznaczenia i starą, nieważną książeczkę oszczędnościową z roku ich ślubu. Między kartki książeczki Tom wsunął fotografię ich dwojga na plaży w Cancun. Och, jacy byli wtedy zakochani. Zdjęcie zostało zrobione podczas podróży poślubnej, a na tej właśnie książeczce Tom zbierał na nią pieniądze przez cały rok. Eve przycisnęła książeczkę do serca i zajrzała na dno pudełka. Były tam jeszcze laurki zrobione przez dzieci na Dzień Ojca, a pod spodem koperta, nowsza i czystsza od pozostałych papierów. Eve rozerwała ją, spodziewając się ujrzeć jeszcze jeden dziecięcy rysunek albo może list, ale z koperty wypadło zrobione polaroidem zdjęcie kobiety; pięknej, smukłej i rudowłosej, o łagodnych oczach i pełnych, lekko wydętych ustach, na których czaił się lekki uśmiech. Ubrana była w ciemny kostium, jakby szła na służbowe spotkanie. Jej wygląd i postawa świadczyły o tym, że była kobietą sukcesu, profesjonalistką w jakiejś dziedzinie.

Eve przyglądała się fotografii z dziwnym uczuciem, że nie potrafi sobie przypomnieć, skąd zna tę twarz, ale była pewna, że gdzieś już ją widziała. Tylko gdzie?

Pomyślała, że zastanowi się nad tym później, i włożyła wszystkie skarby z powrotem do pudełka. Dzieci powinny już niedługo wrócić ze szkoły, a chciała wynieść z domu wszystkie kartony wcześniej.

Twarz nieznajomej nie dawała jej jednak spokoju. Wsunęła pudełko z powrotem na półkę i postukała w nie palcami, zastanawiając się, kim jest ta rudowłosa kobieta.

ROZDZIAŁ SIÓDMY

Zrywaj swe kwiaty, póki możesz,
Dopóki czas nie minął;
Bo kwiat, co dzisiaj wonią kusi,
Zwiędnie już jutro, dziewczyno.

Robert Herrick
Do dziewic, by korzystały z czasu

Wreszcie nadeszła wiosna! Wszystko miało zapach nadziei i obietnicy, choć na trawniku przed domem leżały jeszcze spłachetki śniegu. W coraz cieplejszym słońcu otwierały się kwiaty żółtych i fioletowych krokusów. Eve ładowała ostatnie rzeczy do zielonego volvo. Samochód był na tyle stary, że mogła sobie pozwolić na to, by go zatrzymać. Nowy samochód Toma musiała sprzedać, podobnie jak większość antyków, japońską porcelanę, perskie dywany, złote monety i na końcu, ku swej wielkiej uldze, również i dom. Annie miała rację, trzeba było się tym zająć jeszcze poprzedniego lata. Z trudem przetrwała zimowe miesiące, coraz bardziej obniżając cenę. W końcu, gdy już zmuszona była wziąć kredyt hipoteczny, pewien lekarz, który właśnie zaczynał pracę na Uniwersytecie Illinois, usłyszał od kolegi o ofercie i przyjechał obejrzeć posiadłość. Od tego momentu wszystko potoczyło się bardzo szybko. Podczas najbliższego weekendu żona lekarza przyleciała do Chicago, zakochała się w domu i kupili go od ręki. Oszołomiona Annie stwierdziła:

– Oni przyjechali z Nowego Jorku, więc pewnie uważają, że kupują ten dom za półdarmo!

Mimo wszystko Eve podpisywała akt sprzedaży ze ściśniętym sercem. Spędziła tu tak wiele szczęśliwych lat, godzin, minut.

Ale to było w zeszłym miesiącu. Teraz cieszyła się, że ma już ten ciężar z głowy i niecierpliwie wyczekiwała osiedlenia się w nowym miejscu. W dzień po podpisaniu aktu sprzedaży do domu Eve wpadła Gabriella i z rozwianymi włosami oraz błyskiem w oczach oznajmiła, że kompleks wiekowych budynków w starej części Oakley, który Eve zawsze podziwiała, ma zostać przekształcony we współwłasność lokatorów i można tam kupić mieszkanie. Pojechały od razu.

Kompleks Santa Maria, zbudowany w stylu neogotyckim z cegły i kamienia, nie był elitarny ani nie leżał na uboczu, lecz w samym sercu miasta. W pobliżu znajdowały się sklepy, a po drugiej stronie ulicy był duży park, w którym chłopcy z okolicznych szkół grywali w piłkę, w niedzielę rano gromadzili się spacerowicze z psami i często odbywały się targi sztuki. Z pewnością przeprowadzka w tę okolicę była dla Porterów degradacją. Jedno z mieszkań zdobyło jej sympatię od pierwszej chwili. Był tu wielki kamienny kominek, wychodzące na park wysokie łukowate okna oraz mnóstwo zakątków i zakamarków, jakie można znaleźć tylko w starych budynkach. Poza tym miało swój niepowtarzalny urok.

Eve miała instynkt psa myśliwskiego, który zawsze pozwalał jej znaleźć coś wyjątkowego. Czasem był to antyk na strychu u znajomych, czasem pierwsze wydanie jakiejś książki w pudle z przecenionymi egzemplarzami, czasem, na wycieczkach, miejsce, skąd roztaczał się najlepszy widok, czasem najbardziej chrupki chleb w mieście. Teraz też wstrzymała oddech i, podążając za instynktem, jeszcze tego samego dnia kupiła jedno z większych mieszkań w budynku, to, które tak bardzo jej się podobało, przez co za jednym zamachem zupełnie wyczyściła konto bankowe i zaciągnęła kredyt. Później jednak, nad butelką chardonnay, Annie zapewniła ją, że nic lepiej niż hipoteka nie zwiększa jej zdolności kredytowej.

Pozostało jej tylko zamknąć za sobą drzwi starego domu wraz ze wszystkimi wspomnieniami, które trzymały się tych murów jak pędy bluszczu na zachodniej ścianie, przekręcić klucz i odjechać. Eve wrzuciła ostatnie dwie pękate walizki do bagażnika starego kombi i poczuła się jak w chwili, gdy z domu rodziców wyjeżdżała do swego pierwszego mieszkania i miała dwadzieścia lat.

Tylko że teraz miała czterdzieści pięć.

Dzisiaj jednak czuła się znacznie młodziej; nie chciała mieć aż tylu lat. Uświadomiła sobie ze zdumieniem, że nigdy nie miała własnego mieszkania. Z domu rodziców przeniosła się do college'u, a potem od razu wyszła za mąż; był to ciąg zdarzeń, jaki wiele kobiet z jej pokolenia uważało za naturalny. Oparła się o zakurzone volvo i pomyślała, że właściwie nigdy nie była sama. Inaczej niż Annie, która przemierzyła Stany Zjednoczone i Europę z plecakiem jak wagabunda. Inaczej niż Bronte, jej własna córka, która spędziła lato, sprawdzając własne możliwości na obozie w górach Colorado. Eve zazdrościła im tego poznawania siebie, pewnego rodzaju wolności. Ona sama zawsze była czyjąś córką, żoną albo matką. Do pewnego czasu opiekowano się nią, a potem od razu ona sama zaczęła się opiekować innymi. Przejście od jednego do drugiego było jak skok do ciepłego basenu: jeden krok, wstrzymanie oddechu i już woda zakrywa cię razem z głową. Ale jeśli przestaniesz machać rękami, to utoniesz. Eve ciekawa była, jakie to uczucie nie musieć zajmować się nikim oprócz siebie, przestać machać rękami i zdać się na los.

Zatrzasnęła bagażnik, otarła ręce o dżinsy i obiecała sobie, że pewnego dnia wybierze się w taką samotną podróż. Ale jeszcze nie teraz.

Zanim nadejdzie wieczór, miała jeszcze wiele mil do przejścia, jak wyraził to Robert Frost. Na początek trzeba było przekonać dwoje naburmuszonych dzieci, że przeprowadzka z Riverton do położonego o kilka mil dalej Oakley to jeszcze nie koniec świata.

Po raz ostatni weszła do domu, który już nie należał do niej, i zajrzała do wszystkich pomieszczeń na parterze. Jej kroki odbijały się echem w dużych, pustych pokojach. To był piękny dom i szczęśliwy dom. Miała nadzieję, że nowi lokatorzy również będą tu szczęśliwi. Pomyślała, że na powitanie przyśle im kwiaty.

Pobiegła po schodach do pokoi dzieci. Bronte i Finney siedzieli obok siebie na podeście i rozmawiali szeptem. Byli smutni. Finney ocierał oczy rękawem. Na ich widok Eve zatrzymała się w połowie schodów ze ściśniętym sercem; bardzo pragnęła przytulić ich do siebie, znaleźć jakieś słowa, które mogłyby ich pocieszyć. Wiedziała jednak, że nie ma takich słów; modliła się, by czas zabliźnił rany. Wiedziała również, że gdy są w takim nastroju, lepiej ich nie prowokować do dyskusji. Postanowiła więc trzymać się konkretów.

— No, dzieci — zawołała, usiłując nadać głosowi pogodne brzmienie. — Podnoście się! Musimy już jechać.

— Ja nie chcę nigdzie jechać — wybuchnęła Bronte. Jej zielone oczy, bardzo podobne do oczu Eve, płonęły jak dwie pochodnie.

Eve westchnęła w duchu.

– Rozmawialiśmy już o tym miliony razy. Ten dom nie należy już do nas.

– A czyja to wina?

– Niczyja.

– Dlaczego go sprzedałaś? Dlaczego nie mogłaś go zatrzymać? Tato nigdy by go nie sprzedał! Coś by wymyślił. Ty zawsze wszystko robisz nie tak!

Eve zignorowała ten wybuch.

– Kochanie, nie miałam innego wyjścia. Nie mogliśmy już sobie pozwolić na to, żeby tu dalej mieszkać. Koniec dyskusji.

– Poszukam pracy. Finney też.

– Mhm – mruknął chłopiec, nie patrząc na matkę. To było pierwsze słowo, jakie wypowiedział tego dnia. Eve bardziej martwiła się o niego niż o Bronte. W ciągu ostatnich miesięcy jej wrażliwy, dobry, spontaniczny syn zmienił się w ponurego nastolatka, który jeśli już się odzywał, to tylko niewyraźnymi monosylabami.

– Popatrz na to realnie – powiedziała łagodnie. – Poza tym to już się stało. Dom jest sprzedany i dzisiaj przeprowadzamy się do nowego. Chodźcie.

– Rujnujesz mi życie! – wykrzyknęła Bronte histerycznie, zrywając się na nogi i zaciskając dłonie w pięści. Miała czternaście lat, ale już była o pięć centymetrów wyższa od matki. Jednak Eve nie bała się córki i jej wybuchów.

– Może mi powiesz, w jaki sposób? – zapytała spokojnie. – Robię tylko to, co muszę zrobić.

– Tu jest mój dom, sąsiedzi, przyjaciele, a ty mi to wszystko odbierasz!

– Niczego ci nie odbieram! Ten rok szkolny obydwoje skończycie w Riverton, a potem pójdziesz do tej samej szkoły średniej, co wszyscy twoi przyjaciele. Więc nie opowiadaj bzdur. To Finney jest w trudniejszej sytuacji, bo od przyszłego roku będzie chodził do nowej szkoły. Ale nie słyszę, żeby mówił, że rujnuję mu życie.

– Bo po prostu nie chce ci tego powiedzieć. Finney, powiedz jej!

Chłopiec nie podniósł głowy.

– Nie chce ci powiedzieć – powtórzyła Bronte.

– Dajcie mi spokój – powiedziała Eve, walcząc z łzami. – Przecież nie chcę was unieszczęśliwiać. Kocham was. Ja też wolałabym, żebyśmy nie musieli się stąd wyprowadzać. Chciałabym móc zatrzymać ten dom. Przede wszystkim ze względu na was. Wolałabym, żebyśmy byli bardzo bogaci. – Głos zaczął jej drżeć. – Wolałabym, żeby wasz ojciec żył... – Urwała, nie chcąc rozpłakać się na ich oczach.

Bronte spojrzała na nią i ucichła, ogarnięta poczuciem winy.

– Przepraszam, mamo – powiedziała cicho.

Eve uśmiechnęła się do niej blado.

– Ja też was przepraszam.

Wyciągnęła ręce. Bronte podeszła i pochylając

135

się niezgrabnie, wtuliła się w jej ramiona. Na wpół kobieta, a na wpół dziecko, pomyślała Eve z czułością. Finney również się podniósł i objął je obydwie.

– Wszystko będzie dobrze – powiedziała Eve łamiącym się głosem. – Jesteśmy jak Trzej Muszkieterowie. Jeden za wszystkich, wszyscy za jednego.

Bronte i Finney smętnie pociągnęli nosami, pokiwali głowami i odsunęli się od niej, zażenowani. Ale to nie miało znaczenia; ważne, że burza minęła.

Eve wzięła głęboki oddech i popatrzyła na poznaczone śladami łez twarze swych dzieci.

– Jedźmy do domu.

– Już są! Tutaj, Eve. Tu możesz zaparkować!

Gabriella stała na palcach za rzędem samochodów stojących przed kompleksem budynków Santa Maria i machała ręką. Annie i Midge, w pozycji na baczność, pilnowały wolnego miejsca w pobliżu wejścia. Doris wtykała ćwierćdolarówki do parkometru. Były tu wszystkie; Eve poczuła, że ogarnia ją wzruszenie.

– Dzięki Bogu, że wreszcie jesteś! – zawołała Gabriella, zaglądając przez otwarte okno, gdy Eve w końcu zaparkowała.

Konieczność równoległego parkowania była w jej życiu czymś nowym; koniec z wjeżdżaniem przez bramę, przyciskaniem guzika i zostawianiem samochodu w bezpiecznym garażu. Koniec z garażem.

– Coś ty tam robiła tak długo? – dołączyła Annie, otwierając drzwi. – O mało nie pobiłyśmy się z miejscowymi, żeby zatrzymać dla ciebie to miejsce. Już myślałam, że zadzwonią po policję!

– Ale skąd się tu wzięłyście? – wykrztusiła wreszcie Eve.

– Słyszałyśmy, że ktoś się tu wprowadza! – odpowiedziała teraz z kolei Midge. – Wreszcie udało nam się zwabić cię z Riverton do Oakley. Witaj, sąsiadko!

– Witaj w prawdziwym świecie – zawtórowała Gabriella i mrugnęła, podkreślając ukrytą animozję między tymi dwiema dzielnicami.

Oakley było duże, postępowe, kosmopolityczne, a Riverton małe, konserwatywne i snobistyczne. Tu i tam można było napotkać zapierające dech w piersiach rezydencje i bogactwo, ale podczas gdy Riverton zamieszkane było głównie przez białych i wyższą klasę, Oakley dumne było ze swej różnorodności.

– Bronte, wyjdź z tego nagrzanego samochodu i przywitaj się! – zawołała Doris, pochylając się do okna. – Ty też, Finney!

Nauczona wieloletnim doświadczeniem Bronte odczytała w jej miękkim głosie żelazne tony i posłusznie wysiadła, pociągając brata za sobą. Jak na sygnał, wszystkie kobiety udały, że nie zauważają ich ponurych twarzy i przygarbionych sylwetek. Dobrze znały siłę i czas trwania nastoletnich urazów.

Na widok mieszkania Eve oniemiała. Szyby w oknach i drewniane podłogi lśniły świeżo wypolerowane. Przyjaciółki posprzątały również łazienkę, zostawiły w niej zapas papieru toaletowego, butelkę mydła w płynie i nawet drogie, ozdabiane ornamentami papierowe ręczniki. To musiało być już zasługą Doris.

To również ona ustawiła kwiaty obok zlewozmywaka w kuchni i rozpyliła trochę środka odświeżającego powietrze na ciemnych, zakurzonych tylnych schodach, a także ułożyła na sedesie tomik poezji Gwendolyn Brooks. W Riverton Eve zawsze trzymała w łazience książki i czasopisma. Teraz, gdy dotknęła palcem miękkiego jak bawełna papieru, niewielka czarnobiała łazienka z ciekącą toaletą i wyszczerbioną umywalką wydała jej się luksusowym pomieszczeniem.

Popołudnie minęło bardzo szybko. Eve wysłała dzieci do parku i kazała wrócić na szóstą na kolację. W kilka minut później przyjechała ciężarówka z meblami. Trzeba było podwinąć rękawy i zabrać się do roboty. Pod kierunkiem czterech nieugiętych generałów wszystkie sprzęty szybko znalazły się na swoich miejscach. Przyjaciółki prześcigały się w chęci pomocy i pracowitości. Jedyny wyjątek stanowiła Annie.

— Annie, zostaw to! – zawołała Gabriella, przepasując się jaskrawożółtym fartuchem. – Nie podnoś tych pudeł! *Madre de Dios*, te wykształcone kobiety nie mają za grosz poczucia rozsądku!

Wynoś się stąd i poszukaj sobie jakiegoś lżejszego zajęcia. Albo, jeszcze lepiej, posiedź spokojnie.

Eve zastygła z pudłem pełnym szklanek w rękach. Gabriella jeszcze nigdy nie odnosiła się tak do Annie, a co było jeszcze dziwniejsze, Annie potulnie wykonywała jej polecenia. Okazało się, że jej menstruacja opóźnia się i Gabriella, pielęgniarka z zawodu, trzęsła się nad nią jak kwoka nad kurczęciem. Pozostałe kobiety szybko przejęły jej zachowanie i do wieczora mocą niepisanej umowy Annie znalazła się pod szczególną opieką. Nie pozwalały jej niczego podnieść, odganiały od cięższych prac, przynosiły wodę do picia i wciąż powtarzały, żeby usiadła i odpoczęła. Annie próbowała protestować, ale było widać, że w głębi serca ta troska sprawia jej przyjemność. Cała jej pomoc ograniczyła się do wkręcenia kilku żarówek.

– Czytałyście już ostatnią lekturę? – zapytała Midge spod zlewu, gdzie instalowała wysuwany kosz na śmieci. – Fantastyczna. Nie mogłam się oderwać.

– Chyba żartujesz? Ja w ogóle nie mogłam się do niej zabrać – oburzyła się Doris, układając w szafkach przybory kuchenne. – Wszystkie kryminały są do siebie podobne. Kogoś zabijają, ktoś znajduje mordercę, morderca zostaje ukarany i koniec. Zwykła strata czasu.

– Ja mogę powiedzieć to samo o twoich romansach.

— Nigdy w życiu nie przeczytałaś żadnego romansu, więc skąd wiesz?

— A ile ty przeczytałaś kryminałów?

— Chyba żadna z was nie rozumie, o co tu naprawdę chodzi — wtrąciła Gabriella. — Nie chodzi tylko o to, żeby książka się dobrze czytała. Każda z nas lubi co innego. Wybieramy takie, o których można podyskutować. Ja, na przykład, bardzo lubię, kiedy zaczynamy się kłócić.

— Pamiętacie, jak zareagowała Doris na *Panią Bovary?* — roześmiała się Eve. — Myślałam, że wydrapie Annie oczy!

— Wcale się tak nie zachowywałam! — oburzyła się Doris, ale i ona zaczęła się śmiać.

— To było fantastyczne — kręciła głową Gabriella. — Nie wiem, czym to jest dla was, ale mnie takie dyskusje pomagają określić, co czuję sama!

— Ale nie zawsze można z góry powiedzieć, co nas poruszy — zauważyła Midge spod zlewu. — Niektóre książki są za mało skomplikowane i nie prowokują nas do dyskusji, więc trzeba przynajmniej starać się wybierać takie, które nas poruszą.

— No tak — zgodziła się Gabriella. — Ale powinnyśmy czytać bardzo różne książki, również i takie, których nigdy nie wzięłybyśmy do ręki z własnej woli. Na przykład ja sama nigdy nie wgłębiałabym się w książkę tak bardzo, jak robię to, gdy jest to lektura Klubu, i czasami przekonuję się, że coś, co wydawało mi się na pierwszy rzut oka jakąś okropną, nudną historią, w gruncie rzeczy jest wspaniałe. Pamiętacie tę o prawach obywatelskich? – Wzruszyła ramionami. – Więc nawet jeśli ty, Doris, nie lubisz kryminałów, a ty, Midge, romansów, to w każdym razie macie okazję przekonać się, czy naprawdę tak jest.

– A może przeczytałaś w życiu tylko jeden romans – dodała Doris cierpko. – Jak można oceniać cały gatunek na podstawie jednej książki?

– Masz rację – zgodziła się Gabriella. – Myślę, że nie powinno się czytać tylko beletrystyki, tylko reportaży albo tylko klasyków. Nigdy wyłącznie jeden gatunek. Ja najbardziej lubię czytać bestsellery z listy „Timesa".

– I te, które wychodzą w miękkiej okładce. Nie mogę sobie pozwolić na kupowanie co miesiąc książek w twardej oprawie.

– Oczywiście. Wiadomo, ile... – Eve urwała nagle na widok pobladłej, ściągniętej twarzy Annie, która właśnie stanęła w drzwiach kuchni. Napotkała jej wzrok i zobaczyła w jej oczach strach.

– Mam plamienie – wyszeptała Annie.

Wszystkie natychmiast porzuciły pracę i otoczyły ją. Kazały jej położyć się na kanapie z nogami uniesionymi do góry i zarzuciły pytaniami. Gabriella wpadła w furię, gdy usłyszała, że Annie jeszcze nie była u lekarza.

– To dopiero parę tygodni. O co ten cały krzyk? Większość kobiet rodzi dzieci. Mnie też nic nie będzie.

– Ale ty starałaś się o to bardzo długo – rzuciła gniewnie Gabriella, czerwona z oburzenia. – Naprawdę jeszcze nie rozmawiałaś z lekarką?

– Nie! Nie byłam jeszcze w ciąży! O czym miałam z nią rozmawiać? Brałam witaminy, piłam mleko, stroniłam od alkoholu i czytałam tony książek. Co jeszcze mogłam zrobić?

– Na przykład: badania – prychnęła Gabriella, wsuwając jej poduszkę pod stopy. – Morfologię krwi. Po co ja ci to w ogóle mówię? I tak mnie nie słuchasz.

– Będę cię słuchać, Gabby – powiedziała Annie potulnie, tonem zdecydowanie dla niej nietypowym. – Ale co mam zrobić teraz?

– Plamienie może mieć wiele przyczyn. W pierwszym trymestrze hormony zupełnie wariują.

– To prawda – wtrąciła Eve, kładąc rękę na ramieniu przyjaciółki. – Podczas pierwszej ciąży też miałam plamienia.

– Miałaś? – ożywiła się Annie z wyraźną ulgą.

– Powinnaś natychmiast zadzwonić do lekarki – stwierdziła Midge z gniewem. – Powiedz jej, że to pilne.

– Dobrze, niech będzie – westchnęła. – Gdzie jest telefon?

Wszystkie znów stłoczyły się wokół kanapy. Po krótkiej rozmowie Annie umówiła się na wizytę następnego dnia rano. Tymczasem miała wrócić do domu, położyć się do łóżka i nie wstawać.

Czekając na Johna, który miał zabrać Annie do

domu, rozmawiały o wielu rzeczach – o wszystkim prócz jej ciąży. Ale gdy drzwi za nimi się zamknęły, wszystkie, przepełnione niepokojem, zaczęły mówić naraz.

– Dlaczego jeszcze nie była u lekarza?

– Nawet nie zrobiła testu ciążowego!

– Za dużo pracuje.

– Jak się jest w ciąży, to trzeba siedzieć spokojnie, bo inaczej o problemy nietrudno. Szczególnie gdy chce się mieć pierwsze dziecko w tym wieku.

– Wszyscy o tym wiedzą. Ja, na przykład...

Zaczęły się długie opowieści o opuchniętych kostkach, długich tygodniach w łóżku, dziwnych zachciankach i długich, najdłuższych na świecie porodach. Zabawiając się w ten sposób, skończyły sprzątanie i nim słońce zaszło, mieszkanie było już wygodnie urządzone i nadeszła pora kolacji. Z toreb wyłoniły się garnki i rondle pełne lasagne, marynowanych warzyw, zimnych kurczaków i krewetek z grilla, pierniczki i ciastka z czekoladą, tiramisu, bochenki świeżego chleba z piekarni po sąsiedzku oraz butelki szampana. Nastrój wyraźnie się polepszył, gdy zadzwoniła Annie.

– Możecie się uspokoić, to był fałszywy alarm! – oznajmiła pogodnie. – Plamienie ustało, leżę w łóżku, a John skacze dookoła mnie, jakbym była królową Kleopatrą!

Punktualnie o szóstej zjawili się Finney i Bronte, niosąc papierowe torby z drobnymi zakupami. Finney nałożył na swój talerz całą furę jedzenia,

Bronte wybrała kilka dań bezmięsnych i obydwoje zniknęli za drzwiami swoich pokoi, skąd wkrótce rozległy się dźwięki muzyki – rytmiczny rock od Bronte i rap od Finneya. Eve poczuła się zupełnie odcięta od ich świata.

Później, gdy Midge, Doris i Gabriella wkładały pozostałości kolacji do lodówki, Eve przeszła przez wszystkie pięć pokoi swego nowego mieszkania, które stało się teraz jej domem. Wchodząc do nich po kolei i zapalając na chwilę światło, przyglądała się wnętrzom. Korytarz wydawał jej się długi i ciemny, a pokoje bardzo małe. Usiadła na sofie, która stała na swoim miejscu przed kominkiem, i w przypływie melancholii przytuliła twarz do zielonego aksamitu. Pierwsza noc w nowym domu miała w sobie coś wyjątkowego. Wszystko wydawało się nowe i inne, wszędzie czaiły się obietnice.

Światła jej ulubionych lamp ze starej japońskiej porcelany tworzyły miękkie, jasne plamy w kątach pokoju. Chociaż wieczór był ciepły, Midge rozpaliła w kominku ogień. Cedrowe polana napełniały salon miłym zapachem. Eve miała dokoła siebie swoje ulubione przedmioty oraz przyjaciółki, które specjalnie dla niej przyjechały tu z odległych dzielnic.

One zaś, jedna po drugiej, odkładały ścierki i dołączały do niej. Wieczór był bezwietrzny, otworzyły więc okna i słuchały symfonii dźwięków dochodzących z ulicy. Nie było już nic do powiedzenia. Ziewając, z przymkniętymi oczami i nogami wyciągniętymi przed siebie, wsłuchiwały się w śmiechy, głosy ludzi dochodzące z parku, klaksony, cały ten rytmiczny puls życia miejskiego, który wyrywał ich ze spokojnego życia na przedmieściach i przenosił w czasy młodości, gdy miały gładką skórę, zgrabne sylwetki, gdy chodziły po ulicach, kołysząc biodrami, a świat rzucał im perły przed stopy.

Każda z nich czuła w sobie dziwny niepokój, którego nie potrafiłaby ubrać w słowa, a który jednak niepokojąco zbliżał się do pewnego rodzaju zazdrości. Wszystkie te kobiety, które za parę minut miały wrócić do swoich wygodnych, przestronnych domów, gdzie czekały na nie rodziny, zastanawiały się, jakie to uczucie stanąć wobec całkowitej zmiany i zaczynać wszystko od nowa.

O wiele później, gdy wieczorna muzyka ucichła i cały świat pogrążył się we śnie, Eve leżała na plecach w swoim łóżku i, wpatrując się w sufit, z przerażeniem myślała o własnym życiu. Oddech miała krótki i przyspieszony, serce tłukło się jak oszalałe i brakowało jej powietrza w płucach. Najgorsza ze wszystkiego była panika, która nie chciała wypuścić jej ze swych szponów.

To nie był pierwszy raz. Ataki lęku zaczęły się krótko po śmierci Toma; budziła się w nocy i już nie mogła zasnąć. Ostatnio jednak zdarzały się rzadziej i Eve miała nadzieję, że już nie wrócą. W następnym tygodniu minie dziesięć miesięcy od jego śmierci. Dzisiaj jednak, w chwili gdy wyłączyła światło, zamknęła drzwi, weszła między chłodne prześcieradła i odruchowo sięgnęła na drugą stronę łóżka, szukając Toma – lęk wrócił z pełną mocą.

I w tym ciemnym, obcym mieszkaniu, wśród nowych wrażeń, dźwięków i zapachów poczuła z całą wyrazistością, że Toma naprawdę już nie ma. Że jej ciało tej nocy pozostanie zimne. Że jedynym zapachem, którym przejdzie to łóżko, będzie jej zapach. Że jego siła już nie może jej przed niczym ochronić.

Podniosła się, ułożyła poduszkę obok siebie i przykryła ją pledem. Po chwili dołożyła jeszcze jedną. Wiedziała, że to głupie, ale gdy przymknęła oczy i dotknęła poduszek biodrami, przez krótką chwilę wydawało jej się, że Tom leży obok niej.

Eve nie pragnęła zmian. Nie chciała niczego poza tym, żeby Tom znów był przy niej.

ROZDZIAŁ ÓSMY

Wszystko, czego ci potrzeba, to wiara w siebie. Każda żywa istota odczuwa lęk, gdy grozi jej niebezpieczeństwo. Prawdziwa odwaga polega na tym, by stawić czoło niebezpieczeństwu pomimo strachu...

L. Frank Baum, *Czarnoksiężnik z krainy Oz*

— Co to znaczy: nie jestem w ciąży?

— Annie — odrzekła doktor Maureen Gibson, patrząc jej prosto w oczy. — Wyniki badania HCG są negatywne. Testy nie kłamią. Bardzo mi przykro, ale nie jesteś w ciąży i nigdy nie byłaś.

— Ale... — wykrztusiła Annie, porażona niesprawiedliwością tego werdyktu i nieznośnym uczuciem straty własnego marzenia. Przez moment błysnęła jej myśl o Emmie Bovary. — Ale powinnam być w ciąży! John i ja nie wychodzimy z łóżka. Odstawiłam pigułki już wiele miesięcy temu. Nie rozumiem.

— Już o tym rozmawiałyśmy. W twoim wieku

nie powinnaś zakładać, że tak od razu zajdziesz w ciążę.

– Nie jestem typowa – odparowała Annie, sfrustrowana wzmianką o wieku. – Zdrowo się odżywiam, jeżdżę na rowerze, biegam, ćwiczę. Popatrz tylko na te uda! – zawołała, wskazując na swe długie, smukłe, opalone nogi, które John lubił porównywać do nóg konia wyścigowego. – I na moje mięśnie! Dotknij ich. Są twarde jak stal. Mam ciało kobiety o dziesięć lat młodszej!

Doktor Gibson przyłożyła kartę do piersi.

– Ale twoje wnętrzności mają czterdzieści trzy lata. Macica, jajniki... tego nie można zmienić.

Annie przypomniała sobie słowa Gabrielli, ale szybko odsunęła je od siebie. Nie mogła sobie teraz pozwolić na negatywne myślenie.

– Nie, nie. – Potrząsnęła głową. – Jeszcze za wcześnie, by o tym przesądzać. Jeszcze nie spróbowałyśmy wszystkiego. Stać mnie na tę zabawę.

Maureen wydęła usta. Zmarszczka na czole świadczyła o jej zaniepokojeniu. Mimo wszystko spokojnie oparła się o stół i powiedziała:

– Tak, to prawda. Możemy spróbować różnych procedur sztucznego zapłodnienia. Niektóre z nich są kosztowne.

– To żaden problem.

Lekarka spojrzała na nią uważnie, po czym podjęła:

– A niektóre również czasochłonne, i to już jest problem. – Zajrzała w oczy pacjentki, wyraźnie dając jej do zrozumienia, że to nie żadna „zabawa".

Annie przełknęła ślinę i z szacunkiem skinęła głową. Znała Maureen Gibson i wiedziała, że jest osobą rzeczową i zasadniczą, ale również uczciwą i ma wielkie serce. Po raz pierwszy przyszła do niej przed sześcioma laty, z rekomendacji Gabrielli, która pracowała w tej samej klinice. Annie wówczas już od trzech lat nie była u ginekologa – ciągle miała dużo pracy i przekładała wizyty – i gdy Gabriella dowiedziała się o tym na jednym ze spotkań Klubu Książki, wybuchła tak, jak tylko ona potrafiła robić, gdy chodziło o sprawy zdrowia. Natychmiast wysłała ją do doktor Gibson, która spełniała wszystkie wymagania Annie: była mniej więcej w tym samym wieku, zawsze robiła wszystkie możliwe badania i nie pozwalała na opuszczanie wizyt.

– Możemy pobrać twoje jajeczko laparoskopem, a potem zapłodnić je spermą twojego męża. Oczywiście, ją też musimy najpierw zbadać.

– Nie ma problemu. On chce mieć dziecko tak samo jak ja. A nawet bardziej. Zróbmy to jak najszybciej.

– Dobrze. Możemy również zastanowić się nad zapłodnieniem in vitro. To kosztuje osiem tysięcy dolarów za każdą próbę i nie ma tu żadnych gwarancji.

– Zapisz mnie na listę. Zacznijmy od zaraz.

Lekarka ze znużeniem potarła skronie.

– Annie, zwolnij tempo. Lepiej, żebyś nie miała zbyt wygórowanych oczekiwań.

– Zawsze je mam i dlatego osiągnęłam to, co osiągnęłam. Lubię nieustannie podnosić sobie poprzeczkę.

– Podziwiam cię, ale zachowaj trochę realizmu. To będzie walka z czasem. Naszym najgroźniejszym przeciwnikiem jest twój wiek.

Annie poruszyła się niespokojnie. Potrafiła sobie radzić z wieloma rzeczami, ale te nieustanne wzmianki o wieku wytrącały ją z równowagi. Nad tym jednym nie miała żadnej kontroli.

Doktor Gibson zdjęła okulary i, gryząc koniec oprawki, zastanawiała się nad czymś przez chwilę.

– Musimy wziąć pod uwagę coś jeszcze – powiedziała w końcu. – Dlaczego masz nieregularne menstruacje. Istnieje możliwość, że to wczesna menopauza.

Annie poczuła, że krew odpływa jej z twarzy. Menopauza? To dotyczyło kobiet starych, a nie jej! Była młoda, energiczna, atrakcyjna, piersi miała wciąż jędrne, a na twarzy ani jednej zmarszczki!

– Menopauza? – wybuchnęła. – Czyś ty zwariowała? Przecież jestem jeszcze młoda, płodna, mam dopiero czterdzieści trzy lata, a nie pięćdziesiąt! A John ma dopiero czterdzieści!

– Większość ludzi błędnie uważa, że menopauza zdarza się dopiero po pięćdziesiątce i że menstruacje kończą się z dnia na dzień. A jest to długi, powolny proces, który może trwać miesiącami, a nawet latami, zanim krwawienia zupełnie ustaną. Symptomy przedmenopauzalne mogą się pojawić około czterdziestego roku życia.

– Ale nie mnie.

– Może nie. Czy zdarzają ci się uderzenia gorąca albo palpitacje serca?

Annie mogłaby ją zabić za ten spokój, który zaledwie przed chwilą podziwiała, szczególnie że słysząc te słowa, właśnie dostała palpitacji i poczuła uderzenie gorąca na twarzy. Zdecydowanie potrząsnęła głową.

– Suchość pochwy podczas stosunku?

– Nie, nic z tych rzeczy.

– A jak z okresami? Czy w przeszłości były regularne?

Annie wzruszyła ramionami.

– Prawdę mówiąc, nigdy nie były zbyt regularne.

– Dobrze. Wiemy, że w tym cyklu miałaś tylko plamienie, a w poprzednim zupełnie nic. Coś się z tobą musi dziać. Czy zdarzały ci się zbyt obfite krwawienia?

– Och, tak. Nawet bardzo obfite, ale przecież od czasu do czasu zdarza się to wszystkim kobietom. To nic nie znaczy.

– Ale może. Nie przejmuj się tak, Annie. Wyglądasz, jakbyś stała przed plutonem egzekucyjnym.

– Bo tak się czuję.

– Nie ma się czego bać. Menopauza to naturalny etap w życiu.

– Nie dla mnie. Ja nie jestem na to gotowa! – zawołała, z trudem hamując panikę. Czuła się tak samo jak zawsze, więc dlaczego zmieniało się jej ciało? – Bądź ze mną szczera. Czy myślisz, że to jest właśnie to?

Lekarka z uśmiechem wzruszyła ramionami.

– Nie, raczej nie. Muszę przeprowadzić kilka badań. Chcę także zrobić wymaz. Zdaje się, że poprzednio opuściłaś wizytę – dodała surowo, spoglądając na kartę. – Wysłaliśmy ci kilka upomnień.

– Boże, zapomniałam ustalić nowy termin. Przepraszam. Miałam rozprawę w sądzie i...

– Nie powinnaś opuszczać badań.

– Już słyszę, co powiesz dalej: nie w tym wieku.

– Właśnie tak.

– No cóż, w tym wieku chcę mieć dziecko – oświadczyła Annie. Chciała wypowiedzieć te słowa głośno, musiała je usłyszeć, by odpędzić od siebie czarne myśli. Na jej twarzy pojawił się wyraz niewzruszonej determinacji, na widok którego John zawsze schodził jej z drogi. – I będę je miała – dodała.

Annie ubierała się powoli, z uczuciem, jakby właśnie budziła się z koszmarnego snu. Zapięła guziki bluzki, wpuściła ją w spódnicę i wygładziła fałdy na płaskim, pustym brzuchu. W myślach miała zamęt. Pragnęła tylko jak najszybciej uciec od zapachu środków dezynfekujących i pokrytych kafelkami zimnych ścian.

Dopiero gdy weszła do poczekalni i zobaczyła Johna nerwowo postukującego butem w podłogę, uderzył ją sens tego, co niedawno usłyszała. Nie była w ciąży. Jej ciało nie nosiło w sobie dziecka, piec był pusty. Nagłe poczucie straty uderzyło tak silnie, że zakręciło jej się w głowie i musiała przytrzymać się framugi drzwi. A teraz musiała jeszcze powiedzieć o tym Johnowi. Być silną za niego i za siebie.

Odwrócił się i spojrzał na nią ufnymi, niebieskimi oczami wiernego psa. Na jego twarzy pojawiła się taka miłość i ulga, że coś ścisnęło ją w gardle. John w jednej chwili znalazł się przy niej i ujął jej dłonie w swoje. Twarz miał rozświetloną nadzieją jak dziecko przed Bożym Narodzeniem.

– No i co? Jak było? W którym tygodniu jesteś?

– Chodźmy do domu – odrzekła ze ściśniętym gardłem.

Światło w jego oczach nieco przygasło. Annie nie mogła znieść myśli, że za chwilę będzie musiała zgasić je zupełnie.

Było słoneczne, kwietniowe popołudnie. Midge stała przed sztalugami w dżinsach poplamionych farbą i koszuli z długimi rękawami, odgrodzona od reszty pomieszczenia barykadą z pudeł, krzeseł i płócien. Cała ta forteca została zbudowana z powodu jednego małego pudla, który od czasu pamiętnego wybuchu uznał Midge za swą nową panią. Był w niej zakochany do szaleństwa, nie odstępował jej na krok, warował przy drzwiach i piszczał, gdy wychodziła. Jego uczucie doprowadzało do szału zarówno Edith, jak i jej córkę.

– Jesteś właścicielką całego tego budynku, tak? – zapytała Edith.

– Przecież wiesz, że tak. Bo co?

– Tak mi tylko przyszło do głowy. Jestem tu już od dość dawna. Goście, którzy pozostają zbyt długo, nie są mile widziani.

Midge spojrzała na nią przez ramię. Edith siedziała na barze i piłowała sobie paznokcie, zawinięta w puszysty, różowy, pikowany szlafrok. Na nogach miała zupełnie niedorzeczne różowe kapcie frotté z wielkimi kokardami. Obok niej stał nieodłączny kubek z kawą.

– Cóż ci znowu przyszło do głowy? Przecież przyjechałaś zaledwie, zaraz, pięć czy sześć tygodni temu?

– Nie musisz być taka ironiczna. Wiesz, że bardzo jestem ci wdzięczna, kochanie. Ale jak już mówiłam, podoba mi się tutaj i wcale nie spieszę się do powrotu. Ale nie chciałabym być ci ciężarem, więc zastanawiałam się... Czy nie masz tu jakiegoś wolnego mieszkania? Nie musi być duże. Ja nie zajmuję wiele miejsca, Prince też nie... Pomyśl tylko, czy nie byłoby miło, gdybyśmy znów zamieszkały blisko siebie, tak jak kiedyś?

Midge najbardziej pragnęła uniknąć właśnie tego. Była pewna, że twarz odzwierciedla wszystkie jej uczucia. Przez chwilę miała wrażenie, że ściany jej domu zamykają ją w pułapce. Całe Chicago było za małe, by pomieścić je obydwie! W dodatku to był jej dom, i gdyby matka została jej lokatorką, konflikt interesów stałby się nieunikniony. Wymagania. Pieniądze. Inni lokatorzy. Wzdrygnęła się na myśl, że matka zapewne zaczęłaby podrywać przystojnego pana Lyona, francuskiego krawca, który był homoseksualistą. Nie, nie, nie, powtarzała w myślach, wszystko, tylko nie to! Taka sytuacja oznaczałaby samobójstwo... albo morderstwo. W końcu zamordowałaby własną matkę albo przynajmniej jej psa.

Zacisnęła zęby i w milczeniu wróciła do pracy. Niestety, był to znany jej aż zbyt dobrze impas w stosunkach między nimi. Midge zawsze, od dzieciństwa, była zmuszona do nieustannej konfrontacji z tą małą elektrownią atomową o imieniu Edith. Starcia ich woli przypominały zetknięcie dwóch żelaznych pięści w aksamitnych rękawiczkach.

— Jak to? A co z twoim mieszkaniem na Florydzie?

— Właśnie chciałam z tobą o tym porozmawiać — rzekła Edith niepewnie. — Widzisz, wydatki rosły bardzo szybko, a ja żyję ze stałego dochodu. Nie starcza mi na wiele, a już na pewno nie na utrzymywanie dwóch mieszkań.

Midge odłożyła pędzel i stanęła twarzą do matki.

– Sprzedałaś mieszkanie.

To nie było pytanie, lecz stwierdzenie.

Edith oblizała usta, odłożyła lakier do paznokci i skinęła głową.

– Pośrednik właśnie mnie zawiadomił, że znalazł kogoś zainteresowanego jego kupnem. Chciałabym je sprzedać, ale w moim wieku podróże zbyt mnie wyczerpują nerwowo. Nie mogę wciąż latać w jedną i w drugą stronę. Wolałabym zostać w Chicago, ale najpierw oczywiście chciałam porozmawiać z tobą.

Midge wpatrywała się w nią bez słowa. Matka nigdy nie uzgadniała z nią żadnych swoich decyzji, a już tym bardziej nie pytała o pozwolenie. Najbardziej prawdopodobne było to, że mieszkanie zostało sprzedane już dawno. Midge przymrużyła oczy, spodziewając się ujrzeć we wzroku matki znajomy błysk determinacji, ale ze zdziwieniem zauważyła na jej twarzy łagodny smutek i niepewność. Popołudniowe słońce nie służyło tej twarzy: skóra była zwiotczała, pod makijażem rysowały się wyraźne zmarszczki. Edith sprawiała wrażenie kruchej. Drobne dłonie drżały, nogi przypominały dwa patyczki, rude włosy były przerzedzone i widać było siwe odrosty.

Midge doznała nieomal wstrząsu uświadamiając sobie, że jej matka jest stara. Naprawdę stara.

W ciągu ostatniego roku z energicznej kobiety zmieniła się w kruchą staruszkę.

– Naprawdę bardzo bym chciała mieszkać blisko ciebie – ciągnęła Edith drżącym głosem. Jej oczy podejrzanie błyszczały. – A gdybym miała tu swoje mieszkanie, nie przeszkadzałabym ci tak bardzo. Prince też.

Nagle Midge zrozumiała wszystko. Teraz ona stała się silniejszą stroną w tym związku. Nastąpiła zamiana ról i jej matka wiedziała o tym.

Ramiona Midge opadły bezwładnie. Opuściła ją wszelka chęć walki. Spojrzała jeszcze raz na swoją zwariowaną matkę, którą mimo wszystko kochała, i po krótkiej chwili wahania bezwiednie odrzekła:

– Tak.

Przez kilka kolejnych tygodni Eve zajęta była załatwianiem najrozmaitszych spraw, z którymi zawsze radziła sobie świetnie i które powoli przywracały jej dawną wiarę w siebie. Zdobyła nowy numer telefonu, powiadomiła krewnych i znajomych o zmianie adresu, kupiła trochę niezbędnych rzeczy do nowego mieszkania i w ogóle skupiła się na szczegółach dnia codziennego. Pedantycznie dbała o dzieci, odwoziła je do szkoły i przywoziła z powrotem, pakowała im kanapki w brązowe torebki i wkładała do środka karteczki z serdecznościami, woziła do przyjaciół, którzy mieszkali za daleko, by można było dojść tam na piechotę lub dojechać na rowerze. Nie lubiła prowadzić samochodu, a tymczasem prawie z niego nie wychodziła, dumna jednak była z tego, że nie poskarżyła się ani razu. Znów była supermatką.

W głębi duszy czuła jednak, że miecz, który wisi nad jej głową, wkrótce spadnie.

Zdarzyło się to pierwszego maja. Zadzwoniła Annie i zaprosiła ją na lunch.

Spotkały się w „La Bella", ulubionej włoskiej restauracji Annie, gdzie serwowano najlepsze w mieście risotto z wieprzowiną. Gdy Eve dotarła na miejsce, Annie siedziała już przy stoliku i przeglądała menu. W wiaderku z lodem chłodziła się butelka wina. Eve pocałowała przyjaciółkę w policzek. Annie wydawała się szczuplejsza i bledsza niż zwykle.

– Dobrze się czujesz? – zapytała, siadając naprzeciwko.

– Czy pytasz tylko przez uprzejmość i oczekujesz, że odpowiem „ależ tak, czuję się wspaniale", czy też naprawdę interesują cię wszystkie przykre i nudne szczegóły?

Eve powoli rozwinęła serwetkę.

– A jak sądzisz?

– Skoro tak, to powiem ci, że czuję się podle.

– Na ciele czy na duchu?

– Jedno i drugie. – Annie na chwilę oparła czoło na rękach, a potem szybko przesunęła po nim palcami, jakby chciała odpędzić wyjątkowo dokuczliwego komara. Eve przyglądała jej się uważnie.

– Mam anemię – oświadczyła nadmiernie pogodnym tonem. – To ostatnio najmodniejszy problem. Biorę takie obrzydliwe, zielone pigułki z żelazem, od których robi mi się niedobrze. Czy to sprawiedliwe, że mam poranne mdłości, chociaż nie jestem w ciąży? A John... – urwała z frustracją. – John to okaz zdrowia. Jego sperma aż roi się od silnych, zdrowych plemników, które tylko czekają na pierwszą okazję, żeby móc coś zapłodnić. Tylko że nie mają czego zapładniać. A to już moja wina. – Opuściła wzrok i wpatrzyła się w swoje ręce. – I dlatego czuję się podle na duchu. To wszystko.

Podniosła głowę i skinęła na kelnera, który posłusznie nalał wina do dwóch kieliszków. Annie skosztowała go, mruknęła z aprobatą i znów sięgnęła po kartę. Eve zrozumiała sygnał i nie podejmowała tematu.

Wiedziała, że Annie nie lubiła rozmawiać o swoich prywatnych sprawach. Wolała rozmowy o innych ludziach, soczyste plotki albo dobry żart. Wszyscy ją szanowali i doceniali jej profesjonalizm, jednak bliskich przyjaciół miała niewielu. Eve wiedziała, że jest najbliższą jej osobą zaraz po Johnie, ale nawet jej Annic rzadko opowiadała o swoich problemach. Nie lubiła rozczulać się nad sobą; kiedyś wyznała, że zbyt wiele takich scen ma okazję oglądać w pracy.

Eve podziwiała w niej pewność siebie, przcjawiającą się nawet przy zamawianiu wina. Eve również nieźle znała się na winach, ale to Tom zawsze je zamawiał. Dobieranie wina odpowiedniego do posiłku sprawiało mu wielką przyjemność i zawsze uważnie studiował kartę. Rola mężczyzny w ich związku nie podlegała żadnej dyskusji.

Annie w naturalny sposób przejmowała tę rolę i Eve pozwalała jej na to. Annie czuła się swobodnie w świecie męskich spraw. Eve czasami zastanawiała się, jak John żyje w związku, w którym dominuje kobieta. Tom nie byłby w stanie tolerować takiego układu. Ale czy można z góry przesądzić, który model jest lepszy? Każda para musiała sobie wypracować własne zasady. Eve podejrzewała jednak, że John ma w sobie ukrytą siłę, bo inaczej Annie by z nim nie wytrzymała.

Powoli piła wino, patrząc z niepokojem, jak Annie nalewa sobie drugi kieliszek. W jej zachowaniu pojawiła się dziwna lekkomyślność, obojętność, pod którą musiało się kryć jakieś głębokie cierpienie.

– Nie o tym chciałam z tobą rozmawiać – powiedziała Annie w końcu, gdy przyniesiono im zamówione dania. – W każdym razie dopóki ta butelka nie będzie pusta... Od dawna czekam, aż zadzwonisz i powiesz mi, że znalazłaś pracę.

– Bronte niedługo kończy szkołę – powiedziała Eve pospiesznie, tracąc nagle apetyt. Wiedziała, że szukanie pracy będzie torturą i że czeka ją walka z własnymi demonami. – Mam jeszcze trochę czasu. Jest jeszcze wiele do zrobienia. Bronte teraz mnie potrzebuje... Jestem w komitecie organizacyjnym, który przygotowuje uroczystość pożegnania absolwentów...

Annie przerwała jej brutalnie.

– Daruj sobie, Eve. Ta taktyka nic ci nie da. Nic cię już nie chroni i musisz wyjrzeć na świat. Wszystko jedno, czy będziesz uczyć, czy pracować jako pomoc w sklepie. Potrzebujesz pieniędzy. Chyba że zamierzasz usidlić jakiegoś milionera.

Na samą myśl o szukaniu mężczyzny innego niż Tom Eve pobladła.

– Nie mów bzdur. W sercu wciąż czuję się żoną Toma. Dwudziestu trzech lat monogamicznego związku nie da się tak po prostu przekreślić.

Annie zachmurzyła się i odwróciła wzrok.

– No tak... jak chcesz. Ale studnia już wyschła. Dotychczas robiłam, co mogłam, żeby cię zmobilizować do działania, i nie byłabym dobrą przyjaciółką ani dobrym doradcą, gdybym cię teraz nie ostrzegła. I właśnie to robię, Eve. Oświadczam bardzo stanowczo, że musisz znaleźć pracę. Jakąkolwiek. I to już teraz, nie dopiero wtedy, gdy Bronte skończy szkołę. Bo jak nie, to wylądujesz w slumsach.

Eve zacisnęła dłonie na kolanach. Annie łatwo było mówić. Dla niej znalezienie pracy nie byłoby niczym wielkim. Miała pozycję, prestiż i z obcymi ludźmi stykała się na co dzień. Dla Eve był to świat zupełnie jej nieznany, położony daleko za bramą jej ogrodu.

– Bronte miała trudny semestr. Wcześniej była w czołówce klasy, a teraz ledwo zalicza. W zeszłym tygodniu przyniosła ostrzeżenie, że z matematyki grozi jej dwója. Dwója! Psychologowie twierdzą, że to normalne po przeżyciu, jakim była śmierć ojca, i że potrzebuje czasu. Ale Porterowie nie dostają dwój!

Annie westchnęła.

– Gdybyśmy żyli w idealnym świecie, mogłabyś siedzieć w domu i trzymać ją za rękę. Ale to nie jest idealny świat. Nie masz już ani czasu, ani pieniędzy. Kochanie, pozwól, że pokażę ci kilka anonsów, które dla ciebie wyszukałam. Praca jest legalna, blisko domu, zgodna z twoimi kwalifikacjami. – Położyła ogłoszenia na stole. – No, nie patrz tak na mnie. Przeczytaj.

Szukano recepcjonistki do gabinetu lekarskiego oraz sekretarki na wydziale anglistyki w lokalnym college'u.

– Bogu dzięki, że umiesz obsługiwać komputer, bo gdyby nie to, zostałaby ci tylko praca ekspedientki.

Eve powoli przeczytała ogłoszenia i poczuła, że kark jej sztywnieje.

– Annie – odezwała się po chwili, podnosząc wzrok. – Dlaczego miałabym ubiegać się o tego rodzaju pracę? Przecież jestem nauczycielką.

– Nie obraź się, Eve, ale czy twój certyfikat jest jeszcze ważny? No właśnie! Tak myślałam. Kochanie, nie byłaś w klasie od ponad dwudziestu lat.

Bez aktualnego certyfikatu i doświadczenia nikt cię nie zatrudni jako nauczycielki.

– Ale mam dyplom ukończenia anglistyki.

Annie lekceważąco potrząsnęła głową.

– Jak znajdziesz jeszcze dolara, to kupisz sobie za to kawę.

Eve czuła, że przez jej ciało przebiegają kolejne fale gniewu. Już dawno przejęła zarządzanie swoimi finansami, czy też tym, co z nich pozostało, ale nadal polegała na radach i przewodnictwie Annie. I choć była szczerze wdzięczna przyjaciółce, wyraźnie czuła, że równowaga między nimi uległa zachwianiu.

Niezależność zmieniła ją i nie podobało jej się to, że Annie zyskała przewagę w ich przyjaźni, ona sama zaś bezwolnie daje sobą kierować.

– Posłuchaj, nie zrozum mnie źle – ciągnęła Annie. – Doceniam twoje umiejętności, a także twoją inteligencję, etykę pracy i empatię. Ten, kto cię zatrudni, zdobędzie skarb. Ja o tym wiem. Ale oni jeszcze tego nie wiedzą. Oni zobaczą tylko... – Urwała, niepewnie obracając w palcach kieliszek. W końcu wydęła usta. – Przepraszam cię, Eve, tego się nie da powiedzieć w miły sposób. Muszę być nieuprzejma. Zobaczą atrakcyjną kobietę w średnim wieku, która od lat bawiła się w prowadzenie domu. Wiem, to okrutne – dodała pospiesznie, widząc błysk gniewu w oczach Eve. – Niesprawiedliwe, głupie i tak dalej. Ale właśnie tak jest. Z czasem zdobędziesz, oczywiście, doświadczenie. Możesz skończyć jakieś wieczorowe kursy. I wtedy dostaniesz pracę, na jakiej ci zależy. A na razie potraktuj to jako tymczasowe zajęcie.

– Będę uczyć – powtórzyła Eve z uporem. Na widok sfrustrowanej twarzy Annie pomyślała, że ona zapewne wygląda tak samo. Zapadło pełne napięcia milczenie.

– Więc teraz jestem niedobrą przyjaciółką, tak? – rzekła w końcu Annie z nieukrywaną nutą sarkazmu w głosie.

Eve odczuła ulgę, ale nie zamierzała ustępować.

– Nie – odrzekła. – Nadal jesteś moją przyjaciółką. Ale to moje życie, nie twoje. Moja decyzja. Muszę spróbować.

Annie z rezygnacją skinęła głową, najwyraźniej nieprzekonana.

– To przynajmniej pozwól, żebym pomogła ci napisać życiorys.

– Nie – powtórzyła twardo Eve.

Ku jej zdziwieniu, Annie wybuchnęła śmiechem i nie było w tym ani pogardy, ani lekceważenia.

– Fantastycznie – powiedziała, ujmując Eve za rękę. – Ty jesteś fantastyczna! Podoba mi się twoja postawa i twoje plany!

Ich spojrzenia spotkały się.

– Nie jest łatwo, sama się o tym przekonasz. Ale rób to, co uważasz, że musisz zrobić. W każdym razie pamiętaj, że tak czy inaczej jestem po twojej stronie. Wiesz o tym, prawda?

– Wiem – skinęła głową Eve. – Ja też. W każdej sytuacji.

Miała nadzieję, że nadejdzie taki dzień, gdy to ona będzie mogła wspomóc Annie swą siłą.

Annie poruszyła się na krześle i wróciła do jedzenia.

– Ale skoro ty idziesz na całość, to ja zapłacę rachunek. Żadnego „ale".

– Dobrze – zgodziła się Eve, ale zaraz dodała:
– W takim razie ja zapłacę następnym razem.

Następnego dnia, gdy dzieci były w szkole, Eve starannie napisała życiorys, wygrzebała referencje, wyczyściła stary kostium od Armaniego i klasyczne czółenka, po czym zadzwoniła do dwóch niewielkich college'ów w okolicy.

Pierwszy kubeł zimnej wody otrzymała w college'u Świętego Benedykta, gdzie nawet nie zaproszono jej na rozmowę. Sekretarka chłodno poinformowała przez telefon, że przyśle na jej adres aplikację, którą należy wypełnić i odesłać.

– Jeśli rozmowa okaże się niezbędna, zawiadomimy panią – dodała i odłożyła słuchawkę, zanim Eve zdążyła choćby powiedzieć „dziękuję" albo „do widzenia".

Drżącą ręką położyła słuchawkę na widełkach. Nikt dotychczas tak z nią nie rozmawiał! Jej poczucie własnej wartości spadło o kilka punktów.

W Lincoln College zaproszono ją na rozmowę, ale zaproponowano tylko stanowisko nauczyciela zastępczego. Oferowano minimalną płacę, ale po rozmowie z college'em Świętego Benedykta Eve gotowa była się na to zgodzić.

Idąc przez korytarz niewielkiej, prywatnej szkoły, ściskając w ręku skórzaną teczkę, stukając obcasami o błyszczące kafelki, czuła, jak otacza ją ocean młodości. Boże, jakie to jeszcze dzieci, myślała ze zdumieniem, patrząc na nich. Chłopcy i dziewczęta nie byli wiele starsi od Bronte. Niektórzy stali w grupkach, trzymając książki pod pachami, i co chwila wybuchali głośnym, beztroskim śmiechem, jakiego Eve już nie potrafiłaby naśladować. Gdzieniegdzie stała lub siedziała jakaś samotna, pogrążona w lekturze postać.

Nikt nie zwracał na nią najmniejszej uwagi.

Przechodząc obok okna, przelotnie zauważyła swoje odbicie w szybie: drobna, schludna kobieta, niższa od większości uczących się tu dziewcząt. Długie brązowe włosy miała zwinięte w węzeł i spięte klamrą ze skorupy żółwia, pożyczoną od Bronte. Przelotne spojrzenie ukazywało atrakcyjną, stylową kobietę, profesjonalistkę, może nawet całkiem jeszcze młodą. Ale w oczach ludzi, którzy ją otaczali, prawdziwie młodych, była już stara. Przekroczyła jakąś granicę i stała się dla nich niewidzialna.

Co było tego przyczyną? – zastanawiała się ze smutkiem. Ubranie? Z pewnością odróżniały ją od

166

młodzieży kostium, szpilki i perły. Ale gdyby zdjęła perły i buty, przerzuciła żakiet przez ramię, zakołysała biodrami i ozdobiła twarz uśmiechem... co wtedy?

Wiedziała, co by się wtedy stało, gdyż zdarzyło jej się to już wielokrotnie. Parę osób odwróciłoby się w jej stronę i rzuciło szybkie spojrzenie spod uniesionych brwi; to wystarczy, by na chwilę uwierzyć, że wciąż jeszcze może się podobać, że ma w sobie to coś. Ale już w następnej chwili wpatrzony w nią przez moment młodzieniec dostrzegłby coś nieuchwytnego, co zgasiłoby jego zainteresowanie, po czym spokojnie poszedłby dalej swoją drogą. Czy młodzi ludzie wydzielali jakieś szczególne feromony, których ona była już pozbawiona? Czy może jakiś subtelny ruch głowy albo wyraz oczu zdradzał jej wiek?

Cokolwiek to było, przeleciało jej przez palce, powoli i bezgłośnie jak strużka piasku. Nawet nie zdawała sobie z tego sprawy aż do chwili, gdy zostało jej tylko kilka ziarenek; teraz trzymała je w dłoni kurczowo.

A jednak to nie fizycznej atrakcyjności zazdrościła teraz tym dzieciakom najbardziej. Może tak by było jeszcze przed rokiem, gdy trwała w bezpiecznym małżeństwie i wszystko to wydawało jej się tylko zabawną grą. Ale nie teraz. Gdy siedziała w poczekalni przed działem kadr i patrzyła na trzy dwudziestokilkuletnie kobiety siedzące pod przeciwległą ścianą, najbardziej zazdrościła im błyszczącej w oczach pewności siebie, świeżości i energii. Były bystre, dobrze przygotowane, głodne sukcesu. Tu nie chodziło o poczucie, że jest atrakcyjna, ani o znalezienie partnera, lecz o przetrwanie.

Obracała w palcach swój życiorys. Data ukończenia college'u: 1974. Czy te trzy kobiety w ogóle były już wtedy na świecie? Dlaczego nie ukończyła żadnego kursu, zanim zaczęła się starać o pracę? Dlaczego nie poszła za radą Annie i nie pozwoliła jej nieco ulepszyć życiorysu?

Gdy ją poproszono do środka, wzięła się w garść i wyprostowana przeszła przez poczekalnię, ignorując spojrzenia rywalek. Biuro było zatłoczone i szare. Ale prawdziwe poczucie klęski nadeszło dopiero wtedy, gdy jej wzrok padł na kobietę siedzącą za biurkiem.

Grubokoścista, o tępej twarzy, wydawała się znacznie młodsza od Eve, lecz nie sposób było odgadnąć jej wieku. Pani Kovacs miała pozbawione życia, zimne oczy za okularami w ciężkich oprawkach. Nie miała obrączki na palcu ani żadnych rodzinnych fotografii na biurku. W całym pomieszczeniu nie było ani jednego elementu, który mógłby świadczyć o jej osobistych upodobaniach.

– Proszę usiąść – powiedziała, szybkim gestem wskazując metalowe krzesło. Nie przedstawiła się ani nie nawiązała z Eve kontaktu wzrokowego.

Eve usiadła, odruchowo krzyżując nogi w kostkach. Przedłużające się milczenie odebrało jej resztki wiary w siebie. Pani Kovacs czytała jej życiorys, zaciskając ponuro usta. W końcu odchrząknęła, położyła papier na biurku i przyjrzała się Eve takim wzrokiem, jakim sędzia mógłby zmierzyć oskarżonego, któremu właśnie odczytał wyrok skazujący. W tym przypadku: Winna zabierania czasu.

– Nie ma pani doświadczenia w pracy pedagogicznej?

– Przez pięć lat byłam wolontariuszką w Centrum Likwidacji Analfabetyzmu. Oczywiście miałam praktyki podczas studiów.

– Czy zna pani metody współczesnej pedagogiki?

Eve odważyła się na uśmiech, który jednak nie został odwzajemniony.

– Wydaje mi się, że metody nauczania nie mogły się tak bardzo zmienić w ciągu ostatnich... – zawahała się, nie chcąc wymieniać liczby – ostatnich lat.

– No cóż... Nie sądzę, żeby dziekan wydziału anglistyki zgodził się na pani kandydaturę.

Od tego momentu było już coraz gorzej. Przez dwadzieścia minut Eve niepewnie odpowiadała na jedno pytanie za drugim. Jednocześnie narastała w niej wściekłość, że ta źle opłacana, zgorzkniała pracownica administracji przeciętnego college'u z wyraźną przyjemnością udowadniała jej, atrakcyjnej, w widoczny sposób zamożnej gospodyni domowej z przedmieścia, że zupełnie straciła kontakt ze światem akademickim. Pani Kovacs wyraźnie dała jej do zrozumienia, że dyplom anglistyki nie dawał jej absolutnie żadnych kwalifikacji do nauczania języka angielskiego, a jeśli Eve sądziła inaczej, to była zwyczajnie naiwna. Kolejne, coraz bardziej szczegółowe pytania dotyczące metodyki pracy z młodzieżą świadczyły o tym, że pani Kovacs w najmniejszym stopniu nie obchodziło, jak dobrze Eve rozumie rytm i moc poezji Keatsa, Coleridge'a, Burnsa i innych romantyków, ani też nie miała najmniejszej ochoty porozmawiać o jej pracy dyplomowej na temat Williama Blake'a. Dwadzieścia pięć lat czytania książek, pisania recenzji i pracy z analfabetami nie miało żadnego związku z nauczaniem literatury, nawet w zastępstwie.

Eve z coraz większym trudem utrzymywała wyprostowane ramiona. Czuła się winna, że straciła tyle lat na głupstwa, takie jak rodzina, dzieci czy praca wolontariuszki, winna temu, że ma czterdzieści pięć lat i żadnych szans na zatrudnienie.

W końcu pani Kovacs spojrzała na zegarek, odchyliła się na oparcie krzesła i powiedziała:

– Zdaje sobie pani chyba sprawę, że mamy wielu chętnych na to stanowisko?

Eve miała już dość. Wstała i wyciągnęła rękę do swej rozmówczyni.

– Dziękuję, że zechciała mi pani poświęcić swój czas. Ale teraz widzę jasno, że Lincoln

College nie jest dla mnie odpowiednim miejscem – rzekła z lodowatą uprzejmością i wyszła.

W poczekalni zdjęła żakiet i nonszalancko przerzuciła go przez ramię. Idąc korytarzem, zdjęła klamrę i wyciągnęła z włosów spinki, potrząsnęła głową, a potem zakołysała biodrami. Szła śmiało, ze wzrokiem utkwionym prosto przed siebie, ignorując zaciekawione spojrzenia mijanych chłopców. To były jeszcze dzieci!

Pchnęła ciężkie drewniane drzwi i wyszła na ulicę. Był piękny wiosenny dzień. Poczuła ciepło słońca na policzkach i zapach kwitnących jabłoni w powietrzu. Głęboko wciągała go w płuca z uczuciem, jakby właśnie z narażeniem życia obroniła własną tożsamość. Udało jej się jednak tego dokonać i teraz była wolna.

Idąc do domu, uznała, że już najwyższy czas przyzwyczaić się do noszenia szpilek i otworzyć oczy na rzeczywistość.

ROZDZIAŁ DZIEWIĄTY

Zew dochodzący z głębi lasu napełniał go niepokojem, wzbudzał dziwne pragnienia. Niósł ze sobą nieokreśloną słodycz, uświadamiał tęsknoty – za czym, sam nie wiedział.

Jack London, *Zew krwi*

Noc była spokojna. Za oknem pies sąsiada wył do księżyca w pełni. Eve siedziała przy sekretarzyku w salonie i, słuchając gardłowego dźwięku, czuła dziwny niepokój, od którego jej oddech przyspieszał, a palce zaczynały mocniej ściskać długopis. Siedziała tu już prawie godzinę, na przemian spoglądając na księżyc i na leżącą przed nią aplikację. Dotyczyła ona posady asystentki administracyjnej na wydziale anglistyki college'u Świętego Benedykta. Jej pierwsza aplikacja o pracę od dwudziestu pięciu lat.

Pies za oknem znów zawył. Intuicja Eve podpowiadała jej, że niepokój, który odczuwa, to przedsmak oczekującej ją zmiany. Podobnie jak

Buck w powieści Jacka Londona, którą przyjaciółki z Klubu Książki czytały w tym miesiącu, siedziała sztywno napięta, nastawiając uszu i węsząc
w powietrzu odległy zapach owej nadchodzącej
zmiany.

Ale choć drżała z pełnego napięcia oczekiwania, wahała się jeszcze, wiedząc, że jest sama
pośrodku wielkiego pustkowia niepewności.
Ćwierć wieku doświadczenia nie wystarczało, by
opanować niepokój i lęk. Wiedziała, że istnieje
świat kłów i pazurów, ale społeczne konwencje
i tradycja kazały jej trzymać się w szeregu pod
groźbą bicza kobiecych języków i bezwzględnego
krytycyzmu mężczyzn. Choć pragnęła pobiec już
przed siebie, tkwiła nieruchomo, przyczajona, z ła-
pą w powietrzu.

Co ją wstrzymywało? Czego się obawiała?
Jakie oczekiwania powinna spełnić? Nie była już
żoną lekarza ani matroną z Riverton, która udziela-
ła się w komitetach, woziła dzieci na basen i or-
ganizowała zawody sportowe. Nie była też szuka-
jącym aprobaty naiwnym dzieckiem. Znów czuła
się młoda, choć jej skóra zaczynała wiotczeć,
a włosy siwieć. Była młoda sercem i duchem,
chciała śmiać się głośno jak studenci w Lincoln
College, z głową odrzuconą do tyłu, pełną piersią.

Chciała sprawdzać swoje możliwości, wspiąć
się na jakąś wysoką górę albo przemierzać śnieżne
pustynie psim zaprzęgiem. Przede wszystkim jednak pragnęła wrócić do szkoły, odświeżyć dawne

umiejętności i nauczyć się czegoś nowego, rozwijać się, by już nigdy ktoś taki jak pani Kovacs nie mógł patrzeć na nią z góry. Ta nowa Eve Porter była gotowa do walki.

Jack London opisał Bucka, który poruszał się niespokojnie we śnie, przebierając łapami na zew pierwotnej, dzikiej wolności. To odwieczne wezwanie wyrywało z odrętwienia i kazało walczyć o przetrwanie.

Eve słyszała ten głos w swoim sercu, w duszy, każdą komórką ciała, i wiedziała, że przetrwa. Wyprostowała się na krześle. Okres żałoby minął. Nadszedł czas powrotu do życia. Każdy dzień był cenny, za każdy czuła wdzięczność.

Wzięła głęboki oddech, pochyliła się nad pulpitem sekretarzyka i starannym, kaligraficznym pismem nakreśliła swoje nazwisko: Eve Porter. Nie pani Thomasowa Porter ani panna Eve Brown. Była Eve Porter, energiczną, ciekawą świata, towarzyską dziewczyną i jednocześnie stateczną, szacowną żoną i matką. Popatrzyła na swoje nazwisko, zastanawiając się, jaka jest ta nowa Eve Porter. Była pewna, że jest to ktoś, kogo warto poznać bliżej. Albo raczej odkryć na nowo.

Wygładziła kartkę rękami, uciszając rodzące się gdzieś w głębi duszy wątpliwości, a potem szybko i zdecydowanie złożyła ją, wsunęła do koperty i przykleiła znaczek

– Gotowe – powiedziała głośno i z westchnieniem skinęła głową. Czuła, że dostanie tę pracę.

Nie była to wprawdzie posada nauczycielska, o jakiej marzyła, ale zawsze jakiś pierwszy krok. Po nim miał przyjść kolejny, i jeszcze kolejny, a każdy z nich powinien przybliżyć ją do celu.

Znów usłyszała wycie psa. Spojrzała na księżyc i uśmiechnęła się. Postawiła łapę na ścieżce i teraz biegła razem z całą sforą.

W dwa tygodnie później, przy tym samym biurku, po raz ostatni otworzyła torebkę, sprawdzając, czy ma wszystko, czego może potrzebować pierwszego dnia w pracy. Portfel, szminka, kluczyki do samochodu – wszystko było na miejscu. Drżącymi rękami zamknęła torebkę.

– Wszystko będzie dobrze, mamo – uspokajała ją Bronte. Podeszła do matki i uścisnęła ją. – Zajmę się Finneyem, więc nie musisz się o nic martwić.

Eve poczuła, że serce jej się ściska ze wzruszenia.

– W lodówce macie kanapki z mięsem i serem. I sałatkę. Dopilnuj, żeby Finney zjadł warzywa. Aha, brat Nello zabierze ich o trzeciej na mecz koszykówki. Na tablicy będzie zawsze przypięta koperta z pieniędzmi, gdybyście któregoś dnia mieli ochotę na przykład pójść do kina. Ale nie wydajcie wszystkiego od razu. Powinno wam to wystarczyć na cały tydzień.

– Mamo, rozmawiałyśmy o tym już milion razy. Od lat opiekowałam się dziećmi. Wierz mi, dam sobie radę z jednym upartym bratem.

Eve westchnęła i wsunęła kosmyk włosów za ucho córki.

– Żałuję, że tak musi być. Nie tak wyobrażałam sobie twoje wakacje przed pójściem do szkoły średniej.

– Wszystko w porządku. W przyszłym tygodniu zaczynają się letnie zajęcia. Jest kilka naprawdę niezłych kursów, na które chcę się zapisać. Myślę, że to Finney jest bardziej niezadowolony. Nie ma ochoty iść do letniej szkoły.

– Do szkoły? Przecież zapisał się na kurs produkcji wideo i futbol! To nie jest szkoła, tylko zabawa!

– Znasz Finneya – wzruszyła ramionami Bronte.

Eve przygryzła wargę. Nie, nie znała Finneya. Nie poznawała swojego radosnego chłopca w tym trzymającym się na dystans młodym człowieku, z którym teraz mieszkała pod jednym dachem. Przez większość czasu rozmawiał przez telefon z przyjaciółmi albo odwiedzał ich w domach, ale nigdy nie zapraszał nikogo do siebie. Jej również nie zapraszał do swojego pokoju.

– Aha, przypomniałaś mi o czymś – dodała po chwili. – Jeśli będziecie mieli ochotę zaprosić przyjaciół, to bardzo proszę, ale nie więcej niż dwie osoby naraz. I nie zapraszaj chłopców.

Bronte skrzywiła się z irytacją.

– Może zaprosisz Sarę Bridges? Dawno jej nie widziałam.

Dziewczyna wzruszyła ramionami, przez jej twarz przebiegł wyraźny cień. Coś się za tym musiało kryć, ale Eve czuła, że teraz lepiej nie poruszać tego tematu. Może później, gdy wróci do domu.

– Mój numer telefonu w pracy jest przypięty do tablicy, razem z numerami pogotowia. Dobrze. O czym jeszcze zapomniałam?

– Idź już, mamo. Poradzimy sobie.

– Jesteś pewna?

– Do widzenia! – zawołała Bronte, ściskając ją jeszcze raz. – I powodzenia w nowej pracy. Na pewno świetnie sobie poradzisz. – Odwróciła głowę i zawołała przez ramię: – Finney! Mama wychodzi!

– Och, nie musi się ze mną żegnać. Zostaw go w spokoju.

Na twarzy Bronte pojawił się bunt.

– Owszem, ma się pożegnać. Ty byś mu wybaczyła nawet morderstwo.

– Nie naciskaj na niego za bardzo – upierała się Eve.

Bronte już chciała coś odpowiedzieć, ale Finney właśnie pojawił się w korytarzu. Stał ze spuszczoną głową, przygarbionymi ramionami i rękami wbitymi w kieszenie workowatych spodni. Brązowe włosy, rozdzielone pośrodku, opadały mu na kark. Eve wyciągnęła rękę, chcąc odgarnąć je z czoła, ale chłopak uchylił się gwałtownie. Pokryła niezręczność lekkim śmiechem.

– Bądź grzeczny i słuchaj siostry – powiedziała. – Ona jest teraz kapitanem.

Finney jednocześnie skinął głową i wzruszył ramionami, a potem odwrócił się, chcąc odejść.

– Jak to? Nie uściśniesz mnie na pożegnanie? – zdziwiła się Eve z udanym oburzeniem. – To mój pierwszy dzień w pracy i trzeba mnie podtrzymać na duchu! Nie zapominaj, że jesteś moim jedynym mężczyzną!

W jego oczach na chwilę coś błysnęło. Objął ją szybko i poklepał po ramieniu, a potem odsunął się, wyraźnie zażenowany.

Eve patrzyła na swoje dzieci, zastanawiając się, kiedy dorosły. Tak niedawno kręciły się ciągle pod nogami i wymagały nieustannego nadzoru.

– Mamo, wszystko będzie w porządku – powtórzyła po raz kolejny Bronte, mylnie odczytując jej milczenie. – Ja się wszystkim zajmę.

– Wiem – odrzekła Eve, starając się, by w jej głosie brzmiało przekonanie. Wzięła torebkę i wyprostowała się. – No cóż, to chyba wszystko. Do widzenia. Kocham was! – dodała ze ściśniętym gardłem.

Gdy zamknęli za nią drzwi, przez chwilę stała na korytarzu i nasłuchiwała, sprawdzając, czy zasuną zasuwy. Dopiero gdy to zrobili, otarła oczy i zeszła po schodach.

Powrót do świata pracy nie był wcale tak bolesny, jak się obawiała. Mały, zatłoczony sekretariat wydziału anglistyki college'u Świętego

Benedykta mieścił się na końcu korytarza drugiego piętra. Okna wychodziły na boiska sportowe. Przy wejściu kłębił się tłum zagubionych studentów machających formularzami rejestracyjnymi. Na drugim końcu pomieszczenia, za barykadą w postaci długiego metalowego stołu, trzy kobiety pochylały się nad stertami papierów.

Jeśli Eve spodziewała się serdecznego powitania, oprowadzenia po sekretariacie czy może nawet kubka kawy, to nie mogła bardziej się pomylić. Ledwie weszła do środka, pojawiła się przy niej drobna, starsza kobieta o żywych błękitnych oczach i krótkiej, siwej fryzurze.

– Pani Porter, czy tak? Nareszcie! Proszę tędy. Bóg nam panią zesłał. Szkoda, że nie w zeszłym tygodniu, ale trudno. Obawiam się, że od razu przejdzie pani chrzest bojowy. Przejdźmy na drugą stronę stołu, ostrożnie! Uwaga na tę stertę książek na podłodze!

Ona sama przemykała między stosami książek i papierów zręcznie jak elf. Gdy wreszcie dotarły do spokojniejszego miejsca, podała Eve plik formularzy.

– Nazywam się Pat Crawford – przedstawiła się, wyciągając rękę. – Witam podczas pierwszej rejestracji.

I tak się zaczęło. Po pięciu minutach Eve odniosła wrażenie, że zamiast mózgu ma sito. Wydawało jej się, że nie jest w stanie spamiętać wszystkich instrukcji, które podano jej z trzech stron naraz w tempie karabinu maszynowego. Jednak słowa zaczęły się łączyć w logiczne całości i szybko pojęła, jak należy wypełniać formularze rejestracyjne, ustalać godziny spotkań z wykładowcami, a gdy waga sprawy była odpowiednio duża, z tajemniczym dziekanem, który ani razu nie wyłonił się zza drzwi swego gabinetu. Okazało się, że Eve wykazuje duży talent do radzenia sobie z niezadowolonymi, sfrustrowanymi studentami, i tym najbardziej ujęła sobie współpracownice. Pracowała bez przerwy na lunch. Kolejka studentów zdawała się nie mieć końca.

Dopiero o trzeciej w drzwiach sekretariatu zrobiło się trochę luźniej i zapanował względny spokój. Eve poczuła, że od trzymania ołówka i rysowania kółek na formularzach bolą ją palce. Rozprostowała dłonie i pomasowała je.

– Jesteś w oku cyklonu, więc postaraj się dobrze bawić – poradziła życzliwie Pat Crawford, rozlewając świeżo zaparzoną kawę do trzech kubków. – Następna fala pojawi się około piątej.

Eve spojrzała na nią z przerażeniem.

– O piątej?! Ale ja muszę wyjść o piątej! To znaczy... wiem, że to mój pierwszy dzień – zająknęła się – ale moje dzieci zostały w domu same i muszę im zrobić kolację, i...

– Och, nie martw się. Zastąpi cię ktoś z księgowości, tam nigdy nie ma takiego nawału pracy, a nikt nie oczekuje, że zaharujesz się na śmierć już pierwszego dnia. Proszę – dodała, podając jej kubek z kawą. – Zasłużyłaś na chwilę przerwy.

Eve łapczywie piła kawę. Jej aromat zawsze poprawiał jej humor.

– Zdaje się, że nie poznałaś jeszcze naszego dziekana? Jest bardzo przystojny. Wszystkie za nim przepadamy. Jeśli wyda ci się trochę nieuprzejmy, po prostu nie zwracaj na to uwagi. To perfekcjonista, ale jest naprawdę bardzo miły – mówiła Pat z błyszczącymi oczami. – Wiesz, właściwie możesz go poznać już teraz – dodała, zbliżając się do drzwi z wziętym po drodze ciemnoniebieskim parującym kubkiem, na którym wypisane było słowo: Czytaj.

– To znaczy, że za tymi drzwiami naprawdę ktoś jest? – zdziwiła się Eve. – Myślałam, że to tylko taka atrapa!

Pat wybuchnęła śmiechem.

– On nienawidzi rejestracji i zawsze się wtedy chowa. Próbujemy go chronić, o ile jest to w naszej mocy. – Pozostałe dwie kobiety pokiwały głowami. – Ale jest bardzo przystępny, naprawdę; pod warunkiem, że nie siedzi z nosem w książce, bo gdy mu się przerwie czytanie, to bardzo krzyczy. Chodź, idziemy do jaskini lwa.

Ciekawa analogia, pomyślała Eve. Lwice strzegące swego króla. Z niechętnym westchnieniem odstawiła swoją kawę i poszła za Pat w stronę tajemniczego gabinetu. Pat nieśmiało trzykrotnie zastukała w drzwi. Eve nieświadomie przygładziła włosy. Zza drzwi odezwał się głęboki głos. Pat mrugnęła do nowej koleżanki i nacisnęła klamkę.

Eve niepewnie zatrzymała się w progu. Wpadające do środka popołudniowe słońce oświetlało wielkie, stojące pośrodku wnętrza orzechowe biurko zarzucone papierami, długopisami, książkami, testami egzaminacyjnymi i innymi drobiazgami. Za biurkiem, w skórzanym fotelu, plecami do nich, siedział mężczyzna z nogą opartą o drugą w taki sposób, że kostka jednej opierała się na kolanie drugiej. Miał dość długie, potargane, ciemne, przyprószone siwizną włosy i z głową opartą na ręku czytał grubą książkę. Wydawał się zupełnie nie zwracać uwagi na otoczenie. Rzeczywiście jak król lew rozciągnięty na górującej nad sawanną skale, pomyślała Eve.

Rozejrzała się po gabinecie. Ma klasyczny gust, stwierdziła na widok przetartego orientalnego dywanu, dwóch gotyckich drewnianych krzeseł obitych gobelinową tkaniną i imponującego gargulca usadowionego na parapecie. Na oparciu jednego z krzeseł wisiała toga, obok leżał bukiet więdnących kwiatów, a w kącie, obok zakurzonego rzutnika do slajdów, spoczywała kolejna sterta formularzy. Gabinet zdominowany jednak był przez książki: oprawne w skórę tomy zajmowały całą jedną ścianę. Stosy książek piętrzyły się również na podłodze w kątach, pod stołami i na stołach. Eve poczuła, że się rozluźnia.

– Doktorze Hammond? – zawołała Pat sztucznie ożywionym głosem. – Kawa! I jest tu ktoś, kogo powinien pan poznać.

Eve ostrożnie postąpiła krok naprzód.

Mężczyzna podniósł głowę, zdjął okulary i spojrzał na nią przez ramię. Niebieskie, przenikliwe oczy dziwnie kontrastowały z nachmurzoną twarzą. Najwyraźniej zirytowało go to, że ktoś mu przeszkadza.

Eve nie była przygotowana na coś takiego. Spodziewała się zobaczyć jakiegoś zasuszonego staruszka albo pulchnego, łagodnego profesora. Tymczasem doktor Hammond zupełnie nie pasował do akademickich stereotypów. Był duży, majestatyczny, elegancki i opanowany, wyczuwała w nim jednak charakter pełen pasji, które potrafił trzymać na uwięzi żelazną wolą. W dużych, głęboko osadzonych oczach błyszczała inteligencja, a pełne usta nadawały jego twarzy zmysłowy wyraz. Srebrne pasemka na skroniach i głębokie zmarszczki w kącikach oczu świadczyły o wieku; Eve pomyślała, że ma około pięćdziesięciu pięciu lat. Należał do mężczyzn, którzy ładnie się starzeją.

Splótł długie palce pod brodą i Eve zauważyła, że ma duże dłonie oraz że nie nosi obrączki. W jego oczach pojawiło się zaciekawienie, a potem błysk uznania. Ku swemu zaskoczeniu, Eve poczuła, że przebiegł między nimi impuls wzajemnego przyciągania.

– Jestem Paul Hammond – przedstawił się, wyciągając rękę. Miał brytyjski akcent.

Z wahaniem podała mu dłoń. Dotyk jego palców niemal ją oparzył. Zmusiła się do uspokojenia oddechu, ale nie udało jej się powstrzymać rumieńca.

– Witaj na wydziale, Eve Porter – powiedział Hammond zdumiewająco spokojnie, przytrzymując jej dłoń odrobinę za długo.

– Dziękuję – odrzekła cicho.

Wszystko trwało zaledwie chwilę. Naraz, jak za przekręceniem wyłącznika, błysk w jego oczach zgasł, puścił jej rękę, odwrócił wzrok i znów wziął do ręki książkę.

– Jestem pewien, że Pat zaopiekuje się tobą. Prawda, Pat?

– Oczywiście! – zapewniła go starsza pani, stawiając przed nim kawę. – Już zaczęłyśmy. Eve uczy się wszystkiego bardzo szybko.

– To dobrze – stwierdził dziekan. Nasunął na nos okulary i znów pogrążył się w lekturze.

Pat mruknęła coś z rezygnacją i skierowała się do drzwi. Eve jednak poczuła się jak uderzona w twarz. Wyprostowała ramiona i poszła za Pat z ciągle zaczerwienionymi policzkami.

Podczas ostatniej godziny pracy starała się nie myśleć o doktorze Hammondzie. Układając formularze w alfabetycznym porządku, powtarzała sobie, że dziekan nie jest jej sąsiadem, kolegą ani przyjacielem, tylko szefem. Był to dla niej nowy typ kontaktu i nie mogła sobie pozwolić na traktowanie go emocjonalnie. Musiała zaakceptować fakt, że nic go nie obchodzi, niezależnie od tego, czy jest uprzejmy, czy nie, w każdym razie wobec niej, i że jeśli chce zachować tę pracę, to musi przyjąć jakąś strategię, która pozwoli jej poradzić sobie z urażoną dumą. Nie było już Toma, który przed tym wszystkim ją chronił. Nie mogła tak po prostu rzucić pracy. Doktor Hammond był bardziej potrzebny jej niż ona jemu.

W chwilę później drzwi gabinetu otworzyły się z impetem i doktor Hammond wybiegł w rozwianym płaszczu i z teczką w ręku. W tym momencie był tak bardzo podobny do Toma, że serce Eve podeszło do gardła. Siedziała w ciemnym kącie pochylona nad segregatorami i spod opuszczonych powiek obserwowała spektakl pożegnalny odgrywany przez pozostałe pracownice. Zauważyła, że Hammond szuka jej wzrokiem, a gdy ją zauważył, ledwo dostrzegalnie skinął głową; gdy odpowiedziała mu tym samym, wyszedł bez słowa.

To już taki charakter, pomyślała, myjąc w łazience kubki po kawie. Wróciła do sekretariatu i zebrała swoje rzeczy. Była piąta. Okazało się, że nikt nie oczekuje od niej, by zostawała po godzinach, a Pat podziękowała jej za ten pierwszy dzień pracy. Wyszła, żegnana chóralnym: Do zobaczenia!

— Nie ma wytchnienia dla zmęczonych — mruknęła pod nosem, wstępując po drodze do sklepu spożywczego, by kupić coś na kolację. Zbierało się na burzę i kiedy wysiadła z klimatyzowanego samochodu, uderzyła ją duszność powietrza.

Popychając przed sobą wózek, uważnie przyglądała się cenom, porównując ulubione marki z innymi. Dopiero teraz uświadamiała sobie, jak rozrzutny styl życia niegdyś prowadziła. Wówczas najbardziej zależało jej na czasie. Wciąż się spieszyła i nie zwracała uwagi na to, ile co kosztuje. Jeśli czegoś potrzebowała, po prostu to kupowała. Teraz taki luksus był nie do pomyślenia. Ironia sytuacji polegała jednak na tym, że teraz miała o wiele mniej czasu niż kiedyś, a musiała oszczędzać. Liczył się każdy dolar, do pierwszej wypłaty pozostało jej już bardzo niewiele pieniędzy. Stojąc w kolejce do kasy, podliczała w myślach ceny kupionych rzeczy. Po raz pierwszy w życiu nie była pewna, czy nie będzie musiała zostawić w sklepie puszki groszku albo pudełka płatków, bo zabraknie jej pieniędzy.

Na szczęście wystarczyło, ale w portmonetce Eve zostały tylko cztery dolary. Cała euforia po pierwszym dniu pracy ulotniła się. Od kiedy zwykła żywność stała się tak droga? Boże, pomyślała z drżeniem, zamykając portmonetkę, a jeśli pieniędzy nie wystarczy do wypłaty? Teraz już nie mogła sobie pozwolić na żaden błąd. Nie miała nikogo, kto w razie potrzeby poratowałby ją kilkoma dolarami.

Burza rozpętała się w jednej chwili. Strugi deszczu miotane silnym wiatrem uderzały o szybę samochodu. Szukając wolnego miejsca do parkowania, Eve trzykrotnie przejechała wzdłuż swojej ulicy. Znalazła je wreszcie o trzy przecznice od domu, co oznaczało, że zanim dobiegnie do drzwi, zdąży przemoknąć do nitki.

Zaciągnęła ręczny hamulec i ze złością uderzyła pięścią w kierownicę, przeklinając los, który skazał ją na takie życie. Pracowała ciężko przez wiele lat, starała się być dobrą żoną i matką, pełna nadziei na przyszłość. Teraz powinna tylko zbierać owoce, a tymczasem musiała zaczynać wszystko od początku. Tylko że teraz było jej o wiele trudniej. Nie była już młoda, nie miała tyle energii. Oczekiwała szacunku. No i miała dzieci, o które musiała zadbać.

Po jej policzkach popłynęły łzy – pierwsze od dnia, kiedy sprzedała dom. Pozwoliła im płynąć. Nie była zła z powodu doktora Hammonda ani z powodu cen w sklepie spożywczym. W głębi serca wiedziała, że napięcie narastało w niej od rana, od chwili, gdy pożegnała się z dziećmi. Wiedziała też przeciwko komu kieruje się jej złość: tym kimś był Tom.

– Jak mogłeś mi to zrobić? – wyszlochała, zaciskając pięści. – Jak mogłeś umrzeć bez pożegnania ze mną?

To było najgorsze: że nie zdążyli się pożegnać. Pozostało tyle niewypowiedzianych słów. Gdybyśmy mieli o pięć minut więcej, pomyślała, ocierając oczy. Tylko pięć minut, żeby mogła mu powiedzieć, że go kocha.

Opuściła głowę i wstrząsnął nią głęboki szloch, w którym znalazły wyraz wszystkie wstrzymywane przez rok uczucia.

W końcu pozbierała się i poszła do domu, błogosławiąc deszcz, dzięki któremu mogła ukryć ślady łez przed dziećmi.

– Co to za zapach? – zawołała od progu.

– Kolacja! – odkrzyknęła Bronte, wychodząc z kuchni. Wytarła dłonie w fartuch i spojrzała na matkę, promieniejąc z dumy. – Przyszłaś w samą porę. Makaron właśnie się ugotował. Zupełnie przemokłaś! – dodała i przyniosła jej ręcznik.

– Naprawdę przygotowałaś kolację? – nie dowierzała Eve, wyobrażając sobie coś w rodzaju makaronu z serem. – Ale kupiłam...

– Co kupiłaś? – przerwała Bronte, zaglądając do torby. – Kurczak? Dobrze, będzie na jutro. Te ciastka też nieźle wyglądają. Ale dziś zjemy spaghetti. Nic więcej nie znalazłam, ale dodałam dużo warzyw i dużo sera. No i zrobiłam sałatkę. I kupiłam jeszcze chleb za te pieniądze, które nam zostawiłaś.

– Naprawdę wszystko to zrobiłaś sama? – dopytywała się oszołomiona Eve.

Miała wrażenie, że córka zdjęła z jej ramion wielki ciężar. Bronte potrafiła przygotować kolację...! Potrafiła o wiele więcej. Idąc do kuchni,

Eve zauważyła, że posprzątała też mieszkanie, zrobiła pranie i postawiła na stole świeże kwiaty. Finney siedział przed telewizorem, zwinięty w kłębek na swój zwykły sposób. Wszystko było w najlepszym porządku. Dzieci świetnie dały sobie bez niej radę.

– Idź i umyj ręce przed kolacją – nakazała Bronte bratu tonem, który Eve rozpoznała jako własny.

Usiadła przy stole, czując się jak w restauracji, i zaczęła opowiadać dzieciom o swoim pierwszym dniu w pracy, w przerwach wyrażając zachwyt nad wszystkim, co zdziałała Bronte. Taka dorosła! Taka odpowiedzialna! W głębi serca czuła jednak dziwny ból. Jej dzieci już jej nie potrzebowały tak jak kiedyś.

– A ty nie będziesz jadła? – zapytała w końcu córkę, która nieustannie krążyła między stołem a kuchenką i teraz właśnie podawała upieczone przez siebie ciasto.

– Och, jadłam przez cały dzień. Ciągle czegoś próbowałam. Już niczego więcej nie zmieszczę.

Eve uśmiechnęła się ze zrozumieniem. Jej córka stawała się kobietą.

ROZDZIAŁ DZIESIĄTY

O, człowiecze! Podziwiaj wieloryba i wzoruj się
na nim. I ty także pozostań ciepły wśród lodów.
Pozostań chłodny na równiku; utrzymuj swą krew
w stanie ciekłym na biegunie. Jak wielka kopuła
św. Piotra i jak ten olbrzymi wieloryb, zachowaj
swą własną temperaturę o każdej porze roku!

Herman Melville, *Moby Dick*

Klub Tenisowy w Oakley mieścił się w dziewiętnastowiecznym, ceglanym budynku obrośniętym pędami bluszczu. Fundamenty zaczynały się już kruszyć i gmach potrzebował odnowienia. Większość bywalców czuła się tu jak w domu.

Nie tak dawno otwarto w pobliżu nowy, lśniący i zadbany klub, który powoli zdobywał sobie klientelę, szczególnie wśród młodych matek, które pragnęły odzyskać figurę po porodzie. Klub Książki jednak uznał jednomyślnie, że pozostanie wierny staremu miejscu, przedkładając wygodę i atmosferę starego kontytentu wraz ze wszystkimi oznakami starzenia nad błysk chromu i modernistyczną atmosferę. Nie najmniejszą rolę w tym wyborze odegrała myśl o niechęci do oglądania płaskich brzuchów i jędrnych pośladków młodszych klientek. „Komu to potrzebne?", jak mawiała Midge.

Eve zamknęła szafkę i przekręciła klucz ze świadomością, że właśnie zamyka część swojego życia. Termin ważności jej klubowej karty upływał w tym tygodniu, a nie mogła sobie pozwolić na jej przedłużenie. Zresztą od śmierci Toma i tak nie używała jej zbyt często. Była teraz szczupła; nie miała apetytu i ubrania zwisały na niej jak na wieszaku. Żałowała, że nie stać jej na opłacenie abonamentu, ale w sumie uznała, że nie jest to wielka strata. Miała przecież dwie nogi, parę butów do biegania i park zaraz za drzwiami domu.

– No to dalej – mruknęła pod nosem.

W ciągu ostatnich tygodni te trzy słowa stały się jej mantrą. Wraz z modlitwą świętego Franciszka z Asyżu, której nauczyła się jeszcze w dzieciństwie, pomagały jej zachować równowagę ducha w trudnych chwilach.

Przeszła przez przypominającą oranżerię damską szatnię, spoglądając po drodze na butelki ze schłodzoną wodą mineralną i sterty równo poskładanych białych ręczników. Na włoskich drewnianych tacach leżały szczotki, grzebienie, mydełka, chusteczki, miętówki i mnóstwo innych przedmiotów, jakich może potrzebować kobieta. Klub miał europejski, przytulny klimat, ale zupełnie nie pasował do nowego stanu ducha Eve. Dbałość o wygodę i luksus wydawała jej się teraz czymś obcym i dziwacznym; nie był to już jej styl życia i wiedziała, jak niewiele kobiet na tym świecie może sobie na coś takiego pozwolić.

Jej matka byłaby tym miejscem zachwycona, cieszyłaby się, że Eve tu bywa, i za żadne skarby świata nie wyraziłaby zgody na rezygnację z członkostwa. Matka zawsze oczekiwała, że Eve pójdzie w życiu jej śladami, ich buty miały jedak inny rozmiar. W holu i restauracji siedziało kilka starszych pań, które, podobnie jak matka Eve, pamiętały drugą wojnę światową i wychowywały dzieci w latach pięćdziesiątych. Klub był miejscem, gdzie czuły się bezpiecznie jak w domu. Nie zauważały strzępiących się brzegów tapet.

Eve również dała się kiedyś uwieść elegancji tego miejsca. Ale kobiety z jej pokolenia nie przychodziły tu na lunch i plotki, lecz po to, żeby poćwiczyć pod okiem osobistego trenera. Nie poddawały się z rezygnacją skutkom menopauzy, lecz w pocie czoła, cal po calu, próbowały cofnąć wskazówki zegara.

Eve pchnęła drzwi i weszła do niedawno odremontowanej, lśniącej chromem i czernią sali gimnastycznej. Zapach potu zmieszany z wonią odświeżacza powietrza przypomniał jej spędzone tu godziny. Od razu zauważyła Midge, zaciekle pedałującą na rowerku. Długie włosy miała splecione w gruby warkocz, a jej niezbyt ładna twarz teraz przybrała wręcz komiczny wyraz. Szara koszulka z emblematem Uniwersytetu Illinois była wilgotna od potu.

– Cześć – powiedziała Eve, podchodząc do przyjaciółki. – W jakim celu tak się pocisz?

Midge w milczeniu skinęła głową, podniosła do góry jeden palec, a potem jeszcze przez kilka minut pedałowała jak szalona. Wreszcie zwolniła i powoli wyrównała oddech. Obok trzy inne kobiety, których Eve nie znała, kręciły pedałami w znacznie wolniejszym tempie, popatrując na ekran wiszącego nad nimi telewizora.

Eve podała przyjaciółce ręcznik.

– A gdzie jest reszta?

Midge uśmiechnęła się zmęczona.

– Wszystkie wypadły z rozkładu. Gabby musiała pójść ze swoim najmłodszym do dentysty, ale ma się pojawić później. Annie znów krwawi i nie chce ćwiczyć, dopóki nie porozmawia z lekarzem. Obie z Doris przyjdą na lunch. A ty się spóźniłaś. Więc teraz wsiadaj i pedałuj.

Eve z westchnieniem wspięła się na sąsiednie urządzenie, a widząc, że Midge robi to samo, ze zdziwieniem uniosła brwi.

– Tylko mi nie mów, że jeszcze nie masz dość?

– Muszę się porządnie zmęczyć. Ostatnio jestem okropnie spięta. Ciągle boli mnie głowa i czuję się tak, jakbym miała lada chwila wybuchnąć.

– A dlaczego?

– Przez matkę. Uznała, że bardzo jej się tutaj

podoba, i chce wynająć mieszkanie, żeby być blisko mnie – odrzekła Midge, wznosząc oczy ku niebu.

– To bardzo miłe.

Midge tylko prychnęła.

– Ciesz się, że masz matkę – ciągnęła Eve. – Mojej bardzo mi brakuje. Byłyśmy sobie bliskie, chociaż mieszkałyśmy daleko od siebie. Ale co tydzień rozmawiałyśmy przez telefon. Nie dlatego, że potrzebowałam jej rad, bo byłyśmy zupełnie różne, ale po prostu lubiłam słyszeć jej głos. – Westchnęła i spojrzała za okno. – Rozmawiałyśmy o wszystkim i o niczym.

– Edith jest w Chicago już od kilku miesięcy i chociaż sporo rozmawiamy, nie mogę powiedzieć, że są to rozmowy szczere. Próbowałam już wszystkiego. A wczoraj zobaczyłam, jak ten jej pudel obsikuje w kącie moje płótno. Bogu dzięki, że było niezamalowane, bo inaczej chyba wyrzuciłabym zwierzaka przez okno. Kto normalny przyjeżdża z wizytą na tydzień, zostaje kilka miesięcy i jeszcze przywozi ze sobą psa?

– Nikt oprócz rodziny.

Midge roześmiała się i zwiększyła tempo pedałowania.

– Bardzo podziwiam twoją matkę, Midge. Ona ma atomowy napęd. Zawsze miała.

– Wiem, że ją lubisz. Wszyscy ją uwielbiają. Zabawna Edith. Zwariowana dziewczyna. Dusza towarzystwa. Ale nie znasz jej. Ja sama właściwie jej nie znam. Po części też ją podziwiam. Jest moją matką, ale jakaś część mnie ma ochotę ją zamordować... i tego jej kundla – wymamrotała Midge pod nosem. – W sprawach naprawdę dla niej ważnych jest bardzo zamknięta. Nigdy nie mówi o swoich prawdziwych uczuciach, o swoim prawdziwym życiu, tylko ciągle rozsnuwa jakieś dymne zasłony. Nic o niej właściwie nie wiem. Otoczyła się ścianą, której nie potrafię zburzyć.

Eve pomyślała, że ten opis doskonale pasuje do samej Midge.

– Midge – powiedziała zdyszana. – Ty jeszcze możesz próbować. Masz na to czas. A mój czas już minął. Nie mam już ani mamy, ani taty. Ale niczego nie żałuję. Obydwoje chorowali przed śmiercią i zdążyłam im powiedzieć wszystko, co chciałam. – Urwała, myśląc o Tomie. – Postaraj się wykorzystać swój czas jak najlepiej.

Midge tylko wzruszyła ramionami, a Eve, bogatsza od niej o wiele doświadczeń ze śmiercią, tylko z rezygnacją potrząsnęła głową. Choć Midge była terapeutką i uczyła się o żałobie i rozpaczy z książek, nie miała pojęcia, jak trudnym doświadczeniem może być utrata najbliższej osoby.

– Chciałabym, żeby moja matka mogła mieszkać obok mnie – dodała Eve. – Mogłybyśmy zaglądać do siebie. Pogadać. Chciałabym jej pokazać, jak dobrze sobie radzę. Pokazać jej moje mieszkanie. Pragnęłabym usłyszeć, że docenia to, co robię. Mama to najlepszy kibic. Nikt inny nie troszczy się o nas równie mocno i szczerze. Kto inny potrafi się tak na ciebie rozzłościć, gdy robisz coś źle, albo być z ciebie tak dumnym, gdy coś ci się uda?

Midge przymknęła oczy i przypomniała sobie awanturę, jaka wybuchła w dniu jej szesnastych urodzin, gdy odmówiła przyjęcia prezentu, jakim miała być operacja plastyczna jej nosa.

– A czy przyszło ci do głowy, że ten prezent nie jest tylko dla ciebie? – wybuchnęła wtedy Edith. – Może miał być również i dla mnie?

Otworzyła oczy i spojrzała prosto na Eve. Jak mogła jej to wyjaśnić? Przyjaciółka nie miała pojęcia, jakie to uczucie nigdy w życiu nie poczuć akceptacji własnej matki.

– Nie znasz Edith – powtórzyła. – Dla niej wszystko, co robię, jest złe. Ona nie chce rozmawiać, tylko nakazywać. Nie chce zwyczajnie iść na wspólne zakupy, tylko chce mi dyktować, co mam kupić. Z kim mam się widywać. Co mam robić. Boże, całe jej życie jest potrzebą kontrolowania. Gdy miałam osiemnaście lat, wyprowadziłam się od niej, bo nie mogłam tego znieść. Dlaczego jej się wydaje, że teraz będzie inaczej? Czy gdyby kiedykolwiek było inaczej, to mieszkałabym sama?

– Pewnie sądzi, że czujesz się samotna. No i... jesteś jej dzieckiem.

Midge tylko prychnęła. Jej policzki znów się mocno zaróżowiły.

- Ale ja już nie jestem dzieckiem.

- Oczywiście, że jesteś. W każdym razie dla niej. Nie potrafię sobie wyobrazić, żebym kiedykolwiek mogła patrzeć na moje własne dzieci jak na dorosłych ludzi, którzy już nie potrzebują moich rad.

Midge szeroko otworzyła oczy.

- Eve, sama posłuchaj tego, co mówisz. Czy zdajesz sobie sprawę, jakie to przytłaczające?

Eve ze zdumieniem wstrzymała oddech. Nigdy nie uważała siebie za nadopiekuńczą matkę.

- Wcale nie! - wybuchnęła w pierwszym odruchu, zaraz jednak pojawiły się refleksje. Ileż to razy słyszała od swoich dzieci zniecierpliwione „Oj, daj spokój, mamo", gdy wypytywała je – czy też może... przesłuchiwała? – o odrobione lekcje, film, na który się wybierały, czy sposób spędzania czasu. I ile razy Tom podnosił wówczas głowę znad swoich papierów i wtrącał: „Och, naprawdę daj im spokój, niech się dobrze bawią!"

Przypomniała sobie również, jak świetnie Bronte radziła sobie w kuchni, a Finney wśród przyjaciół. Przecież nie nauczyli się tego z dnia na dzień. Właściwie kiedy zaczęli się wymykać spod jej skrzydeł?

- Boże, Midge, może masz rację – stwierdziła w końcu z niepokojem. – Muszę się zacząć przyzwyczajać do myśli, że moje dzieci dorastają.

- Dobry pomysł, Eve. To naturalny proces. Niedługo już staniesz się wolna! I jeśli będziesz miała szczęście, to twoje dzieci zostaną twoimi przyjaciółmi.

Eve wzruszyła ramionami.

– Wydaje mi się, że to za wcześnie. Szczególnie dla Bronte. Wzięła na siebie wiele obowiązków, które wcześniej należały do mnie. Ale nadal jestem jej matką, nie przyjaciółką.

– Ale może ona chciałaby zostać twoją przyjaciółką?

– Nie. To nie moja rola. Ja muszę pilnować, żeby nie stała się jej żadna krzywda. Ona jest wciąż taka dziecinna.

– Ale pomyśl o tym, że rzeczy, w jakie zacznie się teraz angażować, wcale nie są już dziecinne. Chłopcy, seks, alkohol, narkotyki, prowadzenie samochodu. Będzie potrzebowała rozmów z tobą, a nie przyjdzie do ciebie, jeśli będzie się obawiać kary albo kazania. Musisz się z tym pogodzić, Eve. Ona nie jest już dzieckiem – perorowała Midge, ocierając twarz łokciem.

– Dla mnie jest i zawsze będzie! – upierała się Eve. – Ty też jesteś dzieckiem dla swojej matki. Dopiero stojąc po drugiej stronie tej barykady, przekonujesz się, że to wcale nie jest takie proste wypuścić dzieci spod skrzydeł.

– Ale musisz je wypuścić, skarbie, bo inaczej nigdy nie dorosną. Będą się dusiły i w końcu nabiorą do ciebie niechęci.

Eve zeszła z urządzenia, z trudem utrzymując równowagę. Zamyśliła się.

198

– Może masz rację – przyznała po chwili. – Muszę się nad tym zastanowić. Może rzeczywiście spróbuję zostać przyjaciółką Bronte. I może ty mogłabyś zaprzyjaźnić się ze swoją mamą.

Wróciła na rower i przez chwilę obie pedałowały w milczeniu.

Doris wytarła do czysta usiany okruchami blat, pozmywała naczynia po śniadaniu, złożyła gazetę, pozamykała szafki, które R.J. i Sarah zostawili otwarte, i podlała kwiaty, a potem poszła na dół, gdzie mieściła się pralnia, i wrzuciła do pralki pierwszą partię brudnej odzieży.

Wydawało jej się, że już od wieków wykonuje codziennie rano te same proste czynności, które niegdyś ją uspokajały – nazywała je „tai-chi matki i żony” – ostatnio jednak odczuwała coraz większe zmęczenie ich monotonią. Czuła się też dziwnie niespokojna i niespełniona. Miała wrażenie, że w życiu omija ją coś ważnego. Gdy wyglądała przez okno w kuchni i widziała puste chodniki, coraz częściej czuła się samotna. Gdy Eve zaczęła nowe życie, Doris poczuła się jak ktoś, kto odprowadził bliską osobę na pociąg i teraz pozostał sam na pustym peronie.

Wszyscy ostatnio wydawali się bardzo zajęci, a ona wciąż robiła to samo. Kiedyś zajmowanie się domem zupełnie jej wystarczało. Teraz jednak, gdy dobiegła pięćdziesiątki, zapragnęła czegoś więcej, jakiegoś ruchu, poczucia kierunku i celu. Zapragnęła zmiany.

Na schodach do sutereny głośno ziewnęła. Ostatnio ciągle czuła się zmęczona, oczy same jej się zamykały. Czuła również, że nadciąga jeden ze znanych jej już „nastrojów". Przychodziły i odchodziły zupełnie niespodziewanie i wydawały się nie mieć związku z niczym, co zjadła lub wypiła, ani z żadnym konkretnym rodzajem wydarzeń. Nic nie pomagało: ani wyprawy na zakupy, ani kino, ani telefoniczne rozmowy z przyjaciółkami. Uśmiechała się, ale wewnątrz zżerały ją ponure, mroczne nastroje. Świat stawał się szary, a serce ściskało się tak, że czasami nie mogła złapać tchu.

Sięgnęła do kosza z brudną bielizną i wyjęła brudne skarpetki R.J., a potem jedwabne, zielone bokserki. Ostatnio zaczął nosić jedwabną bieliznę na co dzień. Jej ojciec nigdy by czegoś takiego nie włożył. Uznawał tylko białe, bawełniane spodenki i na wszystkie inne patrzył z pogardą. Doris pomyślała o własnym białym biustonoszu i wysokich majtkach, jakie miała pod domową sukienką, i naraz poczuła się stara i bezkształtna. Sarah nazywała takie rzeczy „bielizną babci", Doris jednak czułaby się głupio w śliskich, niewielkich szmatkach, jakie oglądała w katalogach. Znów spojrzała na zielony jedwab i ogarnęły ją mieszane uczucia. Te spodenki były trochę żenujące, ale doceniała wysiłki męża, by wciąż być atrakcyjnym mężczyzną. Może jednak powinna kupić sobie nową bieliznę?

Rzuciła spodenki na stertę innych posortowanych do prania ubrań i wyciągnęła z kosza kolejną rzecz. Była to koszula jej męża, z egipskiej bawełny emanował jednak dziwny, obcy zapach. Doris zastygła i powoli przysunęła tkaninę do twarzy.

Był to niewątpliwie zapach kobiecych perfum. Odrzuciła koszulę na bok, jakby ją parzyła. Przymknęła oczy. Pomyślała o jedwabnych spodenkach i przypomniała sobie twarz męża, gdy poprzedniego wieczoru wychodził z domu. Był umówiony z kimś na kolację. Oczywiście, musiały być tam jakieś kobiety, przekonywała się, ale serce podpowiadało jej, że może nie chodziło tylko o kolację.

Oblał ją zimny pot i zrobiło jej się słabo. Przytrzymała się oparcia krzesła, a potem powoli usiadła. Na myśl, że R.J. może ją zdradzać, robiło jej się niedobrze.

Zastanowiła się, co może zrobić, jeśli te podejrzenia okażą się prawdą. Dokąd mogłaby odejść? Czego R.J. poszukiwał, czego potrzebował? Przecież była dobrą żoną, aktywnie uczestniczyła w życiu społeczności, zawsze dobrze się ubierała i potrafiła się odpowiednio zachować. Co jeszcze mogła zrobić? Czy R.J. wolałby widzieć na jej miejscu jakąś tandetną seksbombę? Znów pomyślała o katalogach, jakie zaśmiecały jej skrzynkę pocztową, o różnych ogłoszeniach i ofertach samotnych kobiet. Czy to możliwe, że on czegoś takiego pragnął?

Tyle było pytań, na które nie znała żadnej odpowiedzi. Wiedziała tylko, że z jakiegoś powodu jej mąż odsuwa się od niej coraz bardziej i coraz więcej czasu spędza poza domem. Wyglądało na to, że małżeństwo oznaczało dla niego stabilność, laury, na których można spocząć, łatwość i wygodę – i że od tego wszystkiego czuł się stary.

I właśnie od tego wszystkiego pragnął uciec.

W godzinę później Doris stanęła w drzwiach klubowej resturacji i rozejrzała się, szukając znajomych twarzy. Sala była zatłoczona. W sobotnie popołudnia całe rodziny przychodziły tu popływać i pograć w tenisa. Wielu z nich Doris w ogóle nie znała. Riverton było kiedyś bardzo spokojnym miasteczkiem; za jego rozwój po części odpowiedzialny był R.J – przez jego ręce przechodziły prawie wszystkie inwestycje w okolicy. Na małych, kosztownych działkach powstawały wielkie rezydencje, upchnięte tak blisko jedna obok drugiej, że niemal dotykały się ścianami. Dom Doris, odziedziczony przez nią po rodzicach, był przedmiotem zazdrości wielu sąsiadów, stał bowiem na nadrzecznej, dwuakrowej działce, z której można by wykroić cztery inne. Ziemia była tu bezcenna, a tytuł własności należał do Doris. R.J. nieustannie nalegał, by podzieliła działkę i część sprzedała, ona jednak za żadne skarby nie chciała się na to zgodzić.

Od kilku lat, w miarę jak ceny rosły, a wolnych

terenów do zabudowy ubywało, nalegania R.J. stawały się coraz bardziej natarczywe. Doris zacisnęła zęby, przypominając sobie jego ostatni powrót do domu nad ranem, w oparach whisky i cygar. Ostatniego lata kupił sobie srebrny sportowy kabriolet za pieniądze, które powinny były zasilić konto oszczędnościowe, zaczął ćwiczyć w klubie sportowym i planować spływ tratwą po rzece Kolorado. Chciał zabrać ze sobą Bobby'ego, ale nie zaprosił ani Sary, ani jej.

– To męska sprawa – stwierdził pobłażliwie.

Gdy Doris próbowała podzielić się swoim niepokojem z Midge, ta ze śmiechem skwitowała całą historię jako objaw andropauzy.

– Wcześniej czy później wróci mu rozsądek – stwierdziła krótko.

Może wróci, pomyślała Doris, myśląc o zapachu nieznanych perfum na koszuli, a może nie.

Wreszcie znalazła przyjaciółki z Klubu Książki na tarasie pod parasolem i jej serce napełniło się kojącym ciepłem. Wśród nich czuła się bezpieczna, kochana i potrzebna. Powitały ją z ożywieniem.

– Jesteś wreszcie! – zawołała Eve. – Obawiałyśmy się już, że nie przyjdziesz!

– Przecież nigdy mi się nie zdarzyło opuścić spotkania – odpowiedziała Doris i zauważyła ze wzruszeniem, że zarezerwowały dla niej miejsce między Eve a Midge.

Ten drobny gest znaczył dla niej bardzo wiele.

Gabriella uśmiechała się promiennie jak zwykle. Annie miała na twarzy ciemne okluary.

Usiadła i zaczęła przeglądać kartę. Obok niej Midge, Eve i Annie rozmawiały o pracy. Doris poczuła, że ciemna chmura spowijająca jej duszę znów wraca. Nie dotrzymała obietnicy złożonej samej sobie i nie zaczęła dzisiaj ćwiczyć, choć naprawdę miała taki zamiar. Obiecała to sobie poprzedniego wieczoru, po dotarciu do ostatniej strony *Moby Dicka*.

Poruszyła się niespokojnie. Jej bluzka ciasno opinała się na piersiach, a pasek spódnicy wrzynał się w ciało. Czuła się jak wieloryb i wzbierała w niej irytacja na te wszystkie szczupłe kobiety, które narzekały na swoje sylwetki. Gotowa byłaby zapłacić fortunę, by mieć takie ciało. Nie miała pojęcia, jak to się stało, że w ciągu ostatnich pięciu lat tak bardzo przytyła, i dlaczego tak trudno było te kilogramy zrzucić ani dlaczego wciąż czuła się zmęczona i bolały ją stawy.

Czy można się zestarzeć w ciągu jednej nocy?

– Będę biegać w parku po drugiej stronie ulicy – mówiła właśnie Eve i na widok rozczarowania na twarzach przyjaciółek dodała szybko: – Dla mnie będzie to wygodniejsze, a poza tym mam teraz o wiele mniej czasu. No i wolę być na świeżym powietrzu niż w zamkniętej sali.

Doris pochwyciła spojrzenie Annie; obydwie dobrze rozumiały prawdziwą przyczynę rezygnacji Eve z członkostwa w klubie.

Gabriella ze zrozumieniem pokiwała głową.

– Rozumiem. Ja też nie będę już odnawiać karty. Mam teraz więcej dyżurów. Przez cały dzień jestem na nogach, a kiedy wracam do domu, muszę jeszcze przygotować dzieciom kolację i w ogóle zająć się nimi. Gdy pozmywam naczynia, nie mam już nawet siły usiąść przed telewizorem. Fernando mnie kocha i obwód mojej talii ma dla niego mniejsze znaczenie niż moje zdrowie psychiczne.

– I praca – wtrąciła Midge.

Twarz Gabrielli pociemniała. Gwałtownie odwróciła wzrok.

Doris przesunęła ręką po swoich okrągłych biodrach, przypominając sobie, że kiedyś R.J. obejmował jej talię dłońmi.

– Och, kobiety, kobiety – westchnęła Annie. – Co wy z tymi mężami? Wszystkie ich kochamy, ale przede wszystkim trzeba zadbać o siebie. Będziemy żyły jeszcze długo. Dwadzieścia, trzydzieści lat, albo jeszcze więcej, jak Bóg da. Kto chce spędzić trzydzieści lat na chorowaniu?

– To racja – dodała Gabriella. – Pielęgniarki dobrze o tym wiedzą. Trzeba ćwiczyć.

– Ćwiczenia są dobre na wszystko. Wchodzimy w nowy etap życia, dziewczyny, ale wcale nie musi być on nudny ani smutny. Jeśli będziemy ćwiczyć, to zachowamy dobrą formę i uchronimy się przed sklerozą – powiedziała Midge, unosząc w toaście szklankę z wodą. – No i nie zwiotczeją nam piersi.

- Nie zapominaj o prawie powszechnego ciążenia. Co się wznosi, prędzej czy później musi opaść – uśmiechnęła się Eve.

- Po coś jednak Bóg stworzył chirurgów plastycznych – odparowała gładko Annie.

- Nic z tego – pokręciła głową Gabriella. – Ja się nie dam pokroić. Za dużo w życiu widziałam. Kochaj albo rzuć.

- To nie tak – poprawiła ją Eve. – Mówi się inaczej. Używaj, jeśli nie chcesz stracić.

- To dotyczy ciała czy umysłu?

- Jednego i drugiego. Używaj umysłu, jeśli nie chcesz, by zanikły ci szare komórki. Używaj mięśni, bo zwiotczeją.

- Ona ma na myśli wszystkie mięśnie – dodała Annie znacząco i naraz roześmiała się: – Aha! Założę się, że wszystkie w tej chwili wykonujcie ćwiczenie Kegla!

Nastąpił wybuch ogólnej wesołości.

- A skoro już jesteśmy przy tym temacie – zwróciła się do niej Midge – to co tam słychać w kwestii poczęcia?

Annie zachmurzyła się i sięgnęła po kieliszek z winem.

- Okazuje się, że wcale nie musi to być przyjemność. Całe nasze życie kręci się wokół mojego kalendarza. Zaznaczamy, kiedy mam jajeczkowanie, przeszłam wszystkie możliwe badania, John też, a gdy nadchodzi odpowiednia chwila, obsługuje mnie jak samiec rozpłodowy. Czytałam w jakiejś książce, że jeśli chcemy mieć chłopca, to trzeba postawić pod łóżkiem kowbojskie buty. – Pochyliła się nad stołem i w jej głosie pojawiło się napięcie. – Od dwudziestu lat jak głupia starałam się nie mieć dziecka, a teraz, gdy chcę je mieć, znów muszę się starać jak głupia. I gdzie tu sprawiedliwość?

– Zawsze za wszystko płacą kobiety – westchnęła ciężko Midge.

– Jeśli chodzi o mnie, cieszę się z tego, że urodziłam dzieci jako młoda mężatka – stwierdziła Gabriella, przykładając dłoń do brzucha. – Choć przez wiele lat czułam się wyczerpana i żałowałam, że najpierw trochę nie poszalałam. Byliśmy tacy niedoświadczeni.

Annie wzruszyła ramionami. Nie miała ochoty słuchać o płodności Gabrielli.

– Wszystko ma swoje wady i zalety. Wiem tylko, że John i ja coś na tym straciliśmy. Spontaniczność i romantyzm.

– Sama się o to prosiłaś – zaśmiała się Eve. – Witaj w klubie matek. Gdy już urodzisz, łóżko zacznie ci się kojarzyć wyłącznie ze spaniem.

Wszystkie znów wybuchnęły śmiechem, oprócz Doris, której nastrój wciąż się pogarszał. Rozmowy o diecie, ćwiczeniach i seksie brzmiały dla niej jak zgrzyt paznokcia o szybę. Dostawała od tego dreszczy i tylko siłą woli udawało jej się wysiedzieć na miejscu. Sukcesy przyjaciółek aż nadto uwidaczniały skalę jej własnej porażki.

Z perwersyjną determinacją wpatrywała się w kartę deserów. Dlaczego nie? – pomyślała ponuro. W końcu też miała prawo do jakiejś przyjemności. Przyjrzała się uważniej: lody, ciasto, szarlotka... Najbardziej podobał jej się piernik jabłkowy.

– Zdawało mi się, że miałaś od dzisiaj ćwiczyć? – zapytała nieoczekiwanie Midge z dziwnym błyskiem w oczach. Midge była przenikliwa i nic nie uchodziło jej uwagi. W innej sytuacji Doris byłaby jej wdzięczna za troskę, ale nie dziś.

– Zacznę, zacznę – powiedziała tonem, który wyraźnie oznaczał: odczep się. Midge jednak nie dawała się tak łatwo zbić z tropu.

– Kiedy? Powtarzasz to od świąt. Zrób coś wreszcie, Doris. Nie umawiaj się z nami tylko w restauracji.

Doris podniosła głowę i przeszyła ją spojrzeniem, które mogło zabić. Przyjaźniły się od szkoły średniej i znały się na wylot. Przy stole zapadło milczenie.

– Ona tylko próbuje cię zachęcić – odezwała się wreszcie Gabriella. – Nie chciała cię obrazić.

– Owszem, chciałam – obruszyła się Midge, zdecydowana pójść na całość. – Doris, za bardzo cię kocham, by spokojnie patrzeć, jak cierpisz. Najwyższa pora, żebyś zaczęła ćwiczyć. Dzisiaj. Przyłącz się do nas. Zobaczysz, będzie fajnie. Doris – dodała ostrzej. – Odłóż tę kartę i posłuchaj mnie!

– Nie! – prawie krzyknęła Doris, podnosząc

głowę. – Robi mi się już niedobrze od tego gadania o ćwiczeniach, odchudzaniu i wieku, o zmarszcz-kach, uderzeniach gorąca, lepszym i gorszym sa-mopoczuciu! O menopauzie! Chora jestem od tego!

– Ja też – dodała Annie. – Nie wierzę w żadną menopauzę.

– W takim razie mam dla ciebie nowinę – oświadczyła Midge, wycelowując w nią widelec. – Menopauza przydarzy się również tobie, skarbie, czy w nią wierzysz, czy nie.

– Przydarzy się nam wszystkim – dodała Doris. – I co z tego? Nie mam już najmniejszej ochoty zamartwiać się swoją figurą. Nic mnie nie ob-chodzi, że nie wyglądam tak samo jak wtedy, gdy miałam dwadzieścia lat! Nie mam już dwudziestu lat! Mam pięćdziesiąt, słyszycie? Pięćdziesiąt! I jestem w stanie przyznać się do tego głośno! Nie boję się powiedzieć, że się starzeję! – Oddychała ciężko. Na górnej wardze zebrały jej się kropelki potu i czuła, że zbliża się kolejne uderzenie gorąca.

Przy stole stanęła kelnerka, gotowa do przyjęcia zamówienia.

– Co mam paniom podać?

Eve chrząknęła. Midge i Gabriella wymieniły zmartwione spojrzenia i wzruszyły ramionami. Annie spokojnie obserwowała Doris zza swoich ciemnych okularów.

Ta zaś znów wzięła do ręki kartę i postanowiła zapomnieć o cienkich taliach, programach ćwiczeń i nieznanych perfumach. Poczuła ogromny, zżerający wnętrzności głód.

– Zacznę od homara – powiedziała cienkim, pełnym napięcia głosem. – Potem kanapka klubowa z bekonem i frytki z keczupem, a na deser, hmmm... Piernik jabłkowy i kawa ze śmietanką. – Powiodła wyzywającym spojrzeniem po zdumionych twarzach przyjaciółek. Na szczęście żadna się nie odezwała.

Ale gdy słuchała listy zamówień złożonej z sałatek, kurczaka i ryb z grilla oraz mrożonej herbaty, uświadomiła sobie, że przekroczyła niewidzialną linię i wyłamała się z grupy. Nigdy jeszcze nie czuła się równie samotna. Wbijając zęby w wielką kanapkę z bekonem, miała wrażenie, że jest olbrzymim wielorybem. W głębi duszy była przekonana, że jej okropne samopoczucie jest od początku do końca winą przyjaciółek. Przez całe popołudnie traktowały ją tak ostrożnie, jakby była ze szkła, ale ich współczucie tylko dolewało oliwy do ognia.

Kelnerka przyniosła jej deser i Doris zatrzymała wzrok na dużym, kwadratowym ciastku pokrytym warstwą waniliowych lodów. Nie jedz tego, ostrzegało sumienie, ale deser kusił ją jak własna śmierć. Wyraźnie widziała trumnę wyrzeźbioną z brązowego cukru i białej mąki.

Cztery pary oczu śledziły każde poruszenie jej ręki i ust. Kątem oka Doris widziała dietetyczne, niedojedzone porcje na ich talerzach. W końcu odłożyła widelczyk i eleganckim gestem wytarła usta serwetką.

– Już późno – poderwała się Eve, spoglądając na zegarek. – Muszę już iść.

Wszystkie jak na umówiony sygnał opuściły głowy, sięgając po torebki. Doris również – jej torba z białej skóry leżała obok krzesła – i zobaczyła dwie wielkie fałdy własnego brzucha. Nienawidziła siebie; wirowało jej w głowie i miała wrażenie, że osuwa się w czarną otchłań.

– Przeczytałyście już *Moby Dicka*? – zapytała Gabriella, starannie odliczając swoją część rachunku.

Doris nie odezwała się, choć od chwili zakończenia lektury prawie nie potrafiła przestać myśleć o tej książce. R.J. był jej prywatnym Moby Dickiem. Kochała go i jednocześnie nienawidziła. Jej myśli nieustannie wędrowały za nim. Podejrzenia przepalały jej serce. Dniem i nocą potajemnie śniła o tym, że przeszywa go harpunem, oczami wyobraźni widziała, jak twarde ostrze wbija się w blade ciało. Ale tego, oczywiście, nie mogła opowiedzieć przyjaciółkom.

– Jakoś przez nią przebrnęłam – skrzywiła się Annie, kładąc na stół dwudziestodolarowy banknot. – To pokryje również napiwek – dodała, zwracając się do Gabrielli.

– Podobno Melville omal nie postradał zmysłów, gdy to pisał – powiedziała Midge.

– Ja byłam bliska tego podczas czytania – odparła Annie.

– U kogo spotykamy się tym razem? – zapytała Eve.

– U mnie – stwierdziła Annie. Podniosła się z krzesła, kładąc dłoń na brzuchu obronnym gestem, który nie uszedł uwagi pozostałych. – Ostrzcie sobie zęby, dziewczyny. Na przystawkę zaserwuję napletki wielorybów. Wiem o nich teraz więcej, niż jest mi to potrzebne do szczęścia.

– Ja też – przyznała Gabriella. – Nie potrafię wyrobić sobie opinii, czy ten cały Moby Dick był dobry, czy zły.

– A jeśli był dobry, to jak bardzo dobry? – dorzuciła Annie, wywołując kolejny wybuch śmiechu.

Doris podniosła się sztywno i położyła pieniądze na stole. Z pochmurną twarzą i napięciem w głosie powiedziała:

– Wszystko, co potrzebujecie wiedzieć, to to, że Moby Dick jest wielkim, białym, pomarszczonym i przez nikogo niezrozumianym kaszalotem. – Powiesiła torebkę na ramieniu, wyprostowała się i dodała: – I mam dla niego wiele współczucia.

ROZDZIAŁ JEDENASTY

— Sądzę, iż w każdej naturze istnieje skłonność do pewnego szczególnego zła, naturalny defekt, którego nie jest w stanie przezwyciężyć nawet najstaranniejsza edukacja.

— W twoim wypadku jest to skłonność do nienawiści wobec ludzi.

— A w twoim — odparła z uśmiechem — jest ich umyślne niezrozumienie.

Jane Austen, *Duma i uprzedzenie*

Eve siedziała w chłodzie klimatyzowanego sekretariatu i patrzyła przez okno na wyschniętą, zbrązowiałą trawę boiska. Choć był dopiero początek czerwca, nadeszła fala niezwykłych upałów. W ciągu ostatnich kilku tygodni temperatura nie spadała poniżej trzydziestu stopni, bijąc wszelkie rekordy. Od czasu do czasu na niebie gromadziły się chmury, z których jednak ani razu nie spadł deszcz.

Eve z westchnieniem zasunęła żaluzje. Można

było tylko starać się jak najdłużej pozostawać w klimatyzowanych pomieszczeniach i jak najmniej wychodzić na zewnątrz albo po prostu wyjechać na północ kraju, co zrobiło wiele osób.

Na szczęście kolega Finneya zaprosił go na dwa tygodnie wakacji do swego letniego domu w Michigan. W poniedziałek rano Eve ucałowała syna na pożegnanie i kamień spadł jej z serca.

Z Bronte było inaczej. Za tydzień zaczynały się zajęcia w letniej szkole, a tymczasem Doris zabierała ją popołudniami do siebie, gdzie Bronte spędzała czas z Sarą, albo wiozła obydwie dziewczyny na basen. Czasami Bronte wolała zostać w domu – mówiła, że jest zajęta albo że chce poczytać książkę. Stała się o wiele mniej towarzyska niż w zeszłym roku. Eve martwiła się o córkę, ale nic nie mogła na to poradzić. Bronte miała czternaście lat i wkraczała w trudny wiek.

W college'u Świętego Benedykta letni semestr już się zaczął na dobre i nawał organizacyjnej pracy w sekretariacie zelżał. Pat Crawford uznała, że może sobie pozwolić na urlop i w piątek przekazała odpowiedzialność za wszystkie sprawy Eve. Pilnowanie rozkładu zajęć i zaspokajanie potrzeb doktora Hammonda było dla Eve niczym w porównaniu z prowadzeniem domu, w którym mieszkał dynamiczny Tom Porter i dwoje nastolatków. Eve nabrała przekonania, że większość firm wyglądałaby lepiej, gdyby na ich czele stała gospodyni domowa.

Wydęła usta i rozejrzała się po pustym sekretariacie, gdzie samotnie spędzała przerwę na lunch. Och, Pat, pomyślała, spoglądając na uprzątnięte biurko. Gdybyś tylko wiedziała... Niepokój, jaki Eve odczuła w piątkowe popołudnie, absolutnie nie dotyczył konieczności samodzielnego radzenia sobie z pracą. Źródłem tego uczucia był doktor Paul Hammond.

O jego wybuchowym charakterze krążyły legendy, choć Eve jeszcze nie widziała go wytrąconego z równowagi. „Ten człowiek to żywy wulkan; od czasu do czasu musi wypuścić trochę pary", przekazała jej Pat. Podczas pierwszych tygodni pracy Eve obydwoje, nie będąc w stanie zdobyć się na obojętność, starali się utrzymywać wzajemny dystans. Obecność Pat wraz z jej nieustającym oddaniem szefowi i obsesją dogadzania mu pod każdym względem była pożądanym buforem. Krążyła wokół przełożonego jak komar. Eve zauważała, że od czasu do czasu doktor Hammond zaciskał usta, a w jego szybkim „Tak, tak, dziękuję, Pat" pojawiała się nuta irytacji, Pat jednak wydawała się tego nie dostrzegać. Pod tym względem Paul Hammond bardzo przypominał Toma, który także był przekonany, że wszyscy ludzie potrafią odczytywać tego typu subtelne sygnały. Eve jednak musiała przyznać, że doktor Hammond nigdy nie przekraczał granic uprzejmości.

Wobec studentów jednak nie był równie tolerancyjny i gdy którykolwiek z nich ośmielił się zbezcześcić język angielski w mowie lub w piśmie, zostawał publicznie rozniesiony na strzępy. Studenci jednak, o dziwo, uznawali to za coś w rodzaju zaszczytu. Paul Hammond cieszył się opinią utalentowanego nauczyciela i zawsze miał nadmiar chętnych na swoje zajęcia. Zarówno studenci, jak i inni wykładowcy szanowali go za pasję, z jaką traktował literaturę, oraz za błyskotliwość.

Do Eve nigdy się nie zbliżał ani z nią nie rozmawiał, jeśli nie liczyć oficjalnego „dzień dobry" i „do widzenia". Wszystkie sprawy załatwiał za pośrednictwem Pat. Toteż gdy Pat obwieściła, że wybiera się na urlop, Eve natychmiast zrozumiała, co to dla niej oznacza: konieczność bezpośrednich kontaktów z Paulem Hammondem.

Oparła głowę o ścianę i przymknęła oczy. Ten tydzień bardzo ją wyczerpał. Była w sekretariacie sama i za każdym razem, gdy Paul Hammond otwierał drzwi, Eve czuła, że ogarnia ją fala gorąca. Serce zaczynało jej głośno dudnić, dłonie pociły się, a gardło wysychało, jakby była na Saharze. Nie czuła niczego podobnego od... nie mogła już sobie przypomnieć, od kiedy. Wydawało jej się, że w jej wieku wręcz nie wypada popadać w taki stan. Ale bez względu na to, co myślała, nie mogła się przestać zastanawiać, czym on się zajmuje właśnie w tej chwili.

On wydawał się równie spięty. Gdy Eve przynosiła mu raporty albo rozkłady zajęć, wymieniali tylko absolutne minimum słów i starannie omijali się wzrokiem. Na początku sądziła, że jego zdaniem nie zasługuje na nic więcej, musiała jednak zauważyć spojrzenia, jakie rzucał w jej stronę, gdy sądził, że ona tego nie widzi. Z dnia na dzień miał do niej coraz więcej pytań i coraz częściej przystawał przy jej biurku. W końcu, ku swemu zaskoczeniu, zauważyła, że lakoniczne wymiany zdań zaczęły się przeradzać w rozmowy.

W piątek rano nawet się nie zdziwiła, widząc, że wbrew swoim zwyczajom nie zamknął za sobą drzwi do gabinetu. Przez całe przedpołudnie dobiegały do niej dźwięki muzyki klasycznej płynącej z radia.

Pomyślała, że chyba za bardzo bierze sobie do serca ten niewinny flirt, i z westchnieniem podniosła z kolan książkę. Była to *Duma i uprzedzenie*. Oto historia, którą można się delektować, pomyślała. Każde słowo tej książki sprawiało jej radość nawet przy trzecim czytaniu. Miała wiele wspólnego z Elizabeth Bennet: ją także łączył dziwny związek z dumnym, piekielnie przystojnym mężczyzną.

W chwilę później odgłos otwieranych drzwi przerwał jej lekturę. Paul Hammond wpadł do sekretariatu jak burza. Podniosła głowę i na jego widok serce niemal przestało jej bić. Twarz miał bladą i ściągniętą, włosy mokre od potu. Zawsze, bez względu na pogodę, nosił garnitur, teraz jednak marynarkę miał przewieszoną przez ramię, a rękawy koszuli podwinięte do łokci. W drugiej ręce niósł ciężką teczkę z książkami.

Wyglądał podobnie jak Tom w ostatnim dniu swojego życia.

Eve poczuła dreszcz i impulsywnie zerwała się na nogi. Książka wypadła jej z ręki.

– Doktorze Hammond, czy dobrze się pan czuje? – zawołała, zatrzymując się o krok przed nim.

Rzucił teczkę na podłogę, nalał sobie szklankę zimnej wody i wypił ją duszkiem.

– W sali wykładowej nie było prądu – powiedział niskim głosem. – Światło, klimatyzacja, wszystko wysiadło. Otworzyłem okna, ale nie było ani odrobiny wiatru. Zupełnie jak w saunie.

– Niech pan usiądzie i ochłonie. Proszę mi dać tę marynarkę. Przyniosę jeszcze wody.

– Dziękuję – odrzekł Hammond, spoglądając na nią z zaciekawieniem.

Napełniła szklankę wodą i podała mu ją. Zauważyła z ulgą, że zaczął równiej oddychać i kolory na jego twarzy wróciły do normy. Podobnie jak Tom miał śniadą skórę, która szybko brązowiała na słońcu, i takie same mocno wystające kości policzkowe.

Eve nalała jeszcze jedną szklankę wody i tym razem sama ją wypiła.

– Już lepiej. Tu przynajmniej działa klimatyzacja – powiedział wreszcie Hammond. – Nic mi się nie stało, po prostu źle znoszę upał. Studenci wytrzymali to lepiej ode mnie.

Eve spojrzała mu prosto w twarz.

– To znaczy, że nie odwołał pan zajęć?

– A dlaczego miałbym to zrobić?

– Na przykład ze względu na niebezpieczeństwo udaru. Nie tylko u pana, ale także u studentów.

– Moja praca polega na nauczaniu i to właśnie zrobiłem. W moim kontrakcie nie ma żadnej wzmianki na temat warunków pogodowych.

Eve poczuła gniew.

– Naprawdę trzymał pan te dzieci na zajęciach? Dzisiaj? W takim upale?

– Nie podoba się to pani? – zapytał spokojnie, odchylając się do tyłu na krześle.

Po jego czole spływała kropelka potu. Eve podeszła do biurka i podała mu chusteczkę.

– Nie ma znaczenia, co mi się podoba, a co nie.

– Aha – odrzekł, unosząc brwi. – Ale myślę, że ma pani na ten temat swoje zdanie. Ma pani swoje zdanie na każdy temat i potrafi je pani wyrażać wprost oraz bezpośrednio. Podoba mi się to. Nie lubię ludzi, którzy owijają wszystko w bawełnę. A więc?

Eve zawahała się.

– Myślę – powiedziała wreszcie, krzyżując ramiona na piersiach – że tylko niezdrowy egoizm albo zupełna bezduszność mogły pana skłonić do trzymania gromady dzieciaków w nagrzanym jak piec pomieszczeniu w taki dzień jak dzisiaj, bez względu na to, jak fascynujący i błyskotliwy był pański wykład.

W jego oczach pojawił się dziwny błysk.

– Rozumiem. No cóż, pomińmy ten komentarz o jakości mojego wykładu i pozostańmy przy studentach. Dlaczego sądzi pani, że trzymałem ich w sali?

Rozmowa najwyraźniej zaczynała go bawić.

– Ale przecież sam pan powiedział... – zająknęła się.

– Powiedziałem, że nie było prądu i że w sali było duszno, a jednak przeprowadziłem wykład. Pani zaś samodzielnie doszła do wniosku, że zmusiłem studentów do siedzenia w tej saunie. – Wstał i sięgnął po marynarkę. – Przykro mi niszczyć ten diaboliczny obraz mojej osoby, ale wyprowadziłem studentów na boisko i tam, w cieniu, przeprowadziłem wykład, podczas gdy oni popijali kupione przeze mnie napoje. – Lekko wzruszył ramionami. – Skoro było to wystarczająco dobre dla Sokratesa, to i ja nie powinienem narzekać.

Eve poczuła wypełzający na policzki rumieniec i opuściła wzrok.

– Jestem pewna, że to był wspaniały wykład... No cóż, bardzo przepraszam.

Pochyliła się po książkę, ale Hammond był szybszy.

– Co pani czyta? – zapytał.

– *Dumę i uprzedzenie.*

– Och.

Wyczuła w jego głosie cień pobłażliwości. Wiedziała, że nie powinna reagować, że lepiej byłoby powiedzieć po prostu „dziękuję" i zamknąć na tym temat, ale odważyła się skoczyć na głęboką wodę.

– Jak mam to rozumieć? – zapytała zaczepnie.

Hammond uniósł brwi.

– Zwyczajnie. Po prostu: och.

– Nie podoba się panu ta książka?

– Dlaczego nie? To klasyka.

– Czytał pan ją kiedyś?

Otworzył usta i po chwili zamknął je z lekko zażenowanym wyrazem twarzy.

– Przypuszcza pan, że to zbyt niepoważna lektura dla mężczyzny?

Potrząsnął głową i pogroził jej palcem.

– O nie, nie dam się złapać w tę pułapkę. Istnieje wiele książek napisanych zarówno przez kobiety, jak i przez mężczyzn, których nie czytałem, w tym wielu klasyków. No, może niestety tych ostatnich nie tak wielu – dodał z czarującym błyskiem w oczach.

– W takim razie może pan ją przeczyta? Bardzo polecam. Chyba że nie lubi pan książek o miłości – dodała prowokująco.

– Ależ bardzo je lubię – zapewnił ją natychmiast. – Moim absolutnym faworytem jest *Tristan i Izolda*. *Wojna i pokój* to również znakomity romans.

Spojrzał na nią kpiąco, wziął do ręki teczkę i wycofał się do swojego gabinetu, kończąc na tym rozmowę.

– Chciałabym o coś zapytać! – zawołała za nim Eve.

Zatrzymał się w progu i odwrócił głowę.

– Co pan teraz czyta?

– Teraz? – Wydawał się zaskoczony pytaniem. Zmarszczył brwi. – Cóż, czytam tak wiele różnych rzeczy...

– Nie, nie do pracy. Dla przyjemności.

Pokiwał głową ze zrozumieniem i na jego ustach pojawił się przebiegły uśmieszek.

– *Boską Komedię* Dantego.

Eve jęknęła w duchu. Nigdy nie próbowała choćby rozpocząć tej lektury i była przekonana, że Hammond chce ją onieśmielić.

– Dla przyjemności? – upewniła się tonem, który wyraźnie odbijał jej wątpliwości.

Uśmiech Hammonda stał się wręcz anielski, a w jego oczach zamigotał przewrotny błysk.

– Och, tak, oczywiście. Czytanie *Boskiej Komedii* to czysta, zmysłowa przyjemność. Szczególnie gdy czyta się ją w oryginale.

Weekend był podobny do wielu innych. Pranie, zakupy, telewizja. Eve wyczekiwała poniedziałkowego powrotu do pracy i gdy wreszcie nastąpił, pojawiła się w sekretariacie wcześniej niż zwykle. Pat Crawford miała wrócić z urlopu i Eve chciała sprawdzić, czy wszystko jest w porządku. Otworzyła ciężkie dębowe drzwi jednym z wielu kluczy na metalowym kółku i weszła do środka.

Sekretariat był pusty i jak zwykle mroczny. Jej kroki odbijały się echem od wysokich ścian. Po raz pierwszy znalazła się tu zupełnie sama. Położyła torebkę na biurku, zgarnęła pocztę i weszła do gabinetu doktora Hammonda.

Zawsze panowała tu atmosfera trochę nie z tego świata. Przez okno wpadało do środka poranne słońce. Wielkie biurko było puste, dzięki jej wysiłkom, ale wszędzie dokoła piętrzyły się stosy książek i papierów. Paul Hammond czuł się najszczęśliwszy, gdy otaczał go chaos. „Doskonale wiem, gdzie co jest. Proszę niczego nie ruszać", nakazał jej.

Ośmieliła się przesunąć ręką po gładkim blacie biurka i dotknąć papierów pokrytych jego niemal nieczytelnym charakterem pisma. Nie było tu żadnych fotografii w ramkach ani osobistych drobiazgów. Eve nie słyszała, by Paul Hammond był z kimkolwiek związany. Dotarły do niej plotki, że ma bogatą rodzinę. Był to stary angielski ród mieszkający w wielkiej posiadłości, z gatunku tych, które uwielbiali zwiedzać turyści i które darowują muzeom szkice Rembrandta.

Spojrzała na zegarek. Pat powinna się pojawić lada chwila i choć Eve lubiła ją, żałowała, że jej urlop już się kończy, a wraz z nim dni spędzane sam na sam z przełożonym. Ciekawa była, czy w tym tygodniu również zostawi otwarte drzwi do swojego gabinetu.

W pięć minut później, gdy Paul Hammond wszedł do sekretariatu, Eve siedziała już przy swoim biurku. Na jego widok zupełnie nieświadomie obciągnęła spódnicę i wygładziła włosy. Skinął jej głową i zupełnie zwyczajnym tonem powiedział:

– Dzień dobry, Eve – a potem nalał sobie kawy. Kiedy Pat nie było, robił to sam.

Eve wyczuła między nimi większe niż zwykle napięcie. Zdawało jej się, że dziekan chce jej coś powiedzieć, ale nie odezwał się.

Czuła na sobie jego wzrok i nie mogła się skupić na pracy. Literki na monitorze rozmazywały się. W końcu odwróciła się i spojrzała prosto na niego, przerywając ten impas.

– Przeczytałem przez weekend *Dumę i uprzedzenie* – powiedział nieśmiało.

Eve z zaskoczenia aż zamrugała powiekami. Była to ostatnia rzecz, jaką spodziewała się od niego usłyszeć.

– Och? – wykrztusiła tylko.

– Miała pani rację. To fascynująca książka. Dziękuję, że mi ją pani poleciła. To znaczy, oczywiście, polecano mi ją już wielokrotnie – dodał i uśmiechnął się otwarcie, bez cienia rezerwy.

– Cieszę się – odrzekła po prostu, bo nie wiedziała, co powiedzieć. Po chwili jednak dodała, nie mogąc się oprzeć: – To cenne uzupełnienie pańskiej listy lektur.

Można było odnieść wrażenie, że jej ironia sprawiła mu przyjemność. Gorliwie podszedł o krok bliżej.

– Powinienem zostać zlinczowany za to, że nie przeczytałem tego wcześniej. Profesor angielskiego, i tak dalej. Ale cóż, nadrobiłem ten brak. Dzięki pani.

– Lubię sumiennie wykonywać swoje obowiązki – uśmiechnęła się.

Rozejrzał się po sekretariacie, po czym niepewnie potarł ucho i dodał:

– Muszę dziś rano popracować trochę w bibliotece Newberry. Mam pewien wielki projekt, który na razie znajduje się w stanie kompletnej dezorganizacji. Przydałaby mi się pomoc.

– Niech zgadnę. Dante?

W jego oczach pojawił się błysk rozbawienia.

– Nie, tym razem nie. Poeci romantyczni. Blake, Byron...

– Keats, Shelley, Wordsworth – dokończyła i zobaczyła w jego wzroku podniecenie.

– Interesuje to panią?

– Och tak, bardzo – odrzekła, zastanawiając się, czy on wie, że właśnie tym zajmowała się w college'u.

– A pani sądziła, że ja nie lubię powieści o miłości...

Tym razem to ona uniosła brwi.

– No cóż, nie nazwałabym *Wojny i pokoju* powieścią o miłości... Ale jestem rozczarowana, że nie będziemy czytać Dantego. To byłaby uczciwa wymiana.

– To nie ten okres literacki – zaśmiał się Hammond. – Może następnym razem.

– Oczywiście po włosku? – uśmiechnęła się.

– Oczywiście! – zaśmiał się, po czym dodał ze zdumiewającą powagą: – Chciałbym kiedyś zrobić to z panią.

Ich spojrzenia spotkały się na chwilę i Eve poczuła, jakby w całym ciele, aż po palce u stóp, przeniknął ją impuls elektryczny. Hammond odwrócił głowę i zgarnął swoje papiery.

– Widziałem, że czyta pani książki podczas przerw. Kiedyś widziałem, jak czytała pani w windzie. Była pani tak zaabsorbowana, że nawet mnie pani nie zauważyła. Widziałem też pani list motywacyjny. Ma pani bardzo ciekawą historię życia, dyplom z literatury angielskiej i całe lata wolontariatu w Centrum Czytelniczym. To wspaniałe, że poświęcała pani tyle swojego czasu na tę pracę. Wywarło to na mnie wielkie wrażenie. Musi pani bardzo kochać książki. Ja też je kocham i dlatego zastanawiałem się, czy może... no cóż... raczej miałem nadzieję, że spodoba się pani ten projekt.

Eve poczuła się jednocześnie onieśmielona i poruszona. A więc Paul Hammond wcale nie patrzył na nią z góry. Nie miał pojęcia, ile dla niej znaczyło jego uznanie po tak wielu zupełnie innych latach.

– Newberry – powtórzyła z szacunkiem. – Prawie całe życie spędziłam w Chicago i wiele razy zaglądałam tam przez szybę, zgadując, co się mieści za tym wielkim biurkiem recepcji. Zawsze wydawało mi się, że ta biblioteka to bastion starych, zasuszonych uczonych, badaczy i historyków.

– Bo tak jest. Za chwilę usłyszę, że to miejsce akurat dla mnie, ale będzie pani miała rację – uśmiechnął się, ubiegając jej protesty. – Kiedyś rzeczywiście było to elitarne miejsce. W pewnym stopniu nadal jest, ale to się powoli zmienia. Powinna pani tam pójść. Nie ma drugiego takiego. Piękny budynek w stylu neoromańskim, a w środku warte miliony dolarów rzadkie zbiory, na przykład jedna z najlepszych na świecie kolekcja literatury renesansu.

Podniósł wzrok i zapytał jeszcze raz z wzruszającą prostotą:

– Zechce pani pójść?

Było co najmniej tuzin powodów, dla kórych nie powinna przyjmować zaproszenia Paula, i co najmniej drugie tyle przemawiających za tym, by je przyjąć. Ale w półmroku taksówki, która wiozła ich na północ miasta, Eve była w stanie myśleć tylko o jednym z tych powodów: chciała być z nim sama.

Po drodze nie rozmawiali wiele. Hammond chyba czuł się równie nieswojo jak Eve przytłoczona tak bliską jego obecnością. Był nie tyle wysoki, co potężnie zbudowany i wydawało się, że wysysa całe powietrze z wnętrza taksówki. Spod opuszczonych powiek Eve patrzyła na jego dłonie. Były duże, lecz eleganckie, a paznokcie krótkie i owalnie spiłowane. Na przegubie nosił cienki złoty zegarek, częściowo przysłonięty białym, wykrochmalonym mankietem. Na myśl o pieszczocie tych dłoni Eve wstrzymała oddech i szybko spojrzała za okno.

Poczuła się swobodniej dopiero gdy przekroczyli potrójny portal biblioteki. Jej towarzysz najwyraźniej czuł się tu jak w domu. Skinął głową ochronie, zamienił kilka słów z bibliotekarzem, a potem poprowadził ją po olbrzymich schodach, wskazując po drodze na ciekawe detale architektoniczne. Stał się jeszcze bardziej dominujący, Eve zaś poczuła się przy nim jeszcze mniejsza, i nie chodziło tylko o to, że sufity znajdowały się tu na wysokości sześciu metrów, a wyłożone marmurową mozaiką posadzki, po których szli, były bezcenne. Przede wszystkim onieśmielała ją wiedza gromadzona w tych murach przez tak wiele lat.

Paul Hammond poprowadził ją do małej czytelni, którą zarezerwował wcześniej. Usiedli obok siebie przy stole, na który wysypał z teczki wielki stos pomiętych, nieuporządkowanych notatek. Widziała po jego oczach, że sam nie wierzy, by ten bałagan dało się uporządkować, i uśmiechnęła się w duchu. Doświadczenie matki dwojga dzieci znów okazywało się przydatne.

– Mogę pomóc? – zapytała, spokojnie sięgając do papierów.

Skinął głową i na jego twarz powoli wypłynął uśmiech. Odniosła wrażenie, że chce sprawdzić jej umiejętności. Zrobiła miejsce pośrodku stołu i wprawnie zaczęła sortować papiery, układając je w mniejsze pliki. Hammond skinął głową z uznaniem i poszedł do katalogów.

Eve pracowała bez wytchnienia przez całe przedpołudnie. To zajęcie było dla niej przyjemną odmianą; czuła się jak młoda dziewczyna wypływająca na wielki ocean. Obawiała się wprawdzie, że może mieć kłopoty z utrzymaniem głowy nad wodą; dawno już nie zajmowała sią pracą naukową i na początku zastanawiała się nad każdym krokiem, szybko jednak nabierała pewności siebie.

W końcu odsunęła się od stołu i przeciągnęła. Hammond patrzył na nią.

– Co takiego? – zapytała z rumieńcem.

Odchylił się na oparcie krzesła i również uśmiechnął.

– Widzę, że ta praca sprawia pani radość.

– Już dawno nie zajmowałam się czymś takim... – Urwała, uświadamiając sobie, że nie potrafi mu wyjaśnić tego, co czuje. Powiedziała więc tylko: – Zdążyłam już zapomnieć, jaka to przyjemność. Jak odwiedziny u starych przyjaciół. Po tygodniach wypełniania formularzy czuję się, jakbym wyszła z więzienia.

– Skończyła pani Uniwersytet Northwestern?

Skinęła głową.

– Moi rodzice nie chcieli, żebym wyjeżdżała daleko. Byłam jedynaczką. A pan?

– Cambridge. Jestem trzecim synem i zdecydowała o tym rodzinna tradycja.

– Tęskni pan do Anglii?

– Absolutnie nie! – zawołał z dziwnym ożywieniem, ale wyczuwała jakąś złość pod jego zbyt szerokim uśmiechem. – Uwielbiam Amerykę, a szczególnie Środkowy Zachód, wielkie przestrzenie i bezpretensjonalność. Ludzie tutaj są bardzo otwarci, mówią to, co myślą, nie oglądając się na konwencje. Moja rodzina jest typowo brytyjska. Kościół anglikański, pozycja społeczna i tak dalej. – Uśmiechnął się z przekornym błyskiem w oczach. – Spisali mnie na straty w chwili, gdy przyjechałem kiedyś do domu w tenisówkach i czapeczce baseballowej.

Podniósł się od stołu, kończąc rozmowę.

– Chodźmy stąd – dodał i wyciągnął do niej rękę. – Strawy dla duszy na dziś wystarczy. Może teraz zadbamy o nasze żołądki?

Zjedli lunch w przylegającym do biblioteki parku. Było piękne popołudnie i żadne z nich nie miało ochoty wracać do wnętrza budynku. Upały wreszcie trochę zelżały, było bardzo ciepło, ale nie duszno. Lekki powiew poruszał liśćmi drzew. Eve siedziała na ławce, wdychając wonne powietrze, i czuła, że budzi się w niej chęć do życia.

Doktor Hammond kupił lunch w europejskich delikatesach na rogu. Rozłożyli na ławce papierowe serwetki i położyli na nich kanapki z chrupkiego chleba, świeżą mozarellę, pomidory pokrojone w plasterki i pęczek świeżej bazylii. Eve przypomniała sobie improwizowane pikniki, jakie kiedyś często urządzali sobie z Tomem, gdy jeszcze był stażystą na chirurgii. Godziny dyżurów stażystów były zupełnie nieludzkie, więc Eve lubiła sprawiać mu niespodzianki i pojawiać się w szpitalu z koszykiem pełnym jedzenia. Rozkładali je na trawniku i tylko dzięki temu udawało im się spędzić razem kilka cennych chwil.

Ogarnęła ją melancholia. Wzięła do ręki kawałek chleba i rzucała okruchy gołębiom.

– Eve, dobrze się czujesz? – zapytał Hammond.

Spojrzała na niego, nie zdając sobie sprawy, jak bardzo jej twarz odbija uczucia.

– Myślałam o przeszłości... Kiedyś często z mężem urządzaliśmy sobie takie pikniki. Dawno temu.

– Jesteś rozwiedziona?

Potrząsnęła głową.

– Jestem wdową – wyjaśniła cicho i poczuła dreszcz. Użyła tego słowa po raz pierwszy.

– Przykro mi.

– Och, wszystko w porządku. Radzę sobie. W tym miesiącu upłynie rok od śmierci mojego męża.

– Jak długo byliście małżeństwem?

– Ponad dwadzieścia lat. – Na widok jego zdumienia pokiwała głową. – Wiem, to bardzo długo. Chociaż wydaje się, że wcale nie. – Wzruszyła ramionami i dodała, chyba bardziej do siebie niż do niego: – To było dobre małżeństwo.

Zamilkła, ale wciąż czuła na sobie jego wzrok. Nie miała jednak ochoty rozmawiać o Tomie, a szczególnie z Paulem. To był zbyt bolesny i intymny temat. Odwróciła głowę i wpatrzyła się w dzieci na huśtawkach po drugiej stronie trawnika.

– Ja też jestem wdowcem – usłyszała po chwili.

– Naprawdę? – zdziwiła się szczerze.

Hammond krótko skinął głową.

– Moje małżeństwo trwało znacznie krócej niż twoje. Moja żona nie żyje już od lat. Obydwoje byliśmy młodzi, ale cóż, to był wielki cios. Ja... – Machnął ręką. Temat był najwyraźniej drażliwy i nabrzmiały emocjami. – Bardzo długo byłem młodym, gniewnym człowiekiem. Za dużo piłem i robiłem rzeczy, których później żałowałem. – Zaśmiał się krótko. – Byłem zwykłym pajacem. Boże, ileż emocji mieści się w młodych ludziach. Może dlatego tak lubię moich studentów. Są jak wulkany w każdej chwili gotowe do wybuchu. Mam nadzieję, że uda mi się przekształcić ich pasje w wizje. Cokolwiek ich inspiruje, literatura, nauka czy komputery, nieważne, co to jest, byleby potrafili przekształcić swoje namiętności w coś, co naprawdę kochają – oczywiście poza seksem. Bardzo trudno odwrócić ich uwagę od tej uliczki. Nie oczekuję, że będą osiągali światowe sukcesy, ale chciałbym, żeby się rozwijali. Tylko wewnętrzna wizja, nieważne, czy dotycząca rzeczy wielkich, czy małych, jest w stanie ocalić ich w świecie nieustannych zmian. – Umilkł na chwilę, a potem dodał: – Żałuję, że nie jestem już młody.

– Ależ jest pan młody! Moja przyjaciółka, Annie, twierdzi, że nie ma czegoś takiego jak wiek, i choć moje ciało nie chce się z nią zgodzić, duchem jestem o tym przekonana.

Zatrzymał na niej wzrok na długą chwilę.

– Rzadko rozmawiam na takie tematy – zaśmiał się i podniósł papierowy kubek. – Nie mogę złożyć tego na karb wina, bo go tutaj nie ma, więc pewnie chodzi o towarzystwo.

Eve poczuła dziwną euforię. Nie doświadczała czegoś podobnego już od wielu lat.

– Nie zgadzam się, że pasje przeznaczone są tylko dla młodych ludzi – powiedziała. – Myślę, że często pojawiają się w życiu, szczególnie po jakiejś dużej zmianie. Po śmierci Toma przez wiele miesięcy codziennie musiałam walczyć o przetrwanie, nawet nie ze względu na siebie, ale dla moich dzieci. I z dnia na dzień było coraz lepiej. Ale dzisiaj – podniosła wzrok na jego twarz w nadziei, że zostanie dobrze zrozumiana – gdy pracowaliśmy w bibliotece, znów poczułam się sobą. Miałam przed sobą cel, praca sprawiała mi radość.

Skinął głową i w jego wzroku pojawiła się łagodność.

– Praca ma tę cudowną właściwość, że pozwala odzyskać sens życia i nadać mu nowy kierunek. Powiedz, czy nigdy nie chciałaś uczyć?

Zaśmiała się lekko.

– Owszem, chciałam. To mój cel. Ale muszę odnowić certyfikat.

– Powinnaś to zrobić. Pomogę ci. Mogę napisać list rekomendujący. Wiesz chyba, że masz prawo do zniżki w opłatach? Chodzisz już na jakiś kurs?

Potrząsnęła głową.

– Jeszcze nie. Nie czułam się gotowa. Na razie najważniejsze było znalezienie pracy. Ale chyba spróbuję w następnym semestrze. Teraz wydaje mi się to osiągalne. To wielka ulga poczuć, że powrót do świata uniwersyteckiego nie jest tak trudny, jak mi się wydawało. Odkąd przekroczyłam czterdziestkę, martwiłam się, że już za późno, że może mój umysł nie jest już tak sprawny jak kiedyś i nie nadaję się do rywalizacji. Obawiałam się, że straciłam swoją szansę. Teraz wiem, że to wszystko bzdury. Uczyć się może każdy, trzeba tylko chcieć.

– Mark Twain powiedział, że uczenie się to marnowanie młodości.

– Tak. Pracując z tymi dzieciakami, uświadamiam sobie codziennie, że nie jestem już młoda.

– A któż by chciał być w ich wieku? – zaśmiał się Hammond, sięgając po butelkę. – Chcesz jeszcze wody, staruszko?

– Tak, dziękuję, doktorze – odrzekła z rozbawieniem.

– Proszę, mów mi: Paul.

Zmieszana Eve odłamała kawałek chleba. A więc zbliżyli się do siebie o kolejny krok.

– Zastanawiałem się nad czymś – powiedział Hammond, zakręcając butelkę. – Dobrze nam się razem pracuje, a zostało jeszcze sporo do zrobienia. Czy znalazłabyś dla mnie trochę czasu jutro?

– Chyba tak – odrzekła, starannie skrywając entuzjazm. – Paul. – Ich spojrzenia zetknęły się na chwilę, po czym szybko rozbiegły.

– To dobrze – mruknął i w kącikach jego ust zadrgał uśmiech.

Eve znów czuła się młoda, jakby obudziła się z długiego snu. Spędzi kolejny dzień z Paulem. Wróci do szkoły, odnowi certyfikat, ucieknie od biurowej rutyny i wypełniania formularzy. Któregoś dnia znów będzie uczyć. To było największe marzenie jej życia, więc dlaczego nie miałaby go zrealizować? Przecież z tego życia minęła zaledwie połowa.

Spojrzała na Paula, który siedział na ławce wygodnie oparty, z twarzą zwróconą do nieba, a potem znów opuściła wzrok na swoją do połowy opróżnioną szklankę z wodą i pomyślała, że ta szklanka nie jest w połowie pusta, lecz w połowie pełna.

W piątek po południu Midge i Edith szły przez Walton Street do galerii, w której miała się odbyć grupowa wystawa z udziałem Midge. Była to dobra galeria, bardzo wybredna w wyborze artystów, a towarzystwo, w jakim miały się znaleźć jej obrazy, jeszcze dodawało prestiżu całemu przedsięwzięciu. Spośród pięciu osób, które zostały zaproszone do udziału w wystawie, co najmniej jedna mogła liczyć na sprzedaż swych dzieł. Takie szanse nie pojawiały się codziennie, toteż Midge już od kilku miesięcy była bez reszty zaabsorbowana pracą.

Bardzo pragnęła, by jej matka zrozumiała, jak ważna jest ta wystawa. Edith ostatnio zaczęła się interesować poczynaniami córki, a w każdym razie była zaskoczona jej oddaniem sztuce. „Nie miałam pojęcia, że jesteś tak wytrwała", powiedziała jej kiedyś i był to dotychczas największy komplement, jakiego Midge doczekała się od niej w ciągu całego życia. Edith nigdy nie twierdziła, że zna się na sztuce abstrakcyjnej i Midge nie oczekiwała od niej fachowej oceny. Wiedziała, że jej matka lubi ładne obrazki, na których przedstawione są rzeczy dające się bez wysiłku rozpoznać. Jednak od kiedy wynajęła mieszkanie w domu córki, przestała nazywać jej obrazy „kleksami i bazgrołami", Midge zaś nie mówiła już o psie matki „ten obrzydliwy futrzak".

Szły na skróty przez Park Waszyngtona. Naraz Edith zatrzymała się i pociągnęła Midge za rękaw.

– Popatrz tam – syknęła, zakrywając usta dłonią. – Tam, na ławce. Czy to nie jest przypadkiem Eve Porter?

Midge również się zatrzymała i spojrzała we wskazanym kierunku. Kobieta do złudzenia przypominająca Eve siedziała na ławce obok rosłego mężczyzny w beżowym garniturze. Pogrążeni byli w rozmowie, a w ich gestach i spojrzeniach było coś, co wskazywało na znaczną intymność. Midge spojrzała jeszcze raz, nie dowierzając własnym oczom.

– To chyba niemożliwe – stwierdziła. – Co Eve mogłaby tu robić o tej porze, w dodatku z mężczyzną? Powinna być teraz w pracy.

– Moim zdaniem ona ma z nim romans – oznajmiła Edith z głębokim przekonaniem. – I wcale jej się nie dziwię. Każda kobieta poleciałaby na takiego mężczyznę. Chociaż chyba jest dla niej trochę za stary. Wygląda na sześćdziesiątkę. Nie sądzisz, że wiekiem pasowałby raczej do mnie?

– Boże, mamo! – westchnęła ciężko Midge. – Zachowuj się stosownie! Ciekawe, dlaczego Eve nigdy o nim nie wspomniała?

– Woli go mieć wyłącznie dla siebie. Nie przypuszczałam, że jest taka sprytna. Cicha woda brzegi rwie. Chodź, zabawimy się trochę.

– Mamo, uspokój się! – zawołała Midge z niepokojem, ale było już za późno. Edith wyszła zza krzewów i skierowała się w stronę ławki.

– Eve, przecież to ty! – zawołała z daleka. Midge nie miała wyboru; musiała pójść za nią.

Na dźwięk głosu Edith Eve drgnęła, ale szybko opanowała się i przywołała na twarz uprzejmy uśmiech. Widząc Midge, zarumieniła się nieco. Było jasne, że nie spodziewała się spotkać nikogo znajomego.

Midge z ciekawością przyjrzała się mężczyźnie. Był wysoki i szeroki w ramionach oraz miał w sobie coś ekscentrycznego, co z miejsca do niej przemówiło. Podobał jej się i widziała, że matka na jego widok reaguje jak pies Pawłowa.

– Nie przedstawisz nam swojego znajomego? – zapytała Edith z wyraźną niecierpliwością.

Rumieniec Eve jeszcze się pogłębił.

– Oczywiście, bardzo przepraszam, właśnie zamierzałam to zrobić. Edith Kirsch, Midge Kirsch, poznajcie doktora Paula Hammonda, dziekana naszego wydziału anglistyki. Pracujemy razem w Newberry. Prowadzimy badania literackie.

Midge nigdy jeszcze nie widziała Eve tak spiętej.

– Bardzo mi miło panie poznać – odezwał się mężczyzna. – Odkryłem, ku swej wielkiej radości, że Eve jest znawczynią poetów romantycznych. Nie mam pojęcia, co bym bez niej zrobił.

Brytyjski akcent niemal rzucił Edith na kolana.

– Jakie to szczęście, że możecie prowadzić te badania w parku – zauważyła Midge sarkastycznie, ale na widok spojrzenia Eve poczuła sią głupio i dodała pospiesznie: – W taki piękny dzień.

Ale było już za późno, by uratować sytuację. Eve odpowiedziała jej krzywym uśmiechem.

– Jakoś udało nam się wyrwać na lunch.

– Eve najchętniej pracowałaby bez przerw, ale nie pozwalam na to. Gdy jestem głodny, wpadam w zły humor – oznajmił mężczyzna. – A ponieważ jestem jej przełożonym, musi mnie słuchać.

Napięcie szczęśliwie zelżało. Midge wolała nie ryzykować następnej tury konwersacji.

— Musimy już iść — powiedziała, spoglądając na zegarek. — Idziemy do galerii Wittman. To tuż za rogiem. W ten weekend mam wernisaż, pamiętasz, Eve? W piątek wieczorem. Muszę obejrzeć ścianę, na której będą wisiały moje obrazy. Dostałaś zaproszenie?

— Tak, dziękuję. Jest piękne — odrzekła Eve chłodno.

— Było mi bardzo miło pana poznać, doktorze. Gdyby miał pan ochotę zobaczyć moją wystawę, serdecznie zapraszam — dodała Midge z czystej uprzejmości, ale ku jej zdumieniu doktor Hammond odrzekł:

— Dziękuję, przyjdę na pewno. Sztuka bardzo mnie interesuje, a nie znam wielu chicagowskich artystów. Miło było panią poznać. — Odwrócił się do Edith: — Panią również, pani Kirsch.

— Edith — poprawiła go, wyciągając dłoń królewskim gestem.

Midge musiała odciągnąć ją od ławki siłą.

— Nie oglądaj się — szepnęła, ale Edith oczywiście odwróciła się i spojrzała przez ramię.

— Mogłabym się w nim zakochać — szepnęła. — Co za urok! Tylko Brytyjczycy potrafią się tak zachowywać. I te oczy! Och, mój Boże, mogłabym w nie patrzeć przez tydzień. — Zwróciła na córkę mroczne spojrzenie. — Dlaczego ty nigdy nie przyprowadzisz do domu takiego mężczyzny?

— Proszę cię, mamo — powiedziała Midge lodowatym tonem. — Nie zaczynajmy tego od początku.

— Ale ja pytam zupełnie poważnie. Gdybyś tylko zadbała o fryzurę, zrobiła sobie makijaż, na pewno mogłabyś wpaść w oko komuś takiemu. Ciekawa jestem, gdzie Eve chodzi do fryzjera? Tobie też byłoby dobrze w takiej krótkiej fryzurze.

Gdy nie doczekała się odpowiedzi, westchnęła jeszcze:

— I dlaczego zachowałaś się tak grubiańsko? Nie mogłam uwierzyć własnym uszom!

Midge zmarszczyła czoło, ale tym razem też się nie odezwała. Wstydziła się własnego zachowania. Jak miała wytłumaczyć własnej matce, że Paul Hammond na niej również zrobił wrażenie? Ale przede wszystkim irytowało ją, że Eve Porter, która wcześniej już miała męża w osobie energicznego, przystojnego i bogatego lekarza, tak szybko znalazła następnego mężczyznę, który się nią zainteresował. Eve była sama zaledwie od roku. Tymczasem Midge pozostawała samotna już od wielu, wielu lat.

— O co tu chodzi? Słyszałam, że zamiast pracować, chodzisz do parku na randki, w dodatku ni mniej, ni więcej, tylko z dziekanem własnego wydziału! — zawołała Annie, stojąc na progu mieszkania Eve z butelką wina w ręku. — Wpuść mnie. Przyniosłam coś na wzmocnienie. Nie wywiniesz się tak łatwo.

– Kto ci powiedział? – jęknęła Eve, wpuszczając ją do środka.

Na sofie w salonie piętrzyła się sterta upranych rzeczy, telewizor ryczał na cały regulator, a na stołach poniewierały się puste kubki i opakowania po batonikach. Był typowy piątkowy wieczór.

– Całe miasto o tym plotkuje – uśmiechnęła się Annie, idąc slalomem do kuchni. Eve szła za nią, na chybił trafił zbierając po drodze brudne naczynia.

– Naprawdę, Eve, to niesprawiedliwe – perorowała Annie, wbijając korkociąg w zamknięcie butelki. – Opowiadasz mi mnóstwo nudnych szczegółów ze swojego życia finansowego, ale gdy chodzi o życie uczuciowe, zatrzaskujesz się w skorupie jak ostryga. Domagam się wszystkich pikantnych detali. Możesz to uznać za moje honorarium.

Korek wyskoczył z butelki na tle głośnego śmiechu Eve.

– Nie mam żadnego życia uczuciowego! – zaprotestowała.

W tej chwili do kuchni weszła Bronte.

– Życie uczuciowe? – zapytała z przerażeniem. – Czyje? Twoje, mamo?

– Nie słuchaj Annie. Ona zupełnie zwariowała – uspokajała ją Eve, obrzucając jednocześnie przyjaciółkę wymownym spojrzeniem. – Wychodzisz dokądś?

– Idę do kina ze znajomymi.

– Aha. Same dziewczyny?

Bronte tylko ponuro wzruszyła ramionami.

– A jakżeby inaczej?

Nie miała chłopaka. Eve wiedziała o tym i znała jej rozgoryczenie z tego powodu. Ona sama nie mogła zrozumieć, dlaczego chłopcy nie tłoczą się wokół jej córki, ale z drugiej strony czuła ulgę, że ten problem jeszcze jej nie dotyczy.

– Tato Vicki nas zawiezie. Muszę już lecieć – wyjaśniła Bronte i dodała podejrzliwie: – Ale ty będziesz w domu?

Eve roześmiała się krótko.

– Boże, sama nie wiem. Finney ma zostać na noc u Nello, więc pomyślałam sobie, że może zaszaleję i gdy skończę pranie, to, na przykład, pomaluję sobie paznokcie!

– Bardzo zabawne! – mruknęła dziewczyna. – Będę w domu o wpół do jedenastej. Może nawet wcześniej – dodała znacząco.

Po jej wyjściu Annie potrząsnęła głową.

– Od kiedy to ona jest tu matką? Gdyby to moje dziecko...

– Annie – przerwała jej Eve ostrzegawczo.

– Dobrze, dobrze. Wróćmy do tego, o czym rozmawiałyśmy wcześniej, skarbie. Chodź, usiądziemy sobie wygodnie.

Poszły do salonu, przesunęły stertę upranych rzeczy i umościły się na kanapie.

– Mów – zażądała Annie z oczami błyszczącymi ciekawością. – Tylko niczego nie pomijaj. Moje życie uczuciowe legło w gruzach, więc pozwól, żeby przynajmniej twoje podniosło mnie na duchu.

– Nie mam o czym opowiadać.

– Słyszałam co innego. Zaraz, jak to było? Kochankowie w parku?

– Och, nie...! Rozpoznaję styl Edith.

Annie parsknęła śmiechem.

– Zupełnie oszalała na punkcie twojego adoratora. Midge nie może jej uspokoić. Ostrzegam cię, strzeż go jak oka w głowie.

– To nie jest mój adorator, tylko szef i bardzo miły człowiek. To wszystko.

– Kłamiesz. Czy on ci się podoba?

– Och, na litość boską. Nie jesteśmy w liceum.

– Wszystko jedno. Podoba ci się czy nie?

Eve westchnęła, ale ponieważ siedziała przed nią Annie, jej przyjaciółka, odpowiedziała szczerze:

– Och, tak, podoba mi się. Nawet bardzo.

Opuściła wzrok na swoje dłonie i opowiedziała o wszystkich zdarzeniach minionego tygodnia, który spędzili w bibliotece. Opowiedziała, co czuła, gdy dotykali się przypadkiem albo gdy Paul pochylał się nad jej ramieniem, o dreszczu, który ją wtedy przeszywał, o wrażeniu, że znów jest młoda i pełna nadziei na życie.

– Czy to takie okropne? – zapytała w końcu, czerwieniąc się aż po cebulki włosów.

– Okropne? Dlaczego? Przeciwnie, to wspaniałe! Gdyby to nie chodziło o ciebie, byłabym zazdrosna!

– Ale jakoś nie wydaje mi się to w porządku. To wszystko nie ma nic wspólnego z Tomem ani ze wspomnieniami naszego życia.

– Mam nadzieję, że nie! – zawołała Annie. Wzięła głęboki oddech i dodała swoim prawniczym tonem: – Eve, to Tom zmarł, a nie ty. Dlaczego miałabyś przestać odczuwać naturalne, fizyczne potrzeby? Przecież żyjesz, jesteś kobietą w pełni sił i powinnaś myśleć o sobie, swoich dzieciach i przyjaciołach! Musisz zostawić za sobą wspomnienia o Tomie i żyć dalej!

– Ale czuję się winna.

– Nie masz powodu.

– Nie rozumiesz...

– Rozumiem. Eve... – Annie zawahała się i potrząsnęła głową. – Wierz mi, skarbie. Jeśli on gdzieś cię zaprosi, natychmiast zgódź się. Z tego, co słyszałam, on jest prawdziwy i żywy. A tobie przydałoby się trochę porządnego seksu.

– Będziesz nietypową mamą – uśmiechnęła się Eve. – Dzięki.

Annie pochyliła się i uścisnęła przyjaciółkę.

– Dobrze już – mruknęła Annie, pociągając nosem. – Wystarczy tych czułości. Chcę poznać więcej szczegółów. Wszystkie, co do jednego!

W tej samej chwili zadzwonił telefon. Eve podniosła słuchawkę, ale uśmiech zamarł na jej ustach, gdy usłyszała głos Paula Hammonda.

– Wiem, że jest już trochę późno, ale właśnie zobaczyłem w gazecie zapowiedź wieczoru poezji, dzisiaj, w kawiarni na Starym Mieście. Przyszło mi do głowy, że może miałabyś ochotę się tam wybrać. Oczywiście, o ile nie masz innych planów.

– Nie mam żadnych planów – powiedziała Eve, obracając w ręku kabel telefonu. – Jesteś pewny?

Zaśmiał się cichym, miękkim głosem.

– Ależ tak. W gazecie napisali, że wieczór zaczyna się o siódmej trzydzieści.

– Nie, to znaczy, czy jesteś pewny, że powinniśmy iść tam razem? W końcu jesteś moim szefem.

– Owszem, o ile sobie dobrze przypominam. Mógłbym zaprosić Pat Crawford, ale wolę tam pójść tylko z tobą.

Eve przez chwilę milczała. Miała wielką ochotę przyjąć zaproszenie, ale nie była na randce od ponad dwudziestu lat i trochę się tego obawiała. Spojrzała na Annie, szukając u niej pomocy. Przyjaciółka siedziała w napięciu, sztywno wyprostowana, i gdy ich oczy się spotkały, ruchem ust nakazała: Idź, idź, idź!

– Jeśli miałabyś się czuć nieswojo... – zawahał się Paul.

– Nie, to znaczy, nie, nie będę się czuła nieswojo. Tak, chętnie pójdę.

– Cieszę się. Przyjadę po ciebie o siódmej, a potem możemy wpaść gdzieś na kolację, jeżeli będziesz miała ochotę. Czy lubisz bistra?

– Uwielbiam!

Gdy Eve znów podniosła wzrok znad słuchawki, Annie triumfalnym gestem wyrzuciła w powietrze zaciśniętą pięść.

ROZDZIAŁ DWUNASTY

Che ricordarsi del tempo felice
Nella miseria.
Nie ma większego smutku niż wspominanie
szczęśliwych czasów w czasie nieszczęśliwym.

Dante, *Piekło (Pieśń V)*

Poezja była okropna, za to towarzystwo znako-
mite. Wbrew swoim obawom Eve czuła się zupełnie swobodnie już od pierwszej chwili, gdy czer-
wony saab Paula podjechał pod dom. Rozmawiali
o błahostkach, a chwilami zgodnie milczeli jak
starzy przyjaciele. W drodze powrotnej Eve zaczęła się zastanawiać, czy nie byli już kochankami
w jakimś poprzednim wcieleniu.

Wieczór był ciepły, pełen zapachów lata, z parku dolatywał śmiech chłopców i szczekanie psów.

– Młode wilczki – uśmiechnął się Paul i wskazał
na księżyc w pełni. – Nie są w stanie tego opanować.

Podeszli do budynku i zatrzymali się przed
wejściem. Eve stanęła zwrócona twarzą do niego.

– To był bardzo miły wieczór – powiedziała.

– Cieszę się. Ja też tak uważam.

– Zaprosiłabym cię na kawę, ale dzieci...

– Oczywiście. Powinienem już jechać. – Urwał na chwilę, po czym dodał szybko: – Nie poszliśmy dzisiaj na kolację, więc zastanawiałem się... może miałabyś ochotę wpaść jutro do mnie? Jestem całkiem niezłym kucharzem, a poza tym obiecałem ci, że poczytamy Dantego w oryginale. Co ty na to?

– Zgoda – odrzekła natychmiast. – Bardzo się cieszę.

Rozluźnił się i na jego twarz wypłynął szeroki uśmiech. Eve spojrzała mu w oczy i poczuła, że niemal traci oddech.

– Przyjadę po ciebie o siódmej.

– Będę czekać.

Chwila, która nastąpiła, była pełna napięcia. Eve czekała, co teraz zrobi Paul; pocałuje ją i... czy powinna mu na to pozwolić? Wstrzymała oddech, gdy niemal niedostrzegalnie pochylił się do przodu, ale potem, jakby hamując impuls, opuścił wzrok i ujął ją za rękę.

– W takim razie dobranoc.

– Dobranoc – odpowiedziała.

Patrzyła za nim, aż zniknął za rogiem budynku, a potem powoli weszła do środka. Była pełna obaw, sama nie wiedziała, czy chce wpuścić do swego życia i serca mężczyznę, nic jednak nie mogła poradzić na to, że na samą myśl o Paulu rumieniła się jak nastolatka.

Otworzyła drzwi mieszkania i natychmiast wyczuła złowrogą ścianę milczenia. Siedząca na kanapie w salonie Bronte groźnie podniosła się z miejsca.

– Gdzie byłaś? – zapytała gniewnie.

Eve osłupiała i naraz poczuła się winna.

– Na wieczorze poezji – odrzekła wymijająco.

– Z kim? – nie ustępowała Bronte, podchodząc bliżej.

– Z doktorem Hammondem z college'u. A jakie to ma znaczenie?

Bronte z wściekłością obróciła się na pięcie, pobiegła do swojego pokoju i mocno trzasnęła drzwiami.

Eve oparła się o ścianę i przymknęła oczy. Po chwili poszła do łazienki, umyła się i wślizgnęła do łóżka. Zasłony nie były zaciągnięte i do sypialni wpadało światło księżyca. Przypominała sobie każde słowo, jakie padło między nimi tego wieczoru, każdy gest i każde spojrzenie. Czy naprawdę Paul miał ochotę ją pocałować? Jak na ten pocałunek zareagowałoby jej ciało? Przez ostatni tydzień Eve drżała z napięcia, nawet gdy Paul podawał jej kartkę papieru. Puszka Pandory została otwarta i nie było sposobu, by ją zamknąć.

Zaprosił ją do siebie na kolację. Czy znów będzie chciał ją pocałować? I czy ma mu na to pozwolić? Wstrzymała oddech, przypomniała sobie śmiechy w parku i pomyślała: tak.

Paul Hammond przyjechał punktualnie o siódmej. Pojawił się przed drzwiami z wielkim bukietem kwiatów w jednej ręce i pudełkiem luksusowych czekoladek dla dzieci w drugiej. Finney i Bronte zachowali się poniżej wszelkiej krytyki. Nie podziękowali za kosztowne słodycze, tylko patrzyli spod złowieszczo przymrużonych powiek jak dwie pantery prężące się do skoku.

– Przepraszam cię za dzieci – powiedziała Eve, gdy wsiedli do samochodu i Paul zapalił silnik.

– Są trochę nadopiekuńcze.

Uśmiechnął się do niej promiennie i poklepał ją po dłoni.

– Wiem, jak się czują.

Rozluźniła się z ogarniającym ją poczuciem, że wszystko, co się między nimi wydarzy, musi być dobre.

Jego dom był dokładnie taki, jak sobie wyobrażała: bezpretensjonalna, urzekająca dziewiętnastowieczna budowla z cegły, jakby przeniesiona z angielskiej prowincji. Wysoko po ścianie pięły się róże. Spadzisty dach pokryty szaroniebieską dachówką ocieniał rząd dzielonych okien. Dom otoczony był ogrodem pełnym starych drzew i równo przyciętych krzewów.

Wnętrze również nie sprawiło jej zawodu. Nie było tu chromu ani nowoczesnych technologii, dominowała wysoka jakość i wygoda. Jego właściciel miał wyrobiony gust i wystarczająco dużo pieniędzy, by zaspokoić wszystkie swoje potrzeby.

Pokoje były niewielkie, ale za to liczne i wszystkie odznaczały się dobrymi proporcjami. Również we wszystkich mieściły się wbudowane w ściany półki na książki. Eve pomyślała, że gdyby miała narysować umysł Paula, narysowałaby ten dom.

Najbardziej niezwykły ze wszystkiego był olbrzymi, kamienny kominek w salonie. Był tak wielki, że stała tu jeszcze tylko czerwona, skórzana kanapa, kilka eleganckich, choć podniszczonych krzeseł oraz niski stolik do kawy zarzucony książkami i czasopismami.

Doktor Hammond starannie się przygotował na jej wizytę. Za łukowatym wejściem do jadalni Eve dostrzegła okrągły stół nakryty białym, lnianym obrusem, zieloną porcelaną, starymi srebrami i kryształami. Pośrodku stały dwie wysokie, białe świece oraz bukiet z białych różyczek w szklanej wazie. Eve westchnęła. Ten mężczyzna zdecydowanie ma klasę.

– Napijesz się czegoś?
– Tak, chętnie – uśmiechnęła się.

W chwilę później wrócił, niosąc campari z wodą sodową z kostkami lodu i plasterkiem cytryny. Napój był nieco gorzki, nieco cierpki i bardzo cudzoziemski. Po drugim łyku Eve poczuła, że mogłaby się do tego smaku przyzwyczaić.

Tego wieczoru musiała się oswoić z wieloma rzeczami. Na przykład z myślą, że jest sama z mężczyzną w jego domu. Matka zawsze wpajała jej, że porządna kobieta nie odwiedza mężczyzny.

W wieku czterdziestu pięciu lat Eve powinna już wyrosnąć z tego typu nauk, ale teraz czuła się jak szesnastolatka.

– Dolać ci? – zapytał Paul, wychylając się z kuchni.

Eve zauważyła ze zdumieniem, że jej kieliszek jest pusty i że troszkę kręci jej się w głowie.

– Nie, dziękuję – odrzekła, oddając mu szklankę. – Chyba już wystarczy.

– Nie musisz jechać do domu.

Nie odważyła się zgłębiać tego stwierdzenia.

– Co gotujesz? – zapytała, zaglądając do kuchni nad jego ramieniem. – Pachnie wspaniale.

– Pomyślałem, że na początek będzie bruschetta. Pomidory właśnie zaczynają dojrzewać. To będzie prawdziwa uczta, *molto bene*. Potem może *prosciutto e melone*, moje ulubione risotto z krewetkami z grilla i warzywa – nic ciężkiego. A na deser... – Urwał i potrząsnął głową z diabelskim błyskiem w oczach. – Nie. Musi być w końcu jakaś niespodzianka.

Eve poczuła, że kolana pod nią miękną.

– Gdzie się nauczyłeś gotować?

– W latach osiemdziesiątych należałem do ekipy, którą biblioteka Newberry wysłała do Włoch, by ratować historyczne księgozbiory zatopione podczas wylewu rzeki Arno. Mieszkałem we Włoszech przez rok, a potem pojechałem tam jeszcze raz i przez cztery lata uczyłem w Rzymie. Wracam tam, gdy tylko mogę. Sam nie wiem, co lubię bardziej, włoską kulturę czy włoską kuchnię. Ale skoro już o tym mówimy, to może miałabyś ochotę mi pomóc? Potrzebuję bazylii i paru pomidorów z ogrodu. Mogłabyś przynieść?

Przeszła przez kuchnię pełną dymiących, stalowych garnków i pęczków ziół porozkładanych na drewnianych deskach do krojenia, i stanęła w drugich kuchennych drzwiach. Znajdował się tu taras zastawiony donicami z terakoty, w których rosły wszelkiego rodzaju zioła. Wszystko tutaj nadawało się do jedzenia. W tej części ogrodu, za domem, nie rosło ani jedno drzewo. W kącie zobaczyła krzak malin, dalej groszek wspinający się po podporach do słońca, ale najwięcej miejsca zajmowały równe rzędy pomidorów wyprostowanych jak wojsko przy bambusowych tyczkach, a między nimi bujne krzaki bazylii wszelkich odmian.

– Nie widzę tu żadnych kwiatów – zdziwiła się.
– Ani jednego!

– Kwiaty mogę sobie kupić – odrzekł Paul takim tonem, jakby to było oczywiste. – Ale spróbuj tego!

Eve nadgryzła podsuniętą grzankę posmarowaną pastą z pomidorów, czosnku i bazylii i w jednej chwili zrozumiała, co miał na myśli. Oblizała usta i skinęła głową.

– To ma smak lata.
– No właśnie – ucieszył się.

W jadalni zapalił świece, odsunął jej krzesło i podał na stół królewski posiłek, który zupełnie

253

oszołomił jej zmysły. Nigdy w życiu nikt jej tak nie uwodził. Często zmieniali temat rozmowy. Stopniowo obydwoje stawali się coraz bardziej otwarci i opowiadali sobie fragmenty własnego życia. Eve zauważyła, że Paul nalewa wina tylko jej. Gdy zapytała go, dlaczego, odpowiedział z brutalną szczerością:

— Nie piję. Jestem alkoholikiem. Przestałem pić dwadzieścia dwa lata temu, ale nie twierdzę, że jestem wyleczony, bo który alkoholik może to o sobie powiedzieć? W każdym razie trzymam swoje demony pod kontrolą. — Słowa płynęły coraz szybciej. — Kiedyś piłem bardzo dużo, nie trzeźwiałem całymi miesiącami. Mój ojciec też pił i był tyranem, a przed nim mój dziadek. Jestem podobny do ojca. Mam jego ręce — uśmiechnął się smutno, podnosząc dłonie do góry. — Ale wierzę, że na tym podobieństwo się kończy. Przyznaję, potrafię być okrutny. I byłem. Alkohol w połączeniu z młodością... No cóż, po wypadku rodzina się mnie wyrzekła.

Westchnął i odłamał ze świecy kawałek zastygłego wosku. Eve w milczeniu czekała na ciąg dalszy jego opowieści.

— Biedna, mała Caro. Była moją żoną i piła razem ze mną. Nasze małżeństwo nie trwało długo. Byliśmy młodzi i głupi. Ona była aktorką, cholernie dobrą. Ja też tego próbowałem i szło mi nie najgorzej, ale nic mnie to nie obchodziło. To była tylko ucieczka od nudy życia i chyba też bunt przeciw ojcu. W każdym razie wracaliśmy kiedyś do domu po przyjęciu w wiejskim domu przyjaciela. Byłem kompletnie nieprzytomny i prowadziła ona... Odzyskałem świadomość dopiero w szpitalu. – Teraz mówił powoli, starannie dobierając słowa. – Nie ma znaczenia, kto prowadził. To ja ją zabiłem.

– Paul, to nieprawda.

– Moje picie ją zabiło; i jej picie. Nasze picie. Moje, jej, nasze... To tylko semantyka. Zginęła, a ja już nigdy więcej nie tknąłem alkoholu. Od tego czasu większość życia spędziłem sam. Ciało zostało uleczone, ale rana duszy nie chciała się zagoić. Byłem pełen jakiejś niewypowiedzianej złości. – Zaśmiał się z goryczą. – Boże, byłem wściekły na cały świat! Unieszczęśliwiałem nie tylko siebie, ale i innych. Odpychałem wszystkich. Ale, jak wszyscy, ja także złagodniałem z wiekiem. – Wzruszył ramionami. – Teraz lubię samotność. Mam swoją pracę, lubię też podróżować. Właściwie nikogo nie potrzebuję. Nie przywiązuję się do ludzi łatwo i mam niewielu przyjaciół.

Podniósł głowę i spojrzał na nią, a potem nad stołem ujął jej rękę.

– A teraz nagle pojawiłaś się ty. Mieszkam w tym mieście od dziesięciu lat, i oto pewnego ranka tak po prostu weszłaś do mojego gabinetu i wszystko stało się inne. Naraz poczułem się samotny.

Prostota tego stwierdzenia wstrząsnęła Eve. Cofnęła rękę, czując, że kręci jej się w głowie.

Paul patrzył na nią przenikliwie.

– Dlaczego nigdy nie opowiadałaś mi o swoim mężu?

– Nie jest mi łatwo o nim mówić. Szczególnie do ciebie.

– Chciałbym posłuchać. Wiem, tak mi się wydaje, że bardzo go kochałaś.

– Tak. Ale dlaczego chcesz o nim rozmawiać?

– Żeby cię lepiej poznać. Chcę wiedzieć o tobie wszystko.

Opowiedziała mu więc, na początku niepewnie, urywanymi zdaniami, potem coraz płynniej, o długim, szczęśliwym małżeństwie, o dzieciach i o tragedii, która zmieniła ich życie. Trudno jej było wyjaśnić temu mężczyźnie, który ogromnie ją pociągał, że wciąż kochała Toma i nadal czuła się jego żoną.

Nieśmiało podniosła głowę, chcąc zobaczyć jego reakcję. Oczekiwała rezerwy, ale ujrzała na jego twarzy współczucie.

– Nie poznałem takiej miłości – powiedział.

Była pewna, że to stwierdzenie nie przyszło mu łatwo.

Wyciągnął rękę i przesunął palcami po jej policzku. Z westchnieniem przymknęła oczy.

– Chcę cię objąć, Eve – powiedział cicho. – Chciałem to zrobić od chwili, gdy po raz pierwszy cię zobaczyłem. Ostatnie tygodnie były dla mnie męczarnią. Od bardzo dawna niczego tak mocno nie pragnąłem.

Westchnęła głęboko, czując, co te słowa oznaczają, a potem skinęła głową i odłożyła serwetkę na stół. Podnieśli się jednocześnie. Paul natychmiast pociągnął ją w ramiona i mocno przytulił. Jego koszula pachniała bazylią.

Objęła jego twarz dłońmi i spojrzała mu w oczy. Były to oczy Paula, nie Toma, i przez chwilę znów miała wrażenie, że robi coś zakazanego. On chyba to wyczuł, bo przyjrzał się jej uważnie.

– Czy jesteś pewna, że tego chcesz? – zapytał.

– Nie – odpowiedziała szczerze. – Powinnam ci powiedzieć, że w moim życiu był dotychczas tylko jeden mężczyzna.

Wziął głęboki oddech i pocałował ją w czoło.

– Możemy zaczekać. Nie chcę, żebyś czegokolwiek żałowała.

Znów mocno otoczył ją ramionami.

– Chodź – powiedział. Wziął ją za rękę, zaprowadził do salonu i posadził na kanapie, a sam na chwilę zniknął. Po chwili wrócił, niosąc w ręku zniszczony egzemplarz *Boskiej Komedii*. Usiadł przy niej i przyciągnął ją do siebie.

– Taka bliskość będzie musiała mi wystarczyć – powiedział bez cienia wyrzutu.

Eve poczuła ulgę i wdzięczność. Oparła głowę na jego piersi i poczuła, że jej napięcie ustępuje.

– Obiecałem, że ci poczytam *Piekło*, i zamierzam dotrzymać słowa. Nie chciałbym, żebyś pomyślała, że był to tylko pretekst, by cię tu zwabić.

– Właśnie skończyłam to czytać. Oczywiście po angielsku – uśmiechnęła się. – Nie było takie trudne, jak mi się wydawało. To bardzo poruszające dzieło. Podobało mi się. Ale fragment o biednym Paolo i Francesce jest okrutny. – Miała na myśli Pieśń V, gdzie kobieta o imieniu Francesca opowiada wędrowcowi, Dantemu, że została potępiona i skazana na pobyt w piekle za grzech miłości do Paola. – Kochali się i zostali potępieni na wieki.

– Za cudzołóstwo.

– Tak – powiedziała cicho.

Właśnie tak się czuła: potępiona, płonąca z pragnienia, w głębi duszy jednak przekonana, że miłość do Paula jest grzechem.

– Dante był poruszony ich miłością, jej siłą, która przetrwała śmierć. On sam pragnął takiego uczucia, ale nigdy go nie doświadczył.

Eve wiedziała, że Paul mówi o niej i o jej uczuciu do Toma.

– To było okrutne ze strony Dantego, że kazał im pozostać obok siebie bez żadnej nadziei i nawet bez możliwości wypowiedzenia choćby jednego słowa – powiedziała.

Paul zaśmiał się.

– Ja tak się czuję w pracy. Wiem, że jesteś obok, ale nie mogę cię dotknąć.

Zsunęła buty i podciągnęła kolana do piersi.

– Ja też. To nasze prywatne piekło.

Objął ją mocniej i pocałował w skroń.

– Dla mnie to jest raj. Pomyśl tylko, gdybyś nie pojawiła się wtedy w moim gabinecie, nigdy bym nie poznał ciebie ani tego uczucia i zawsze byłbym samotny. Więc może Francesca i Paolo czuli się szczęśliwsi obok siebie w piekle, niż mogliby się czuć w raju – samotnie.

– Poczytaj mi tę Pieśń V. Po włosku – poprosiła, kładąc dłoń na jego piersi.

Sięgnął po książkę, otworzył ją i oparł na jej ramieniu, a potem zaczął czytać głębokim, melodyjnym głosem, nabrzmiałym uczuciami. Eve z przymkniętymi oczami wsłuchiwała się w obce słowa. Choć ich nie rozumiała, poruszał ją rytm i siła ich brzmienia. Zrozumiała wersy, w których Dante wołał ducha Franceski i pytał ją z pokorą, skąd wiedziała, że jest zakochana. Francesca, wdzięczna za możliwość podzielenia się swoją historią, opowiedziała mu, jak pewnego dnia ona i Paolo czytali razem książkę, nie wiedząc jeszcze o swej miłości. Podczas czytania ich oczy spotkały się i obydwoje okryli się rumieńcem.

Quando leggemmo il disiato riso. Czytając o długo wyczekiwanym uśmiechu. A potem Paolo odwrócił się i pocałował Francescę w usta. *Tutto tremante.*

Paul przerwał czytanie, zamknął książkę i dotknął ustami włosów Eve.

Siedzieli w milczeniu, przepełnicni uczuciami. Obydwoje wiedzieli, że ta historia opowiada również o nich i że w którymś momencie w bibliotece, przeglądając stare pergaminy i przerzucając niezliczone tomy, oni również spojrzeli sobie w oczy, uśmiechnęli się, okryli rumieńcem i zrozumieli, że są w sobie zakochani.

Pozostał jeszcze pocałunek.

Drżącymi dłońmi Eve objęła jego kark. W oczach Paula rozpalił się płomień, który na wskroś przenikał i ją.

– Ostrzegałem cię, że potrafię być bezlitosny, gdy czegoś chcę – powiedział bardzo cicho, z ustami tuż przy jej twarzy. – A chcę ciebie.

Poruszyła się nieco i przyciągnęła jego głowę. Przymknęła oczy i wstrzymała oddech. Gdy ich usta wreszcie się spotkały, poczuła, że tonie w ciemnym wirze. *Tutto tremante.* Pocałunek miał w sobie siłę i intensywność, jakiej oczekiwała. Ramiona Paula otaczały ją jak stalowe obręcze.

Nie czytali już więcej ani nie rozmawiali. Wszystkie wątpliwości zniknęły. Paul zaprowadził ją do sypialni i rozebrał z nabożną czcią, i tam, na lnianych prześcieradłach, Eve odkryła, że Dante miał rację. Droga do nieba jest jasno wyznaczona i każdy ma szansę ją znaleźć, jeśli tylko chce.

ROZDZIAŁ TRZYNASTY

Myśl, co chcesz, tylko nie płacz!
Lewis Carroll, *Alicja po drugiej stronie lustra*

Eve nigdy nie wyobrażała sobie nawet, że można się czuć tak szczęśliwym. Miała wrażenie, że obudziła się z długiego snu. Cały świat wydawał się jaśniejszy, przejrzysty i świeży. W poniedziałek rano ubrała się wyjątkowo starannie. Bronte rzucała jej podejrzliwe spojrzenia spod zmarszczonych brwi i uparcie milczała. Finney, pochłonięty nowymi kolegami i sportem, wydawał się niczego nie zauważać, uśmiechnął się jednak promiennie, gdy uścisnęła go przed wyjściem do pracy.

Paul bardzo się starał nie spoglądać na nią częściej, niż było to konieczne, ani w żaden sposób jej nie faworyzować. Po południu jednak pochwyciła jego dyskretny uśmiech, który mówił wyraźnie, że on również pamięta każdy szczegół tamtej nocy. Chciał, by spotkali się wieczorem i każdego następnego wieczoru, ona jednak odmówiła. Dla niej i tak wszystko działo się zbyt szybko; chciała, by dzieci przyzwyczaiły się do obecności Paula w jej życiu stopniowo, ustalili więc, że będą spotykać się podczas przerwy na lunch, w restauracji albo w parku, i że cierpliwie poczekają do świątecznego weekendu, a wtedy znów spotkają się u niego na kolacji.

Był wtorek rano. Annie siedziała w poczekalni przed gabinetem doktor Gibson w klinice uniwersyteckiej i myślała o swoim małżeństwie, które stawało się równie puste jak jej brzuch.

Mieszkali z Johnem pod jednym dachem, ale to, co ich teraz łączyło, bardziej przypominało stosunki współlokatorów niż męża i żony. John cierpiał w milczeniu niczym święty Sebastian pokornie czekający na kolejne strzały, Annie zaś nie znosiła męczenników, szczególnie takich, którzy cierpieli w milczeniu. Zresztą zachowanie jej męża z pewnością nie było tytułem do świętości; był to jego sposób na ukaranie jej za wybuchy złości.

W przeszłości John potrafił milczeć przez wiele dni, aż w końcu atmosfera stawała się tak przesiąknięta wrogością, że Annie zaczynała źle się czuć fizycznie. Dopiero wtedy John pytał: „Czy chcesz o tym porozmawiać?", a ona oczywiście chciała, i było po wszystkim.

Wiedziała jednak, że teraz nie pójdzie tak łatwo. Przekroczyła pewną granicę, kiedy podczas jednego ze swych wybuchów powiedziała mu, że powinni się rozwieść. Nie myślała tak i zaraz mu to wytłumaczyła, ale John odsunął się od niej i oświadczył, że Annie może robić, co zechce. Od tamtej pory nie chciał z nią rozmawiać, kryjąc cierpienie pod maską zranionej dumy. Teraz zaś wyjechał na Florydę, gdzie R.J. realizował kolejny wielki kontrakt.

Pod wpływem męża Doris John coraz mocniej wplątywał się w sieć marzeń o władzy i pieniądzach. Pojawił się w nim demon zachłanności i zapomniał, że kiedyś marzył o spokojnej pracy i zwyczajnym życiu. Żałośnie zapatrzony w R.J., nie potrafił już bronić tego, co było cenne w nim samym. Annie zakochała się w jego wewnętrznej sile, która w przeszłości potrafiła chronić ich oboje. Ale teraz nie poznawała własnego męża.

Tylko dziecko mogło ich znów połączyć, nadać sens ich przyszłości i zapewnić wspólny cel. Potrzebowała go bardziej niż kiedykolwiek.

Drzwi otworzyły się i doktor Gibson energicznie weszła do środka, niosąc w ręku wyniki badań.

– Jeśli chodzi o twoje narządy, fizjologicznie wszystko wydaje się w porządku. John również ma dużo żywotnych plemników. Nie widzę powodu, dla którego nie mielibyście się doczekać dziecka. Ale – podniosła głowę znad papierów – w dalszym ciągu nie wiem, dlaczego masz tak obfite krwawienia. I to plamienie pomiędzy cyklami... Annie, tracisz za dużo krwi. Badanie morfologiczne pokazuje, że masz bardzo poważną anemię, zupełnie niezwykłą u kobiety w twoim stanie zdrowia i z twoją pozycją społeczną. Bardzo mi się to nie podoba.

– No, cóż – wzruszyła ramionami Annie.

Doktor Gibson przyjrzała się jej uważnie.

– Annie, to poważna sprawa. Chcę, żebyś wzięła to sobie do serca. Wyniki cytologii również są nietypowe. To może nic nie oznaczać, te wyniki często odbiegają od normy, ale musimy to sprawdzić.

Annie wyprostowała się, zaniepokojona.

– Co sprawdzić?

– Wiele różnych rzeczy. Zaczniemy od powtórzenia cytologii, a potem...

W głosie lekarki pojawił się jakiś niepokojący ton. Annie zesztywniała z napięcia.

– Potem, ze względu na twoje nieregularne i obfite krwawienia, chciałabym wykonać biopsję, żeby wykluczyć nowotwór.

Annie poczuła przerażenie. Naraz menopauza przestała jej się wydawać czymś strasznym.

– Ale mówiłaś, że nieregularne krwawienia w moim wieku są czymś normalnym. Że to ma podłoże hormonalne.

– Owszem, ale twoje krwawienia są zbyt obfite i powodują chroniczną anemię. Mogą to być tylko włókniaki. To dość częsta przypadłość. USG wszystko nam wyjaśni. Nie martw się na zapas. To podstawowe badania. Biopsję wykonuje się tutaj, w gabinecie. Muszę tylko pobrać próbkę tkanki z macicy.

Annie miała wrażenie, że jej płuca ściska żelazna obręcz.

– Kiedy chcesz to zrobić?

– Najlepiej od razu, jeśli nie masz nic przeciwko temu.

W kwadrans później Annie leżała na fotelu i oddychała głęboko, licząc drobne otworki w płytach pokrywających sufit, a doktor Gibson brała do ręki przyrząd, który przypominał średniowieczne narzędzia tortur. Było to coś w rodzaju kombinerek na długiej rączce i Annie była pewna, że bez względu na miejscowe znieczulenie zabieg okaże się bolesny, a narzędzie lodowato zimne.

W kuchni Gabrielli warczał wentylator. Dzień był upalny, a klimatyzacja zepsuła się w czerwcu podczas pierwszej fali upałów i nie stać ich było na wymianę urządzenia.

Minął już prawie rok, odkąd Fernando stracił pracę. Przez pierwszych kilka miesięcy dostawał zasiłek dla bezrobotnych i od czasu do czasu pracował gdzieś dorywczo, ale nie udało mu się znaleźć żadnej stałej posady. Teraz zasiłku już nie było i Gabriella musiała brać coraz więcej dyżurów, by jakoś związać koniec z końcem. Po raz pierwszy od lat musiała pracować również podczas weekendów. Na samym początku postanowili, że Fernando nie będzie szukał pracy jakiejkolwiek, lecz poczeka, aż pojawi się propozycja zgodna z jego doświadczeniem i kwalifikacjami. Gabriella wierzyła w swojego męża, ale wszystko zaczynało przerastać jej siły. Bez przerwy czuła się zmęczona. Fernando powoli wpadał w depresję, a dzieci, wyczuwając w domu napięcie, coraz częściej kłóciły się między sobą. Gabriella czuła, że nie wytrzyma tego już długo i w końcu wybuchnie.

Na drugim końcu miasta Midge cierpiała z powodu zwykłej przed otwarciem wystawy huśtawki nastrojów. Przez cały tydzień żyła z podwyższonym poziomem adrenaliny i prawie nie spała, a teraz, gdy wszystkie płótna wisiały już na swoich miejscach, czuła się jak kobieta, która ma za chwilę urodzić dziecko.

Susan, malarka biorąca udział w tej samej wystawie, wybuchnęła śmiechem, gdy Midge powiedziała jej o tym wrażeniu. Susan była najbardziej znaną artystką z całej grupy i wykładowcą w Instytucie Sztuki. Miała silną osobowość i głęboki, mocny głos.

– To dobra analogia – stwierdziła, odrzucając z czoła strzechę jasnych włosów. Była atrakcyjną kobietą, niższą od Midge, o wysportowanej sylwetce i miłej twarzy, w której dominowały jasnoszare oczy i wystające kości policzkowe. – Te obrazy to przecież nasze dzieci. Przeszłam to już kilkanaście razy i wszystkie porody były równie ciężkie.

Midge uśmiechnęła się. Susan przez cały tydzień bardzo jej pomagała; wieszała obrazy, przynosiła kawę ze sklepiku po drugiej stronie ulicy. Świat sztuki pełen był samotności, drobnych zawiści i intryg. Spotkanie otwartej, serdecznej osoby było jak łyk świeżego powietrza.

Stały pośrodku sali, w której nie było już nic do zrobienia. Midge wiedziała, że powinna teraz pójść do domu i odpocząć, ale nie była w stanie oderwać się od własnych dzieł.

– Więc co myślisz o swoim dziecku? – zapytała Susan, patrząc na duże, abstrakcyjne płótno namalowane przez Midge. Na cielistoróżowej powierzchni wirowały dziwne kształty nakładane grubszą warstwą farby.

– Liczę, czy ma wszystkie paluszki – odrzekła Midge.

Susan ze śmiechem objęła ją ramieniem. Midge poczuła się zaskoczona tym gestem, ale nie odsunęła się. Dotyk Susan był ciepły i serdeczny.

– Właściwie powinnam cię nie lubić, Midge. Od tygodnia czuję zazdrość z powodu twoich obrazów. Kładziesz takie mocne linie, a wyczuciem koloru bijesz tu wszystkich na głowę. Te obrazy są bardzo erotyczne. Podobają mi się.

Midge poczuła taką ulgę, że po prostu ugięły się pod nią kolana. Wśród wystawiających artystów przez cały tydzień panowało całkowite milczenie i nikt ani słowem nie zająknął się na temat dzieł innych. W takiej atmosferze cała jej pewność siebie powoli rozsypywała się w gruzy.

— Jesteś pierwsza – powiedziała. – Nikt dotychczas nie odezwał się na ten temat ani słowem. Byłam pewna, że moje obrazy nikomu się nie podobają.

— To tchórze. Podobają im się, i to bardzo, ale nie cierpią cię, bo jesteś od nich znacznie lepsza.

Midge potrząsnęła głową.

— Wczoraj wieczorem miałam ochotę pozdejmować to wszystko i nigdy więcej tu nie wracać. Wydawało mi się, że moje dzieci są najbrzydsze na świecie.

— Ja tak samo myślę o swoich pracach – zaśmiała się Susan. – Wszyscy to mają. Też chciałam zabrać to wszystko z powrotem do domu i zniknąć.

— Nie cierpię wernisaży, całej tej presji – westchnęła Midge. – Moja matka prawie zmusiła mnie do kupienia sobie czegoś nowego do ubrania. Jej się wydaje, że to wielkie fety, takie jak w latach osiemdziesiątych. Tak byłam zdenerwowana obrazami, że pozwoliłam jej pójść na te zakupy. Jak my przetrwamy ten wieczór?

— Mam propozycję: zawrzyjmy układ. Co godzinę jedna z nas podejdzie i powie coś do drugiej. Dzięki temu obie będziemy czuły wsparcie.

— Zgoda – powiedziała Midge.

— A już po wszystkim może wybierzemy się razem na kolację? Pozostali chcą iść do Rose Bud. Możemy się przyłączyć, ale nie musimy.

Midge zastanowiła się.

— Nie jestem pewna, czy nie będę zajęta. Spodziewam się przyjaciół. Jeśli przyjdą, to chyba pójdziemy gdzieś razem. Ale możesz się do nas przyłączyć.

– Dziękuję, ale raczej nie. Nie czułabym się na swoim miejscu. Ale gdyby coś się zmieniło, wiesz, gdzie mnie znaleźć – powiedziała Susan bez cienia rozczarowania.

Sympatia Midge do tej kobiety wzrastała z każdą chwilą. W tym, co mówiła, nie było śladu kompleksów, intryganctwa czy podtekstów. Była osobą pogodzoną ze sobą i z całym światem.

Midge miała ochotę poznać ją bliżej.

Annie wierzyła kiedyś, że czas nie istnieje. Żyła z dnia na dzień, nie martwiąc się o przyszłość. Czuła się młoda i silna, ciało miała wygimnastykowane, dobrze odżywione, nawilżane i zasilane witaminami.

Ale w piątkowy poranek trzeciego lipca uświadomiła sobie nagle, że czas przecieka jej przez palce.

Wezwała ją do siebie doktor Gibson, nie chcąc nawet zaczekać z wizytą Annie na powrót Johna. Twierdziła, że to bardzo pilne. Na jej twarzy malowała się głęboka troska.

– Annie, czasami badania wykazują coś, o czym wolelibyśmy nie wiedzieć – zaczęła bez ogródek. – Przykro mi, że mam dla ciebie niedobre wiadomości, ale z badań wynika, że masz nowotwór macicy. To wyjaśnia zbyt obfite krwawienia, plamienia, i oczywiście zły wynik cytologii. Dobra wiadomość to ta, że nowotwory macicy mają jeden z najlepszych wskaźników przeżywalności. – Urwała na chwilę i przygryzła usta. – A złe nowiny to takie, że musimy ci usunąć macicę.

Annie poczuła się jak po otrzymaniu silnego ciosu. Nie była w stanie odezwać się ani nawet poruszyć.

– Nie – wykrztusiła w końcu.

– Tak, Annie. Nie ma możliwości pomyłki. Bardzo mi przykro.

– Przykro – powtórzyła Annie bezdźwięcznie.

– Musimy zrobić jeszcze kilka badań. Będziesz musiała wziąć trochę urlopu. – Spojrzała na twarz pacjentki i ciągnęła łagodniej: – Trzeba ustalić termin operacji. Chciałabym, żeby było to nie później niż za kilka tygodni. Idź teraz do domu, Annie. Kiedy wraca John?

– Jutro. Sama nie wiem. Nawet nie wiem, w jakim jest hotelu.

– Zadzwoń do jakiejś przyjaciółki. A jeśli będziesz miała pytania, to kontaktuj się ze mną.

Annie czuła się jak w koszmarnym śnie. Chciała z kimś porozmawiać, ale nie miała pojęcia, co właściwie mogłaby powiedzieć. John miał wrócić dopiero następnego dnia wieczorem, tuż przed przyjęciem u Bridgesów. Dlaczego nie zostawił numeru telefonu?

Jakoś udało jej się dojechać do domu, a gdy już tam dotarła, przez długą chwilę siedziała nieruchomo w samochodzie, nie wiedząc, dokąd pójść. Jeszcze nigdy nie czuła się tak samotna i niepewna siebie.

Spojrzała na swój brzuch i wyobraziła sobie miliony mnożących się w zastraszającym tempie nowotworowych komórek. Miała ochotę wyrwać je gołymi rękami. Wynoście się! Nie jestem na to gotowa! – pomyślała z rozpaczą, kołysząc się w przód i w tył jak osierocone dziecko.

Midge dotarła do domu około drugiej po południu. Wpadające przez wielkie okna słońce zalewało jej mieszkanie jaskrawym światłem. Było duszno i każdy krok sprawiał jej wielki wysiłek. Otworzyła okno, resztkami sił rozebrała się, weszła do łóżka i natychmiast usnęła.

W jakiś czas później obudził ją uparcie dzwoniący telefon.

– Spałaś? – To był głos Susan.

Zamrugała powiekami i przeciągnęła się. Była już czwarta! Za godzinę musiała być w galerii.

– Dzięki Bogu, że zadzwoniłaś! – zawołała.

Susan zaśmiała się.

– Pomyślałam, że na wszelki wypadek sprawdzę. Kiedyś przespałam otwarcie wystawy moich prac i nikomu tego nie życzę.

Midge odrzuciła pled i podeszła do okna, wciąż tylko na wpół rozbudzona. Świeże powietrze chłodziło jej ciało, z sąsiedniego okna dobiegała muzyka. Przymknęła oczy i przypomniała sobie, że coś jej się śniło i że miało to chyba coś wspólnego z Susan, ale nie pamiętała. W dodatku był to sen erotyczny.

Midge wyszła za mąż wkrótce po skończeniu szkoły za muzyka jazzowego, z którym spotykała się przez kilka lat i który opuścił ją dwa lata później dla kalifornijskiej piosenkarki. Po rozwodzie spotykała się z kilkoma mężczyznami, ale żaden z tych związków nie przyniósł jej zaspokojenia; wszystkie opierały się wyłącznie na potrzebach fizycznych. Po jakimś czasie przestała nawet próbować, jakby jej ciało zapadło w letarg.

Więzi łączące ją z kobietami były znacznie mocniejsze i ważniejsze. Lubiła kobiety i lubiła spędzać czas w ich towarzystwie. Ale choć miała kilka bliskich przyjaciółek, obdarzona była naturą samotnika i już prawie od dziesięciu lat żyła zupełnie sama. Ale dzisiaj w galerii poczuła dziwną więź z Susan. Jej ciepło i otwartość przedarły się przez skorupę, którą Midge otoczyła swoje serce.

Weszła pod prysznic i czując, jak strugi ciepłej wody rozluźniają jej napięte mięśnie, myślała o swoich przyjaciółkach. Ciekawa była, jak Doris, Eve i Annie zareagują na jej obrazy. Nigdy nie odwiedzały jej w pracowni, ona również nie bywała u nich w domu, nie licząc spotkań Klubu Książki. Jedynym wyjątkiem była Gabriella, z którą Midge przyjaźniła się bardziej niż z pozostałymi.

Dziękowała Bogu, że w jej życiu istnieje Klub Książki. Te kobiety były jej największą podporą.

Eve wyszła z wanny, zdjęła z twarzy plasterki ogórka i sięgnęła po ręcznik. Kolorowe pisma, które kupowała Bronte i które Eve zaczęła ostatnio czytać, twierdziły, że taka maseczka zmniejsza obrzęki pod oczami. Pisma były przeznaczone dla nastolatek, ale Eve tak właśnie się teraz czuła.

Nucąc pod nosem, otworzyła szafę i właśnie przeglądała jej zawartość, gdy do jej sypialni weszły dzieci. Spojrzała na nie z uśmiechem, ale na widok wyrazu ich twarzy zamarła. Malowała się na nich surowa determinacja. Eve zacisnęła pasek szlafroka i przygotowała się na burzę.

— Cześć. Chcecie czegoś ode mnie? — zapytała ze spokojem.

— Chcemy z tobą porozmawiać — odrzekła Bronte. Brat stał obok niej z rękami wepchniętymi w kieszenie i opuszczoną głową.

— A o czym?

— Znów wychodzisz z tym mężczyzną, tak? — powiedziała Bronte oskarżycielsko.

— Jeśli mówisz o doktorze Hammondzie, to owszem, tak. Przecież nie robię z tego żadnej tajemnicy.

— Jak możesz! — wybuchnęła dziewczyna, czerwieniejąc. Wybuchy Bronte zawsze były gwałtowne.

Eve wyprostowała się godnie i oparła dłonie na biodrach.

— Jak mogę wychodzić z mężczyzną?

— Tak! — odkrzyknęła jej córka.

– Nie ma w tym niczego złego. – Eve miała ochotę dodać: nie jestem już mężatką, ale pohamowała się. Nie mogła tak powiedzieć dzieciom.

– Właśnie, że jest! Nie powinnaś wychodzić z nim ani z nikim innym! To nie jest w porządku. Tato nie żyje dopiero od roku. To obrzydliwe, że już sobie kogoś znalazłaś! O co tu chodzi? Nie kochałaś taty?

– Oczywiście, że go kochałam! – zawołała Eve, wstrząśnięta tym niesprawiedliwym stwierdzeniem. – Jak śmiesz coś takiego mówić?

– Jak możesz spotykać się z kimś innym? – zapytała Bronte ze łzami w oczach. – Niedobrze mi się robi, kiedy na to patrzę! I Finneyowi też!

Eve, oniemiała z urazy i szoku, spojrzała na syna, ten zaś skinął głową i jeszcze bardziej się przygarbił. On również miał łzy w oczach. Eve poczuła, że serce jej się ściska. Od jakiegoś czasu Finney zaczął już dochodzić do siebie. Znów słyszała jego śmiech, miał kolegów, uprawiał sport. Stopniowo wychodził ze skorupy, a teraz znów się do niej cofał. Poczuła wściekłość na Bronte za to, że wciągnęła brata w tę sprawę.

– Finney, czy ty uważasz, że robię coś złego? – zapytała łamiącym się szeptem.

Chłopiec skinął głową.

– Mamo, proszę, przestań to robić... nadal jesteś jakby żoną taty... To znaczy, dla nas. A kiedy wychodzisz z tym facetem, to... To nie jest w po-

rządku. – Pociągnął nosem i dodał z wyrzutem:
– Nie tęsknisz za tatą?

Jej również łzy napłynęły do oczu, gdy sobie uświadomiła, jak bardzo jej synowi brakuje ojca. Przeniosła wzrok na Bronte. Jej córka miała taki sam wyraz twarzy jak wtedy, gdy jako dwuletnie dziecko stała obok niej i patrzyła na karmienie piersią małego intruza, Finneya. Eve uświadomiła sobie, że Bronte znów czuje się opuszczona i zagubiona.

– Gdybyś to ty umarła, tato z nikim by się nie spotykał – dodała Bronte.

Wyrzuty sumienia wróciły. Tak była zaabsorbowana swoją nową miłością, rozbudzeniem zmysłów, że nie zauważyła, jak tę sytuację odbierają dzieci. Nie chciała wyrządzać im krzywdy.

Wyciągnęła do nich ramiona, ale tym razem nie podeszły, by się przytulić. To była ostatnia kropla przepełniająca czarę.

– Oczywiście, że za nim tęsknię – powiedziała, opuszczając ręce. – Bardzo. Ale jego już nie ma, a ja czuję się samotna.

Po raz pierwszy od śmierci Toma, wbrew wszystkim swoim postanowieniom, rozpłakała się na ich oczach. Nie potrafiła powstrzymać łez i naraz poczuła, że obejmują ją długie ramiona Bronte i chude – Finneya. Płakali wszyscy razem, zjednoczeni wspomnieniami o ojcu. Łzy spłukiwały całą gorycz, pozostawiając w ich sercach miejsce na miłość i przebaczenie.

W godzinę później Eve podniosła słuchawkę telefonu i zamówiła pizzę, a potem zamknęła za sobą drzwi sypialni i wykręciła jeszcze jeden numer. Paul odezwał się radosnym głosem.

– Paul, bardzo mi przykro – powiedziała. – Nie będę mogła dzisiaj przyjść.

Zapadło milczenie.

– Czy coś się stało? – zapytał po chwili.

– Tak. Owszem, coś się stało – odrzekła, wstrzymując szloch.

– Eve, co się dzieje? Powiedz mi. Chcesz, żebym to ja do ciebie przyjechał?

– Nie, proszę, nie rób tego – odpowiedziała szybko. – Paul, nie mogę się z tobą spotkać ani dzisiaj, ani żadnego innego dnia. Dzieci nie są gotowe na to, żebym zaczęła się z kimś spotykać. Ja też nie. Nie powinnam... – Słowa uwięzły jej w gardle.

– Nie miałem zamiaru cię popędzać, Eve. Przykro mi. Nie wiedziałem, że masz wyrzuty sumienia.

– Nie mam. Ale to się nie może powtórzyć. Nie mogę się z tobą spotykać, w każdym razie przez jakiś czas. Proszę, postaraj się zrozumieć. Moje dzieci potrzebują więcej czasu. Uważają nasz związek za zdradę z mojej strony.

Usłyszała chrząknięcie i znała go już na tyle dobrze, by wiedzieć, że Paul z trudem hamuje potok słów. Niewątpliwie chciał jej przedstawić te same argumenty, którymi ona wcześniej przekonywała siebie: nie był niczyim rywalem, jej mąż nie żył, dzieci nie miały prawa stawiać jej takich żądań. Serce jednak kazało jej pozostać z dziećmi; była pewna swojej decyzji i nie obawiała się jego wyrzutów.

– Pójdziesz na otwarcie wystawy swojej przyjaciółki? – zapytał opanowanym głosem.

Dopiero teraz przypomniała sobie o wernisażu Midge. Zamierzali pójść tam razem.

– Nie. Raczej nie – odrzekła z zakłopotaniem. – Dzieci są teraz zbyt zdenerwowane. Muszę z nimi zostać.

– Czy będziemy się spotykać podczas lunchu?

– Chyba nie. To byłoby zbyt trudne.

– Rozumiem – powtórzył. W słuchawce słyszała jego urywany oddech i w wyobraźni widziała, jak wplata palce we włosy. – Cóż, w takim razie... dam ci tyle czasu, ile potrzebujesz – powiedział i dodał z wisielczym humorem: – Będę musiał się zadowolić tym samym, co nasz przyjaciel Paolo: wirowaniem w czarnym piekle ze świadomością, że jesteś tuż obok... moja Francesco.

Eve pochyliła głowę i przytuliła słuchawkę do policzka, wiedząc, że znajdzie się w tym piekle razem z nim.

Przez galerię przewijał się strumień gości. Takich, którzy przyszli tu z pieniędzmi na zakup obrazów i nie łączyły ich z artystami żadne więzy rodzinne ani towarzyskie, było niewielu. Ubrani w garnitury albo w swobodne, weekendowe stroje, przechodzili przez wystawę, rzucając półgłosem kilka komentarzy, a potem szybko wychodzili. Rodzina i przyjaciele świętowali wydarzenie, pili wino, śmiali się, mówili komplementy i zostawali dłużej. Większość artystów z radością przyłączała się do tych grupek, Midge jednak zachowywała dystans. Nigdy nie ściskała się i nie całowała z obcymi, znajomych i klientów, którzy do niej podchodzili, witała jedynie uściskiem dłoni.

Edith pojawiła się około szóstej razem z grupą przyjaciół, prosto z obiadu, któremu towarzyszyła spora ilość wina. Miała na sobie koralowy kostium i biżuterię z dużych kawałków lapis lazuli. Z włosami świeżo ufarbowanymi na rudobrązowy kolor przypominała Midge jaskrawego ptaka wśród stada wron.

– Patrzcie, dziewczyny! To obrazy mojej córki! – zawołała głośno. Midge roześmiała się i pochwyciła rozbawione spojrzenie Susan. Szczerze mówiąc, sprawiło jej radość, że matka wreszcie była dumna z czegoś, co zrobiła jej córka.

– A gdzie są twoje dziewczyny? – zapytała Edith, rozglądając się dokoła.

Midge wiedziała, że matka ma na myśli członkinie Klubu Książki. Wzruszyła ramionami. Ona też była rozczarowana, że żadna z jej przyjaciółek nie pojawiła się na otwarciu. Edith wydęła usta i przez następną godzinę wychwalała obrazy swojej córki, piętrząc określenia „ładne" i „śliczne".

– W porządku, mamo – zlitowała się wreszcie Midge. – Te obrazy naprawdę nie muszą ci się podobać. Sztuka abstrakcyjna nie jest dla każdego.

– Ależ one podobają mi się! Szczególnie ten. Właściwie nie wiem, co to takiego, ale jest bardzo seksy. – Stanęła przed dwuipółmetrowym płótnem. – To kobieta leżącą na plecach. Widzisz te dwa różowe wzgórki? To kolana. A tutaj, te kółka, to piersi – tłumaczyła, wskazując odpowiednie miejsca na płótnie. – Te ciemne kropki to sutki... a te długie linie to ramiona złożone pod głowę. Kobieta leży w takiej pozycji, gdy czuje się zaspokojona albo gdy na coś czeka. Ten obraz jest bardzo kobiecy. Piękny! Zmysłowy. Jaki nosi tytuł?

Midge słuchała własnej matki z otwartymi ustami. Prostym językiem Edith doskonale opisała jej płótno.

– Nazywa się *Pełne kolana* – wyjąkała.

Edith przyłożyła czubek palca do ust i jeszcze raz spojrzała na obraz, przechylając głowę.

– Doskonały tytuł!

– Dziękuję, mamo – powiedziała Midge zupełnie szczerze.

– Za co? – równie szczerze zdumiała się Edith.

– Za troskę. Za to, że przyszłaś. Cieszę się, że tu jesteś.

Nie chodziło jej tylko o wystawę i matka to

zrozumiała. Jej oczy lekko się zaszkliły. Powiodła po córce taksującym wzrokiem. Midge wyprostowała się odruchowo. Miała na sobie nową długą spódnicę z czarnego jedwabiu i kremową, również jedwabną bluzkę oraz szkarłatny szal, który kupiła w swoim ulubionym sklepie z używaną odzieżą. Nie przełamała się na tyle, by zrobić sobie makijaż, ale nałożyła srebrną bransoletę i naszyjnik.

Odetchnęła z ulgą, gdy Edith z aprobatą skinęła głową. Potem matka pomachała jej ręką i wróciła do swoich przyjaciółek, które jak przykute stały przed obrazem przedstawiającym grupę nagich mężczyzn naturalnej wielkości.

Niedługo potem do galerii wszedł Paul Hammond. Była w nim intensywność i koncentracja, które sprawiały, że wiele osób wzięło go za krytyka. Midge poczuła się wzruszona; nie wierzyła, że Hammond pojawi się na jej wernisażu. Rozejrzał się po sali, jakby kogoś szukał, i Midge zauważyła w jego oczach bolesny błysk, ale gdy ich spojrzenia się spotkały, jego twarz natychmiast przybrała obojętny wyraz. Świetnie umie maskować emocje, pomyślała, podchodząc bliżej, by go przywitać. Już po kilku zdaniach rozmowy Midge doceniła jego rozległą znajomość sztuki, zarazem jednak zaczęła się zastanawiać, dlaczego ani słowem nie wspomniał o Eve.

Zanim wyszedł, kupił *Pełne kolana*.

Około ósmej Midge była już pewna, że jej przyjaciółki z Klubu Książki nie przyjdą. Galeria pustoszała, artyści poszli na kolację do Rose Bud. Midge zebrała swoje rzeczy i również zaczęła zmierzać do wyjścia, gdy naraz usłyszała za sobą głos Susan:

– Wybierasz się gdzieś ze znajomymi?

Potrząsnęła głową. Susan dotrzymała słowa i podczas całej uroczystości pojawiała się obok niej w regularnych odstępach czasu. Przynosiła jej kieliszek wina albo po prostu zamieniała kilka słów. Teraz Midge obawiała się, że zobaczy na jej twarzy współczucie, jednak Susan powiedziała spokojnie:

– Nie możesz teraz pójść do domu. Musisz najpierw rozładować napięcie.

– Nie mam ochoty iść do Rose Bud – westchnęła Midge. – Mam dość tego gadania o niczym.

– Prawdę mówiąc, kilka razy obawiałam się, że nie wytrzymasz do końca i wyjdziesz – zaśmiała się Susan. – Może w takim razie wybierzemy się gdzie indziej? Niedaleko stąd podają doskonałe sushi. Co o tym myślisz? – Gdy Midge zawahała się, Susan szybko dodała: – Chodź ze mną. Nie chcę być teraz sama. No, bądź dobrą przyjaciółką.

Midge spojrzała na nią i zrozumiała sens tego zaproszenia. Nie chodziło tylko o przyjaźń. Jasnoszare oczy patrzyły na nią uważnie i wyczekująco. Na pełnych ustach czaił się zmysłowy uśmiech. W sposobie bycia Susan przypominała trochę Paula Hammonda; emanowała z niej in-

teligencja i siła, która przyciągała zarówno mężczyzn, jak i kobiety.

Susan przechyliła głowę na bok i z uśmiechem
wyciągnęła rękę. Ten uśmiech przełamał obronne
bariery Midge. Owinęła ramiona szalem i, od-
powiadając uśmiechem na uśmiech, przyjęła ofe-
rowaną dłoń.

Następnego ranka Eve obudziła się przygnębiona. Czuła się samotna. Przypomniała sobie Paula,
a także wczorajszą rozmowę z dziećmi, i poczucie
rozczarowania wróciło ze zdwojoną siłą. Była
sobota, więc nie musiała zrywać się wcześnie
i przygotowywać śniadania przed wyjściem do
pracy. Mogła dłużej poleżeć w łóżku, spokojnie
zaparzyć kawę.

Radio włączyło się z kliknięciem; poprzedniego
wieczoru Eve zapomniała wyłączyć budzik. Na tle
hymnu narodowego prowadzący mówił coś o wy-
padkach spowodowanych nieumiejętnym obcho-
dzeniem się z fajerwerkami. Eve uświadomiła
sobie, że przecież to Czwarty Lipca. Po emocjach
poprzedniego wieczoru zupełnie o tym zapomniała. Oczywiście. To dlatego dzieci były tak
poruszone. Czwarty Lipca zawsze był dla nich
rodzinnym świętem, najbardziej ulubionym ze
wszystkich, bardziej nawet niż Boże Narodzenie.
Tom zawsze przygotowywał się do niego niemal
całymi miesiącami.

Wstała i ubrała się szybko w niebieskie szorty,

białą koszulkę i czerwone skarpetki, choć przy tych ostatnich skrzywiła się boleśnie. Ukoronowaniem tego stroju były emaliowane kolczyki w kształcie i barwach amerykańskiej flagi, które Tom podarował jej rok temu. Gdy dzieci były małe, często specjalnie dla nich wkładała różne zabawne stroje: czerwone ubrania w serduszka na walentynki, swetry w bożonarodzeniowe wzory, kapelusz czarownicy na Halloween. Ale gdy podrosły, wstydziły się wyjść na ulicę w towarzystwie matki ubranej w coś, co zwracało na siebie uwagę, i to był koniec przebieranek. Teraz, nakładając kolczyki, Eve pomyślała, że dzisiaj wszystkim trojgu przyda się odrobina rozrywki.

Przygotowała jajka na bekonie, pokroiła pomarańcze i poszła obudzić dzieci. Wyłoniły się ze swych sypialni jak zaspane szczeniaki, przecierając oczy i zastanawiając się z niezadowoleniem, po co mają wstawać tak wcześnie w sobotę. Serce Eve ścisnęło się na widok Finneya w samych spodenkach. Nogi i ręce wciąż miał bardzo chude, ale barki zaczynały się już rozrastać. Jej chłopiec stawał się mężczyzną. Nawet włosy mu pociemniały. Z dnia na dzień coraz bardziej przypominał ojca.

– Mam świetny pomysł – oznajmiła Eve, nakładając jajka na talerze. Odpowiedziało jej kilka ziewnięć i wpółprzytomnych spojrzeń, była jednak zadowolona, że dzieci usiadły przy stole bez dalszych narzekań. – Już dawno nie odwiedzaliśmy grobu taty. Pomyślałam, że możemy pójść tam dzisiaj razem, potem pojechać nad jezioro, spędzić resztę dnia na plaży, a wieczorem obejrzeć pokaz sztucznych ogni. Co wy na to?

Wydawali się zdziwieni. Finney pierwszy wzruszył ramionami i powiedział krótko:

– Jasne. Mogę iść na cmentarz, ale później mam inne plany. Miałem pojechać z Nickiem do Michigan, zaprosił mnie w zeszłym tygodniu i pozwoliłaś mi, pamiętasz?

– Rzeczywiście – przypomniała sobie z rozczarowaniem.

Zgodziła się na ten wyjazd z nadzieją, że Bronte zostanie na noc u Sary i dzięki temu ona będzie mogła bez przeszkód spotkać się z Paulem. Ale teraz wszystkie te plany były już niaktualne.

Spojrzała z kolei na córkę, błagając ją w duchu: proszę, pojedź ze mną. Uważała, że jest im to bardzo potrzebne: kilka spędzonych wspólnie godzin, ich własne święto. Chciała pójść z córką do parku, posłuchać koncertów bluesa na plaży, jeść frytki kupione w budce, a po zachodzie słońca przyłączyć się do tłumów podziwiających fajerwerki. Chciała, by Bronte czuła się szczęśliwa w jej towarzystwie.

Tom byłby z niej dumny.

– Co na to powiesz? Chcesz pojechać ze mną? Spędzimy dzień tylko we dwie.

Twarz Bronte rozjaśniła się uśmiechem i Eve zrozumiała, że dostała swoją szansę.

Cmentarz Wszystkich Świętych znajdował się niedaleko Oakley, ale Eve nie jeździła tam często. Ponieważ Czwarty Lipca był ulubionym świętem Toma, kupili bukiet białych, czerwonych i niebieskich goździków przetykany małymi flagami.

Eve zostawiła samochód za ciężką bramą z kutego żelaza i poszli krętą ścieżką w stronę mauzoleum, wspominając po drodze przygody Toma z fajerwerkami. Właśnie zaśmiewali się z opowieści Finneya, który przypomniał sobie, jak kiedyś ojciec uciekał przez całe podwórze przed gwiżdżącym fajerwerkiem, który, źle odpalony, leciał prosto na niego, gdy Eve podniosła głowę i zobaczyła wychodzącą z mauzoleum kobietę. Była wysoka i atrakcyjna, o jasnej, irlandzkiej cerze usianej piegami i wyrazistych piwnych oczach, ale największe wrażenie robiły jej wspaniałe, ognistorude włosy. Eve stanęła jak wryta i serce podeszło jej do gardła. Była pewna, że gdzieś już widziała tę postać. Dzieci zatrzymały się o krok za nią, niepewne, co się dzieje.

Kobieta zeszła po schodkach i zwróciła twarz w ich stronę. W chwili, gdy ich dostrzegła, również zatrzymała się jak rażona gromem. To tylko zwiększyło podejrzenia Eve. Przez chwilę wszyscy stali nieruchomo. Dwie kobiety patrzyły na siebie w milczeniu, ale żadna nie uczyniła najmniejszego choćby gestu rozpoznania. Eve czuła na sobie spojrzenia dzieci.

— Mamo? — odezwała się Bronte.

Na ten dźwięk nieznajoma szybko zbiegła ze schodków i skręciła na ścieżkę prowadzącą w przeciwnym kierunku.

– Kto to był? – zapytał Finney.

– Nie wiem – odrzekła Eve szczerze, patrząc za znikającą sylwetką. Bez żadnych wątpliwości była to kobieta z fotografii, którą Eve znalazła w rzeczach Toma. Ale kim była? – Przypuszczam, że to jakaś znajoma taty.

– Co ona tu robi?

– Przyszła odwiedzić tatę – odpowiedziała bratu Bronte, ale i ona patrzyła na matkę z powątpiewaniem, oczekując, że Eve rozwieje jej wątpliwości.

– Wasz ojciec miał wielu przyjaciół i znajomych – powiedziała Eve spokojnie, zagłuszając własne podejrzenia. Spojrzała na swój strój i w duchu jęknęła z zażenowaniem.

W milczeniu stanęli nad kwadratową tabliczką z wypisanym nazwiskiem Toma. Eve wyrzuciła nieznajomą z myśli. To nie było w tej chwili istotne. Myślała o czym innym: że nigdy nie odbierała tego miejsca jako miejsca, w którym rzeczywiście spoczywa jej mąż, i że wizyty w mauzoleum nie przynosiły jej żadnej pociechy. Ale ważne było to, że przyszła tu razem z dziećmi, widziała ich pochylone głowy i złożone w modlitwie ręce. To były jego dzieci. Tom nadal w nich żył.

Tom, zawołała rozpaczliwie w myślach, co ty

tutaj robisz? Twoje dzieci cię potrzebują! Potrzebują cię żywego! Dlaczego nie możesz być z nimi?

Spodziewała się, że to on jako mężczyzna odejdzie pierwszy, ale zawsze myśleli, że śmierć spotka ich o wiele później, gdy posiwieją im włosy, a dzieci będą już miały własne rodziny. Jednak, gdy rozmawiali na ten temat, Tom kazał jej obiecać, że umieści jego prochy w cylindrze fajerwerku, tak by mogły wybuchnąć na tle nieba, rozprysnąć się w powodzi jasnych strug, a potem zwyczajnie rozsypać się po ziemi. Śmiali się, że jeśli akurat będzie silny wiatr, to prochy Toma spadną ludziom na głowy i dzieci będą mogły powiedzieć ze śmiechem: Och, to cały tatuś!

Pomyślała z przekonaniem, że prochy jej męża nie powinny znajdować się w kamiennym mauzoleum.

– Przepraszam cię, Tom – szepnęła. – Ale robię, co mogę.

Dotknęła ramion dzieci, pocałowała oboje w policzki i wyprowadziła na światło dnia.

ROZDZIAŁ CZTERNASTY

Odwróciwszy się w lustro spogląda ze smutkiem,
Nie pamiętając, czy był tu przed chwilą.
I słyszy w sobie tylko tę myśl krótką:
,,Ach, jak to dobrze, że już się skończyło''.
Gdy z drogi cnoty schodzi pani piękna
I w samotności bada grzechu powód,
Długie włosy upiąwszy obojętną ręką
Na gramofonie kładzie płytę nową.

T.S. Eliot, *Ziemia jałowa*

Doris stała przed wielkim lustrem w sypialni, zapinając rząd drewnianych guzików przy czerwonej lnianej sukience i po raz tysięczny tłumaczyła mężowi, że mimo wszystko powinni zaprosić Eve Porter na przyjęcie z okazji Czwartego Lipca.

– Przecież przyjaźnimy się z nią od lat. Czuję się okropnie.

– To ona czułaby się tu nie na miejscu – odparł R.J. tonem, jakiego używa się wobec bezmyślnego dziecka. – Jej życie zupełnie się zmieniło. Zrozum wreszcie, że ona już nie należy do naszego kręgu.

– Tylko dlatego, że Tom nie żyje? Eve jest moją przyjaciółką i powinnam ją zaprosić – upierała się Doris, obydwoje jednak wiedzieli, że już dawno poddała się woli męża i wygłasza tę tyradę tylko po to, by uspokoić swoje sumienie.

R.J. zamierzał podpisać kontrakt na budowę wielkiego osiedla w River North, w północnej części Chicago, i zaprosił na przyjęcie wszystkich polityków oraz inżynierów, którzy mieli coś do powiedzenia w sprawach tej inwestycji. Sam nadzorował listę gości, menu, a nawet dekoracje.

Doris zupełnie nie czuła zwykłego w takich sytuacjach podekscytowania. Uważała się za doskonałą gospodynię i była dumna z odbywających się w jej domu przyjęć, tym razem jednak R.J. traktował ją jak swoją sekretarkę. Spojrzała w lustro i skrzywiła się z niechęcią na widok swojej twarzy. Nie udało jej się schudnąć; przeciwnie, przytyła jeszcze o parę kilogramów, żaden makijaż nie był w stanie ukryć jej ziemistej cery, a oczy, niegdyś wielki atut jej urody, teraz były głęboko skryte między fałdami pulchnej buzi.

– Kochanie – odezwał się R.J., podchodząc do niej. Stanął obok i ich oczy spotkały się w lustrze.

Ze zdziwieniem zauważyła, że jej mąż się uśmiecha. W rękach trzymał spore pudełko od jubilera obwiązane grubą białą wstążką.

– R.J., to dla mnie? – zapytała z podnieceniem.

– Dla ciebie. To tylko niewielki dowód mojej wdzięczności. Ciężko pracowałaś przed tym przyjęciem. Chcę, żebyś wiedziała, że to doceniam.

Doris wstrzymała oddech i mamrocząc pod nosem podziękowania, drżącymi rękami otworzyła pudełeczko. W środku spoczywał naszyjnik z wielkich, czarnych pereł. Ze łzami w oczach sięgnęła po chusteczkę.

– Nie wiem, co powiedzieć. Jaki piękny! Zupełnie się nie spodziewałam!

– Nie musisz nic mówić. Zbyt rzadko ci dziękuję. Świetnie sobie ze wszystkim radzisz i wszyscy cię uwielbiają. Włącznie ze mną, oczywiście.

Te słowa były dla niej cenniejsze od pereł. Oszołomiona, wzięła go za rękę i przyłożyła ją do policzka.

– Bardzo ci dziękuję, kochanie.

Przez jej umysł przebiegały tysiące myśli. W ich małżeństwie znów zapanuje zgoda! Wieczorem, kiedy wszyscy już sobie pójdą, nareszcie porozmawiają szczerze. Przez cały wieczór Doris będzie wzorem gospodyni udanego przyjęcia. R.J. będzie musiał zauważyć, jak cenna jest dla niego i jak wiele jej zawdzięcza. A potem otworzy butelkę szampana, ubierze się w ładną koszulkę nocną i zaoferuje mu całą siebie, swój czas i swoje ciało...

Wciągnęła brzuch i uniosła wyżej głowę. Zamierzała zmienić wiele rzeczy, stać się kobietą bardziej interesującą. Od jutra zacznie stosować dietę...

Annie była na skraju załamania nerwowego. Przez całe popołudnie siedziała w ogrodzie i czekała na Johna, wrócił jednak dopiero o zmierzchu. Wpadł do domu jak burza, rzucił bagaże w holu, zamienił z nią dwa słowa, wziął prysznic i przebrał się w wieczorowe ubranie. Zachowywał się jak człowiek, który właśnie otrzymał tajną misję: R.J. prosił go, żeby przyszedł na przyjęcie wcześniej; pozostało do omówienia jeszcze kilka szczegółów.

Annie siedziała na krześle z podciągniętymi pod brodę kolanami i na pozór spokojnie obserwowała jego bieganinę, czuła jednak, że za chwilę wybuchnie. Takich nowin, jakie miała, nie można było rzucić w przelocie. Potrzebny był spokój, wygodne fotele, herbata i dużo czasu na rozmowę.

Powiedziała sobie, że jakoś przeczeka ten wieczór, i poszła się przebrać. Nałożyła błyszczącą, czarną sukienkę, pierwszą, która wpadła jej w ręce, i złote, skórzane pantofle. Nie patrząc w lustro, przeciągnęła szminką po ustach; to powinno wystarczyć za cały makijaż. Czerwona szminka na tle bladej cery podkreślała dziwny blask jej oczu.

– John, chciałabym, żebyśmy wrócili do domu wcześnie – poprosiła po drodze. – Nie czuję się dobrze i chcę z tobą porozmawiać.

John przyjrzał się jej uważnie.

– Dobrze, oczywiście. Gdy tylko będę mógł się wyrwać. Jesteś blada. Czy coś się stało?

Zrozumiała, że pyta, czy jest w ciąży, i odwróciła głowę do okna.

– Porozmawiamy w domu – odrzekła bezbarwnie.

Doris powitała ich w drzwiach z królewską manierą, którą Annie uznała za obraźliwą. Gdy powiedziała, że chcą wyjść wcześniej, Doris spojrzała na nią z niedowierzaniem i oznajmiła, że R.J. oczekuje obecności Johna do końca wieczoru.

– Oczywiście, Doris. Zostaniemy. Nie martw się – odrzekł John natychmiast z rozbrajającym uśmiechem. Annie, z ramionami bezradnie opuszczonymi wzdłuż boków, zaniemówiła.

Doris przesłała jej triumfujące spojrzenie.

– Rób, co chcesz, John – powiedziała Annie drżącym głosem, z trudem hamując wściekłość. – Ale ja wyjdę wcześniej.

Zanim którekolwiek z nich zdążyło zareagować, R.J. wszedł do salonu i ze zwykłą sobie jowialnością zawołał:

– John! Gdzieś ty się, do diabła, podziewał? Chodź tu i zobacz, co zaplanowałem!

John rzucił Annie wymowne spojrzenie, po czym entuzjastycznie dołączył do swego pracodawcy.

Wkrótce przybyli kolejni goście. Annie wyczekiwała chwili, gdy będzie mogła zaszyć się w jakimś spokojnym kącie. Nie chodziło o to, że przyjęcie było nieudane. Doris i R.J. przygotowali wszystko bardzo starannie: kwiaty, dekoracje, jedzenie. Szampan lał się strumieniami. Na wszystkich meblach stały białe, czerwone i niebieskie świece. Dobre oświetlenie, dobre jedzenie i dobry szampan – oto recepta na udany wieczór. Annie jednak nie potrafiła znaleźć sobie tu miejsca; czuła się jak intruz.

Szła przez dom z kieliszkiem szampana w ręku, mijając ludzi, których nie znała i wcale nie miała ochoty poznać. Wszyscy wydawali jej się jednakowi. Łączył ich ten rodzaj statusu społecznego, o którym decydują przede wszystkim pieniądze.

Minęło ją kilka osób niosących w rękach talerze z kanapkami i sałatkami. Na widok jedzenia Annie zbierało się na mdłości. Dzięki Bogu, nie była to biesiada przy suto zastawionym stole i mogła wyjść na świeże powietrze. Bardzo chciała porozmawiać z kimś bliskim. John najwyraźniej nie miał dla niej czasu. Ale gdzie się podziewała Eve?

Odstawiła na bok pusty kieliszek po szampanie, sięgnęła po następny i wypiła go duszkiem, nie zważając na zgorszone spojrzenia jakiejś siwowłosej damy ubranej w suknię, która wyglądała, jakby ostatni raz wyciągnięto ją z worka przeciwmolowego jeszcze przed pierwszą wojną światową. Annie miała nadzieję, że alkohol trochę ją uspokoi. Przeszła kawałek dalej i znów zaczęła się rozglądać za Eve. Nie widziała jej od ostatniego spotkania Klubu Książki. Dlaczego wszyscy naraz byli tacy zajęci?

Ponad wypełniający dom gwar wybił się głos R.J., który zapraszał gości na pokaz sztucznych ogni. Annie jak w letargu stanęła na skraju patia.

Gdy pierwsze kolorowe iskry rozprysnęły się na niebie, John stanął obok niej.

– Cześć – powiedział, obejmując ją ramieniem, ożywiony jak mały chłopiec. – To będzie wspaniały pokaz. Jeszcze takiego nie widziałaś. – Pochylił się do jej ucha i szeptem podał sumę, jaką R.J. zapłacił za fajerwerki.

Annie spojrzała na niego spod przymrużonych powiek. Och, John, miała ochotę wykrzyknąć. To są pieniądze, jakie on powinien płacić tobie!

– Czy nadal masz kiepski nastrój? – zapytał, patrząc na wielką, świetlistą chryzantemę na czarnym niebie. – Wydajesz się przygnębiona.

– Mówiłam ci, że nie czuję się dobrze, ale chyba to do ciebie nie dotarło. Zresztą mniejsza o to. Nie widziałeś Eve?

John potrząsnął głową i na jego twarzy pokazał się wyraz zmartwienia.

– Chyba nie została zaproszona.

Annie zdumiała się.

– Eve?! Nie zaproszona? Dlaczego? – zawołała podniesionym głosem.

John rozejrzał się niespokojnie dokoła.

– Mów ciszej... R.J. ma w planie wielki kontrakt. To przyjęcie biznesowe.

– Nie uciszaj mnie! Akurat, biznes! Co za bzdura! Sam zobacz, kto tu jest. Pani Davy. Lincolnowie. Kochowie. To są sąsiedzi R.J.

– Ale również członkowie komitetu planowania przestrzennego w Riverton. R.J. nie chciał zapraszać zbyt wielu osób.

Annie znów przymrużyła oczy.

– Chcesz powiedzieć, że nie chciał zapraszać mało ważnych osób! – wybuchnęła. – Co za bezczelny arogant! A Doris nie jest od niego lepsza. Nie wmówisz mi, że gdyby Tom Porter zostawił swojej żonie masę pieniędzy, to nie byłoby jej tu dzisiaj! Pieprzyć to! Pieprzyć tych ludzi! Ktokolwiek myśli, że w Ameryce nie istnieje arystokracja, jest bardzo naiwny. Jak Doris mogła pominąć Eve, szczególnie teraz, gdy Eve tak bardzo potrzebuje kontaktów? Co z niej za przyjaciółka?

Doris stała w pobliżu. John szarpnął Annie za rękę i odciągnął na bok.

– Mów ciszej – szepnął ze złością. – Wystarczy już tego. Jesteś pijana. – Wyjął jej z ręki kieliszek i opróżnił go jednym haustem.

– Ja dopiero zaczynam – odcięła się Annie – i nie rób tak nigdy więcej!

– R.J. jest spięty i jak na jeden wieczór, to mi wystarczy. Nie mogę martwić się jeszcze i o ciebie. Jakie to ma znaczenie, że Eve tu nie ma?

Otworzyła usta, by mu odpowiedzieć, ale podeszła do nich znajoma para i John, cały w uśmiechach, zaczął się z nimi witać. Annie obejrzała się przez ramię i rzeczywiście o metr dalej zauważyła Doris. Sztywno wyprostowana, ze sztucznym uśmiechem, rozmawiała z burmistrzem i jego żoną. Zaczerwienione policzki świadczyły o tym, że wszystko słyszała. To dobrze, pomyślała Annie. Kilka jej uwag wypowiedzianych chłodnym tonem wystarczyło, by znajomi pospiesznie pożegnali się i odeszli, a wówczas Annie powtórzyła jeszcze raz, głośno i wyraźnie:

– Chcę pójść do domu. Już, teraz.

John z wściekłością pochwycił ją za łokieć i pociągnął w kąt. Twarz miał czerwoną i mówił tonem, jakiego Annie nigdy wcześniej u niego nie słyszała:

– Dlaczego byłaś dla nich niegrzeczna?

– A kto to był? Oni nic dla mnie nie znaczą.

– I kto teraz zachowuje się jak snob?

– Udajesz, że nie zrozumiałeś, o co mi chodziło!

– Bardzo dobrze cię zrozumiałem! A teraz ty zrozum coś innego. Na tym przyjęciu nie chodzi o ciebie. Ani o Eve. Ani nawet o Doris. Chodzi o interesy i jeśli teraz wyjdę, to R.J. obedrze mnie ze skóry.

– Więc rób, co ci każe R.J.! Typowe – wymamrotała.

– Uspokój się, Annie. To sprawa mojej pracy. Lubię tych ludzi. Współpracuję z nimi. Przykro mi, że postanowiłaś znienawidzić tu wszystkich, włącznie ze mną. Więc jeśli chcesz, to wracaj do domu. Tu są kluczyki. Mnie to naprawdę nie obchodzi. Ja zostaję.

– To nieprawda, że nienawidzę wszystkich. Tylko dwóch osób. Dwóch szczególnie.

Niebieskie oczy Johna, pociemniałe z frustracji, przewiercały ją na wylot.

– Zawsze chodzi tylko o ciebie, prawda, Annie? Ważne jest to, czego ty potrzebujesz i czego chcesz. Zrób coś dla mnie, chociaż raz.

Puścił jej ramię i gwałtownie odszedł, odrzucając do tyłu jasne włosy.

Została więc, ze względu na niego, ale przysięgła sobie, że nie będzie prowadzić żadnych towarzyskich rozmów. Ani jednego fałszywego uśmiechu więcej.

Pokaz fajerwerków dobiegł końca. John przyłączył się do mężczyzn palących cygara na tarasie. Kobiety rozmawiały w grupach, żywo gestykulując. Annie rozejrzała się dokoła, szukając miejsca, gdzie mogłaby się schronić. Może nikt nie zauważy jej nieobecności. A jeśli nawet, to co z tego?

Wzięła z tacy dwie kolejne lampki szampana i mrucząc coś pod nosem, weszła na żwirową ścieżkę prowadzącą do nieoświetlonej części ogrodu. Była wolna! Przeszył ją dreszcz podniecenia. Kręciło jej się w głowie, ale zmysły miała wyostrzone. W powietrzu unosił się zapach kwiatów, wody z basenu i świeżo skoszonej trawy.

Po chwili znalazła się nad owalnym basenem otoczonym rzędem wysokich cyprysów i ostrokrzewów. Miała wrażenie, że wkracza do innego świata. Ciemna powierzchnia wody odbijała gwiazdy. Annie podeszła do brzegu i pochyliła się, sprawdzając dłonią temperaturę wody. Była ciepła, aksamitna i bardzo kusząca. Cudownie było czuć, jak opływa czubki palców. Annie ochlapała sobie twarz i szyję, pozwalając, by kilka strużek wpłynęło za dekolt jej sukni. Patrząc na gładką powierzchnię wody, miała wrażenie, że mogłaby po niej przejść na czubkach palców. Pod wpływem impulsu zdjęła buty i z głośnym śmiechem odrzuciła je w mrok.

– Wspaniale – westchnęła, zanurzając stopę i zataczając nią ósemki.

Może sprawił to szampan, może bunt przeciwko Johnowi i Doris, a może nowo zyskana świadomość, że czas człowieka na ziemi jest ograniczony i należy korzystać z każdej chwili, w każdym razie Annie zupełnie się rozluźniła i znów stała się dziewczynką, jaką była kiedyś; dziewczynką, która śpiewała drzewom i szukała wróżek. Zachichotała, dostała czkawki i stojąc na krawędzi basenu z uniesioną do księżyca twarzą, rozłożyła ramiona.

– Jestem młodością! Jestem radością! Jestem pisklęciem, które dopiero co wykluło się z jajka! – zawołała, cytując swoje ulubione zdania z *Piotrusia Pana*. Zakręciła piruet na czubkach palców, ale za bardzo przechyliła się i straciła równowagę. Zamachała ramionami jak ptak zrywający się do lotu i wpadła do basenu.

– Doris, nie widziałaś Annie?

Doris, siedząca z przyjaciółmi przy stoliku do kart, na dźwięk znajomego głosu podniosła głowę.

John był zmartwiony i poirytowany.

– Może poszła do domu? – podsunęła uprzejmie, ale on tylko westchnął:

– Mam nadzieję, że nie.

– Przykro mi, John, ale nie widziałam jej już od dłuższego czasu – odparła krótko, spoglądając obok niego na taras. Najważniejsi goście już wyszli, pozostało tylko kilku przyjaciół i sąsiadów. Naraz Doris podejrzliwie przymrużyła oczy i uważniej przebiegła wzrokiem twarze na tarasie.

– A ty nie widziałeś R.J.? – zwróciła się do Johna.

Ich oczy spotkały się i obydwoje w tym samym momencie pomyśleli o podobnych kłopotach.

– Na pewno jest gdzieś w ogrodzie – rzekł John pospiesznie. – Rozejrzę się.

– Tak, zrób to – zgodziła się Doris nieobecnym głosem.

Gdy John wyszedł, podeszła do okna i obrzuciła wzrokiem znajomy widok: ogród kwiatowy, ogród ziołowy, szklarnie, plac zabaw z huśtawkami i drabinkami do wspinania, na którym żadne dziecko nie bawiło się już od dziesięciu lat. Dalej, za trawnikiem, zaczynała się część parkowa porośnięta wyłącznie drzewami i krzewami.

Za plecami usłyszała wybuch śmiechu. Robanna Scott, żona burmistrza, rozkładała karty tarota.

– To jest Cesarzowa, pani sytuacji – powiedziała z dramatycznym przejęciem i odwróciła kolejną kartę. Był nią Wisielec. – Strzeż się śmierci w wodzie.

Doris poczuła zimny dreszcz i niepostrzeżenie wymknęła się z domu.

Annie wpadła do wody z głośnym pluskiem. Parsknęła, odbiła się od dna i roześmiała się głośno, bo wiedziała, że jeśli nie będzie się śmiać, to zacznie płakać. Sukienka krępowała jej ruchy. Rozejrzała się dokoła: nie było nikogo. Z pewnym trudem wysupłała się z fałd materiału i rzuciła wartą siedemset dolarów suknię na oślep za siebie. Poczuła się uwolniona z wszelkich więzów, kalendarzy, termometrów i terminów spraw sądowych. Chłodna woda swobodnie obmywała jej ciało. A więc jednak była dzieckiem swoich rodziców!

– Mamo, tato, jestem waszym dzieckiem! – zawołała na głos, przypominając sobie, jak często w nocy z przerażeniem obserwowała rodziców kąpiących się nago w stawie.

Mama i tato... Henry i Lydia Blake. Miłośnicy marihuany i wolnego życia, w latach sześćdziesiątych jungowscy terapeuci. Później przerzucili się na Gestalt, a potem jeszcze na coś innego. W połowie lat siedemdziesiątych założyli dom terapii grupowej – nie wolno było nazywać go komuną! – dla nastolatków z problemami. Były to wszelkiego rodzaju problemy, jakie wówczas klasyfikowano pod pojemną etykietką schizofrenii. Pobytu w Mill House w Oregonie nie pokrywało ubezpieczenie, toteż terapia nie była ani krótka, ani tania.

Mill House. Nawet po tylu latach Annie wciąż źle reagowała na to wspomnienie. Była to zrujnowana farma na krzywych fundamentach, pełna używanych mebli, dywaników ze skrawków materiału, makram, a przede wszystkim dziwacznych dzieciaków. Jedli to, co urosło w wielkim ogrodzie – menu było ściśle wegetariańskie – a czego nie zdołali zjeść, sprzedawali w miejscowej spółdzielni. Przed przyjazdem do Chicago Annie nie wiedziała, co to fast food. Jej posiłki składały się z fasoli, soczewicy, produktów sojowych i z pełnego ziarna, a wszystko to grubo posypane kiełkami, plus garść witamin. Wciąż pamiętała zapach tego domu – dym papierosowy i woń ludzkich ciał.

Ale nie mogła sobie przypomnieć ani jednej szczerej, serdecznej rozmowy z rodzicami, wyłącznie psychoanalityczny bełkot. Teraz wiedziała, że jej rodzice nie byli złymi ludźmi, tylko po prostu złymi rodzicami. Całą swą uwagę skupiali na obcych dzieciach, nie zauważając przy tym, że ich własna córka rośnie zaniedbana i przepełniona gniewem. Wyobrażali sobie, że Annie wzrasta w najlepszej atmosferze, wśród licznych braci i sióstr.

Ale życie nie bywa takie proste. Pacjenci, rozpieszczone dzieci bogatych rodziców, rzeczywiście byli chorzy, ale nie na tyle, by nie dać jej odczuć, że jako córka terapeutów jest tam czymś w rodzaju pomocy domowej i sanitariuszki. Tak więc, gdy inne, żyjące w naturalnych warunkach

dzieci w jej wieku oglądały w telewizji *Zagubio-*
nych w kosmosie i *Rodzinę Bradych*, ona obserwowała na żywo „Zagubionych w życiu" oraz
„Rodzinę szaleńców".

Kulminacyjny moment nadszedł wówczas, gdy
Annie skończyła trzynaście lat i jej ciało zaczęło
się rozwijać. Pewien ponury, pryszczaty, podły
siedemnastolatek uwięził ją w łazience, gdzie za-
brał się do obmacywania jej pączkujących piersi
i wzgórka między nogami. Zapewne doszłoby do
gwałtu, gdyby ktoś nie zaczął się dobijać do drzwi.
Annie z płaczem pobiegła do rodziców i opowiedziała im wszystko urywanymi zdaniami, między
jednym a drugim wybuchem histerii. Ale gdy
zażądała, by wyrzucili tego chłopaka z domu,
odmówili, posługując się terapeutycznym żargo-
nem, który słyszała przez cały czas: „odreagowanie, przeniesienie, hipomania, oczywiście, że to
było niewłaściwe zachowanie, ale..." Tłumaczyli
jej, że ten chłopak jest chory, że potrzebuje zrozumienia i pomocy. Zapewniali, że bardzo żałuje
tego, co zrobił, obiecali zwiększyć dawki lekarstw
i witamin.

Annie zrozumiała z tego tylko jedno: że nikt jej
nie obroni. Nikogo nie obchodziło, co czuła i czy
jest bezpieczna. Choć była tylko dzieckiem, bez
trudu odkryła brutalną prawdę: rodzina chłopaka
była bogata i suto płaciła za jego pobyt w Mill
House. Annie spakowała swoje rzeczy do plecaka,
ukradła trochę drobnych pieniędzy i, nie oglądając

się za siebie, wsiadła do autobusu, który jechał do Chicago. Adres nadawcy wypisany na kartce z życzeniami świątecznymi przywiódł ją do domu dziadków.

To był punkt zwrotny w jej życiu. Nigdy już nie wróciła do Oregonu i rzadko kontaktowała się z rodzicami, choć napisali do niej wiele serdecznych listów. Nie potrafiła im wybaczyć, że obce dziecko okazało się dla nich ważniejsze niż własne. Nawet po wielu latach nie była w stanie się z nimi spotkać. Ostatnio słyszała, że mają bardzo niewielu pacjentów i żyją na skraju nędzy.

Przepłynęła całą długość basenu, obróciła się na plecy i znów wróciła na jego płytszą stronę. Szampan niebezpiecznie wirował jej w głowie. Zdrowy rozsądek podpowiadał, że powinna wyjść z wody. Posłuchała tego głosu i wynurzyła się z basenu jak Wenus z morskiej piany.

W każdym razie tak pomyślał R.J. Bridges.

Podczas całego przyjęcia kątem oka obserwował Annie Blake. Zauważył, że wypiła kilka kieliszków szampana i samotnie poszła w stronę basenu. Wiadomo, pomyślał ze znaczącym uśmieszkiem. Lubił patrzeć na Annie. Była inna niż większość kobiet, jakie znał. Błyskotliwa, inteligentna, obdarzona ciętym językiem. Już od dawna miał ochotę sprawdzić, jak ten różowy język radziłby sobie z odkrywaniem ciekawych miejsc na jego ciele. Zakończył już omawianie interesów, również sięgnął więc po kieliszek z szampanem i poszedł za nią. Lukratywny kontrakt miał w kieszeni i czuł się bardzo pewny siebie.

Annie odgarnęła z twarzy mokre włosy i sięgnęła po ręcznik. Sarah Bridges przyjmowała tu wcześniej przyjaciół i nastolatkom nie chciało się zrobić po sobie porządku. Dzięki temu Annie miała teraz czym się wytrzeć.

Owinęła się ręcznikiem, związując go jak sarong. Zastanawiała się, gdzie jest John. Jemu również podobałaby się taka kąpiel. Był bardzo dobrym pływakiem i opanował trudny styl motylkowy. Annie lubiła obserwować jego ruchy w wodzie.

W krzakach za krzesłami coś zaszeleściło. Annie odruchowo mocniej pochwyciła końce ręcznika.

– John? – zawołała, ale nikt nie odpowiedział.

– Kto tam jest? – spróbowała jeszcze raz. Znowu nic.

To na pewno jakiś zwierzak, pomyślała; kot, może pies? W każdym razie dźwięk już się nie powtórzył. Usiadła na jednym z krzeseł, wyciągając przed siebie długie nogi. Do diabła z Johnem i jego przyjęciem, pomyślała, ziewając. Miała wielką ochotę zamknąć oczy i...

– Czy to miejsce jest wolne?

Zerwała się na równe nogi.

– Przepraszam – zaśmiał się R.J. – Nie chciałem cię przestraszyć.

– Co ty tu robisz?

– Ja tu mieszkam.

– Wracaj na swoje przyjęcie – mruknęła i znów przymknęła oczy. – Chcę się zdrzemnąć. Jak długo tu jesteś?

– Niedługo.

– Założę się, że wystarczająco długo – prychnęła. – Zawsze podglądasz kobiety?

– To zależy od kobiety.

Uśmiechał się jak ktoś, kto lubi zabawę w kotka i myszkę. Był duży, wysoki i barczysty, opalony i wysportowany. Miał w sobie atrakcyjność starszego, lecz sprawnego fizycznie mężczyzny.

– Czy mogę usiąść? – zapytał.

– A jeśli powiem, że nie?

Przechylił głowę na bok i obrzucił jej ciało przeciągłym spojrzeniem.

– To uznam, że masz tupet, zważywszy, że to mój dom.

– Nie udawaj, że mnie nie podglądałeś.

– A ty nie udawaj, że nie jesteś ekshibicjonistką.

– Wolę myśleć o sobie jako o kobiecie wyzwolonej. – Uśmiechnęła się. – Siadaj, jeśli chcesz. Jak sam powiedziałeś, to twój dom. Tylko czy jesteś pewien, że chcesz? Ja nie gram w żadne gry.

R.J. usiadł, opierając ręce na kolanach, i znów zatrzymał wzrok na jej ciele. Annie instynktownie owinęła się mocniej ręcznikiem.

– Mogłabyś zagrać.

– Posłuchaj, R.J., nie wiem, co ty właściwie myślisz, ale...

Spojrzał na nią z miną niewiniątka.

– Nic nie myślę... Mówię o karierze Johna. On ma wielki potencjał i mógłby wspiąć się wyżej, gdybyś go trochę wsparła.

Annie zastanawiała się przez chwilę nad tymi słowami. R.J. zachowywał się przyjaźnie, jak dobry, zatroskany szef, przyjaciel, sąsiad. Usta jej lekko drgnęły w uśmiechu. Był w tym dobry. Prawie mu uwierzyła.

– Mógłby się wspiąć o wiele wyżej, gdyby dostawał przyzwoitą pensję – odparowała sucho. – Oraz premię. A może okażesz się porządnym człowiekiem i dorzucisz jeszcze program emerytalny?

R.J. wydał dziwny dźwięk. Położył dłoń na jej kolanie i lekko je poklepał. Na pozór był to nic nie znaczący gest, jaki mógł się przydarzyć w zwyczajnej rozmowie. W każdym razie R.J. zachowywał się tak, jakby nic się nie zdarzyło, i zaczął jej opowiadać o wielkich planach, jakie snuł z myślą o sobie i o Johnie.

Annie odchyliła się do tyłu, słuchając grania cykad. W innym miejscu, w innym czasie być może uznałaby R.J. za atrakcyjnego mężczyznę. Władza miała moc przyciągania, na którą Annie nie była obojętna. Tacy mężczyźni fascynowali ją, gdy dorastała. Mężczyźni obdarzeni energią, inteligencją, ambicją, bogactwem. Zupełnie inni niż jej ojciec i John.

Znów poczuła lekki dotyk. R.J. przesuwał rękę wzdłuż jej uda. Szybko podniosła głowę. Nadal coś mówił, ale błysk w oczach jasno świadczył o jego prawdziwych intencjach. Czy naprawdę sądził, że ona jest aż tak naiwna?

Kocie oczy Annie zalśniły w mroku. Zastanawiała się, jak najlepiej się zabawić tą wielką myszą, chociaż nie miała pojęcia, po co właściwie miałaby to robić. Czy dlatego, że była wściekła na Johna i na Doris? A może dlatego, że było to niebezpieczne? Bo było. Wiedziała, jak łatwo takie gry wymykają się spod kontroli.

Kątem oka pochwyciła jakiś ruch po prawej stronie. W cieniu stał wysoki mężczyzna. John. Annie poczuła napięcie w całym ciele, ale nie poruszyła się. Nie wiedziała, jak długo John już tam stoi, ale serce jej zadrżało na myśl, że mógł widzieć, jak R.J. dotykał jej uda. Jak wiele jeszcze jest w stanie znieść? Czego mu potrzeba, żeby wyszedł z krzaków i stanął twarzą w twarz ze swoim szefem?

Powiedziała sobie, że jest niewinna, i nie ruszyła się z miejsca. Musiała się przekonać, co zrobi John. Siedziała spokojnie i czekała. Po chwili znów poczuła palce R.J. nad swoim kolanem. Tym razem pozostały tu dłużej. Annie powstrzymała chęć, by uderzyć tę dłoń. Wstrzymała oddech i obserwowała cienie.

R.J. pochylił się nad nią i wymruczał coś o tym, że Annie pięknie wygląda w świetle księżyca.

Spojrzała na niego z wyraźną prowokacją. Nie mógł być pewien, czy jest myśliwym, czy ofiarą, widocznie jednak ta druga możliwość w ogóle nie przyszła mu do głowy, bo wyraz jego twarzy, opadającej coraz niżej nad jej twarzą, nie zmienił się ani na jotę. Annie odepchnęła go mocno i wstała. Szybkie spojrzenie w bok przekonało ją, że John nadal stoi w cieniu.

R.J. jednak nie uznał tego za koniec gry. Pochwycił ją za ramiona i pociągnął do siebie. Czuć było od niego zapach brandy i cygar. Annie wyrywała się, ale jego palce mocno wpijały się w jej ramiona. Brutalnie przyciskał do niej usta, chcąc jej udowodnić, kto tu jest panem sytuacji. Gdy wepchnął język do jej ust, omal się nie zakrztusiła i zaczęła się wyrywać jeszcze mocniej.

– Przestań! – krzyknęła, z całej siły odpychając go otwartymi dłońmi.

Puścił ją wreszcie i odsunął się z błyskiem gniewu w oku. Annie wierzchem dłoni otarła usta. Kątem oka spojrzała w stronę miejsca, gdzie stał John, i poczuła, że zaczynają jej płonąć policzki. John odchodził!

Naraz poczuła się jak trzynastolatka, tak samo jak wtedy, gdy rodzice odwrócili się od niej, gdy jej nie uwierzyli, choć pokazywała im siniaki na ramionach. I tak samo jak wtedy nie wiedziała, czy ma większą ochotę przeklinać na cały głos, czy zwinąć się w kłębek i płakać. Niedaleko basenu rosła kępa wielkich rododendronów. Stojąca w ich cieniu Doris patrzyła, jak Annie zabiera sukienkę i buty i idzie żwirową ścieżką w stronę domu. Jej owinięte ręcznikiem szczupłe biodra przy każdym kroku kołysały się miarowo.

Doris zasłoniła się szerokim liściem i skupiła uwagę na R.J., który usiadł na krześle i wyciągnął papierosa. Palił, patrząc w niebo i równo wydmuchując dym. W końcu westchnął głośno, nie wiedziała, z frustracji czy z ulgi. Czy przejąłby się, gdyby się dowiedział, że jego własna żona widziała próbę uwiedzenia swojej przyjaciółki?

Doris oddychała płytko. Miała wrażenie, że cała krew odpłynęła jej z twarzy, z całego ciała, i wsiąkła w ziemię. Nie była w stanie się poruszyć. Realność tego, co próbowała ignorować przez wiele lat, przykuła ją do ziemi.

Noc mijała nieznośnie powoli. Annie wróciła do domu taksówką, w pożyczonym płaszczu przeciwdeszczowym. Johna nie było. Czekała na niego, siedząc przy stole w kuchni i rozmyślając o tym okropnym wieczorze. Owszem, zachowała się nieodpowiedzialnie. Nie powinna iść nad ten basen. Żałowała tego, co się stało, żałowała, że nie może tego cofnąć.

Ale jakiś wewnętrzny głos powtarzał jej uparcie: A co z Johnem? Czy on nie miał wobec niej żadnych obowiązków? Czy to nie była również i jego wina?

Nic nie było jednak w stanie zagłuszyć jej

własnego poczucia winy. Wiedziała, że musi jakoś naprawić to, co się stało.

Kilka minut po trzeciej usłyszała kroki za drzwiami. Zerwała się z krzesła i pobiegła otworzyć.

– John! Gdzie ty...

Głos jednak zamarł jej w gardle, gdy zobaczyła na progu nie Johna, lecz Doris w sztormiaku, pod którym miała tylko nocną koszulę. Ubrana była jak do snu, ale błysk w jej oczach świadczył, że przyszła tu stoczyć bitwę.

– Mogę wejść?

Annie miała ochotę odpowiedzieć: nie, wracaj do domu, odsunęła się jednak od drzwi.

– Trochę późno na przyjacielskie wizyty – zauważyła sucho. – Wszystko u ciebie w porządku?

– Nie – odrzekła Doris krótko, na przemian splatając i rozplatając ręce.

Annie próbowała zebrać myśli.

– Jeśli chodzi o to, że wpadłam do basenu, to bardzo cię przepraszam. Straciłam równowagę.

– Nie bądź śmieszna. Oczywiście, że nie o to mi chodzi! – wybuchnęła Doris, tracąc nad sobą kontrolę.

Annie ze znużeniem przetarła twarz dłonią. Zanosiło się na poważną konfrontację.

– Posłuchaj, jestem zmęczona. Wierz mi, miałam dzisiaj koszmarny dzień. Jeśli nie masz nic przeciwko temu, wolałabym zostawić tę rozmowę na jutro.

– Mam coś przeciwko temu! – wykrzyknęła Doris, porzucając wszelkie pozory. – Przyszłam tu, żeby ci powiedzieć kilka słów, które powinnaś usłyszeć!

Annie skrzyżowała ramiona na piersiach.

– Wal śmiało.

– Jak mogłaś, Annie?

– O czym ty mówisz?

– Byłam w ogrodzie. Widziałam ciebie i R.J.

– A niech to – wymamrotała Annie, potrząsając głową. Było gorzej, niż przypuszczała. – Nic się tam nie wydarzyło, Doris. Zupełnie nic. R.J. po prostu wypił trochę za dużo i poniosło go. Znasz go przecież.

Doris otarła oczy i opanowała się trochę.

– Tak, znam go. Ale ciebie też znam.

– Co to ma znaczyć?

– Wydaje ci się, że jesteś lepsza od wszystkich. Lubisz bawić się ludźmi, a dzisiaj zabawiłaś się moim mężem. Uważam, że to wstrętne.

– Doris, sama nie wiesz, co mówisz.

– Nic nie rozumiesz, prawda? Więc powiem ci, że zabawa z ogniem jest niebezpieczna, bo można się sparzyć. I nie tylko ty możesz się sparzyć, ale również ja, twój mąż i nawet R.J.

– No dobrze, więc już mi to powiedziałaś. Czy teraz możesz już sobie pójść?

– Znam wiele takich kobiet, które jak ty lubią się wdawać w pozornie niewinne flirty. Krótki list albo telefon. Pocałunek za plecami instruktora tenisa. Ale nie wiesz, jak szybko taka iskra potrafi wymknąć się spod kontroli i zniszczyć wszystko na swojej drodze. Zrujnować dobre małżeństwo.

– A ty? Czyżbyś ty nie bawiła się świetnie? – oburzyła się Annie. – Siedziałaś w krzakach. Szpiegowałaś. Co to za podchody? To wszystko jest chore! Boże, nienawidzę takich rzeczy!

– Szukałam cię. John się o ciebie martwił.

– To trzeba było zawołać. Szkoda, że tego nie zrobiłaś! Porządna, otwarta kłótnia byłaby znacznie lepsza od tej zabawy w chowanego. No to się dowiedziałaś. Widziałaś całą tę żałosną scenę. I kto tu mówi o grach? Uważasz, że wygrałaś? Że dostaniesz jakąś nagrodę? Tu nie ma wygranych, wszyscy przegrali i wszyscy teraz cierpią.

– Przez ciebie! To ty nie zastanowiłaś się, ile osób zranisz, Annie! To zupełnie w twoim stylu. Najpierw działać, a dopiero potem myśleć. Dla mnie jest to szczyt egoizmu.

Annie miała już dość. To nie było sprawiedliwe. Doris winiła za całą sytuację ją, a nie swego męża.

– Doris, przestań udawać przede mną i przed sobą. Żałuję, że to akurat ja muszę ci o tym powiedzieć, ale nie szukałam twojego męża. To on przyszedł za mną nad basen i to on nie mógł opanować rąk.

– Bo go skusiłaś!

– Obudź się, Doris! Wszyscy oprócz ciebie wiedzą, że R.J. Bridges ugania się za wszystkim, co nosi spódnicę!

Doris wyglądała na wstrząśniętą.

Annie westchnęła i potrząsnęła głową z żalem.

– Przepraszam, Doris. Nie powinnam mówić ci tego w taki sposób. Ale w sumie cieszę się, że już wiesz. Czasami przyjaciołom nie udaje się ukryć prawdy, nawet gdy bardzo się starają.

– Nie jesteś moją przyjaciółką – powiedziała cicho Doris.

Annie znów poczuła ukłucie żalu.

– Nie, chyba nie – odrzekła spokojnie.

– Ja próbowałam nią być, ale nie pozwoliłaś mi na to. Ja jednak nadal uważam ciebie za przyjaciółkę, a przysięgam ci, że nigdy nie próbowałabym uwieść męża przyjaciółki. Do diabła, ja nikogo nie próbuję uwodzić. Jestem mężatką, wiesz przecież. I kocham tego drania.

Doris przyłożyła ręce do twarzy i rozpłakała się. Annie położyła rękę na jej ramieniu i poczuła ulgę, gdy Doris nie zaprotestowała.

– Nigdy nie przyszła ci do głowy myśl o rozwodzie? – zapytała łagodnie.

Doris pokiwała głową.

– Owszem. Ale nie potrafię sobie tego wyobrazić. On jest moim życiem.

– Może powinnaś to zmienić?

Doris wzięła się w garść i otarła oczy.

– Nic nie rozumiesz – odparła chłodno. – Tego się po prostu nie robi. Takie kobiety jak ja nie robią tego. Inaczej nas wychowano.

– Naprawdę tak myślisz? Doris, w swojej

praktyce spotykam mnóstwo dobrych, porządnych kobiet, które zostały na lodzie. To nie jest miły widok. Te kobiety spędziły najlepsze lata swojego życia, przestrzegając zasad, o których mówisz, i spełniając wszystkie zachcianki swoich mężów. A potem ci mężowie porzucili je dla jakiejś młodszej modelki. I wtedy te nieszczęsne kobiety trafiają do mnie. Nie mają żadnych dochodów, nie umieją nic robić, mają za to kilkoro dzieci, które też czują się zranione i boją się przyznać, że kochają tatusia. I wiesz co? Najlepsza część zaczyna się wtedy, gdy te kobiety wpadają w złość. W prawdziwą złość. A ja ją jeszcze podsycam, pomagam im przestać się użalać nad sobą i zacząć pracę nad własnym nowym życiem.

Doris wzięła głęboki oddech.

– Chcesz powiedzieć, że ja nie mam własnego życia?

Annie ze znużeniem oparła się o drzwi.

– Nie, oczywiście, że nie. Nie każę ci zmieniać wszystkiego i szukać pracy. W twoim wypadku to by niczego nie rozwiązało. Chodzi o rozwijanie własnych zainteresowań. Bo inaczej utkniesz w domu, patrząc bezmyślnie w ścianę, i będziesz się zastanawiać, co zrobić z nadmiarem wolnego czasu. Wiele jest kobiet, które dają, dają, dają, aż nic im nie zostaje, a potem pewnego dnia budzą się, patrzą w lustro i nie poznają własnego odbicia.

Doris przez chwilę milczała, a potem zapytała cicho, bez śladu złości:

– A jak jest z tobą, Annie? Cenisz sobie egocentryczny styl życia. Czy jesteś szczęśliwa?

Annie spojrzała na swoje dłonie i potrząsnęła głową.

– Trafiony.

– Już późno. Muszę iść – poderwała się Doris. – Nie mam pojęcia, po co tu w ogóle przyszłam. Wymknęłam się z łóżka. Czy to nie żałosne? R.J. w ogóle o niczym nie wie.

Annie zamknęła za nią drzwi i poczuła, że nie ma już ani odrobiny więcej siły. Mrok panujący w domu i dziwna cisza napełniały ją lękiem. Powietrze wydawało się gęstnieć. Serce Annie biło coraz szybciej i miała wrażenie, że brakuje jej powietrza w płucach. Ten dom przypominał grobowiec.

ROZDZIAŁ PIĘTNASTY

Płacz nadchodzi wieczorem,
A radość o poranku.

Król Dawid, *Psalm 29*

Dźwięk telefonu wyrwał Eve z głębokiego snu. Telefon o tej porze może oznaczać tylko złe wiadomości, pomyślała z dudniącym sercem. Gdzie są dzieci? Bronte spała w swoim łóżku, a Finney... Och, Boże, Finney był w Michigan. Jej dziecko...

– Halo? – szepnęła wyschniętymi ustami.

– Eve, to ja, Annie. Obudziłam cię?

Z ulgi omal nie wybuchnęła płaczem.

– Boże, Annie, czy ty wiesz, która godzina?

– Nie. Przepraszam. Nie wiem. Która?

– Ja też nie wiem, ale wierz mi, jest bardzo późno. – Przetarła oczy. Serce powoli wracało do normalnego rytmu. Annie chyba piła, głos miała trochę zamazany. – Co się stało? Czy wszystko u ciebie w porządku?

– Nieeee....

Eve usiadła prosto, zupełnie już rozbudzona. Annie nigdy nie płakała.

– Dobrze się czujesz?

– Zupełnie się rozsypałam. Zupełnie. Jestem wstrętna i podła.

W dodatku dostała czkawki.

– Gdzie jest John?

– Nie wiem. Jeszcze nie wrócił.

– Jesteś sama?

– Tak – powiedziała Annie z rozpaczą.

– Otwórz drzwi, skarbie. Już jadę.

W piętnaście minut później Eve stała na kamiennych schodkach domu Annie. Drzwi były szeroko otwarte. Zajrzała niepewnie do środka i zawołała Annie po imieniu, ale nikt jej nie odpowiedział. Z bijącym sercem przebiegła przez dom, potykając się o kartonowe pudła i zaglądając do wszystkich pomieszczeń.

– Annie!

– Tu jestem – odezwał się głos zza okna.

Trawa była wyschnięta. Podwórze w świetle księżyca wydawało się zupełnie puste, poznaczone tylko ruchliwymi cieniami gałęzi.

– Gdzie jesteś?! – zawołała Eve przez ściśnięte gardło.

– Tutaj.

Głos dochodził z wielkiej kępy przerośniętych bzów w kącie ogrodu. Eve pochyliła się i zauważyła między gałęziami coś w rodzaju prowadzącego do środka tunelu. Za zasłoną liści siedziała tam postać w białej koszuli nocnej. Eve westchnęła i na czworakach przecisnęła się między drapiącymi gałęziami.

– Robisz dziwne rzeczy, Annie Blake – stwierdziła. – Jeśli tu rośnie trujący bluszcz, to więcej się do ciebie nie odezwę.

– Hej – powiedziała Annie, widząc, że Eve pod swetrem ma piżamę. – Gdybym wiedziała, że będę miała dzisiaj tylu gości w piżamach, to wydałabym piżamowe przyjęcie.

– Dlaczego? – zapytała Eve. Głos Annie wyraźnie świadczył o tym, że trochę za dużo wypiła. W takim stanie bywała uparta, toteż Eve pomyślała, że będzie musiała jakoś łagodnie namówić ją na powrót do domu. – A kto jeszcze tu był?

– Doris.

– Doris? Tutaj? W piżamie?

– Uhm. Przyszła mi zrobić awanturę. I wiesz co? Świetnie jej poszło. Trafiła mnie prosto między oczy. Jestem tylko cieniem dawnej siebie.

Eve zamilkła na chwilę. Annie zawsze pokrywała cierpienie humorem.

– Masz ochotę o tym opowiedzieć?

– Bo... – Annie urwała z frustracją. – Mniejsza o to. – Wzruszyła ramionami i sięgnęła po butelkę wina. Eve przytrzymała jej dłoń.

– Lepiej nie. Myślę, że wypiłaś już dosyć.

– Kto cię pytał o zdanie? – burknęła Annie, odpychając rękę przyjaciółki. – Nie życzę sobie, żeby ktokolwiek mówił mi, ile mi wolno pić. Ani ty, ani John, ani nikt inny. Jasne?

Eve pohamowała złość.

– Jeśli chodzi o przyjęcie u Doris, to nie przejmuj się, nie zdradziłaś mi żadnej tajemnicy. Wiem o tym przyjęciu. Doris sama zadzwoniła i przeprosiła za to, że nie było mnie na liście gości.

Annie z rozmachem potrząsnęła głową.

– Tak? No widzisz, widzisz... I jak się czujesz? Bardzo cię to uraziło? – zapytała ze szczerym współczuciem.

Eve westchnęła.

– Jasne, chyba tak. Na początku. Teraz już nie. Znam Doris i R.J. od dawna. Wydaje się, że to ona wszystkim rządzi, ale tak naprawdę zawsze robi to, co on jej każe. A on pozostaje wierny wyłącznie pieniądzom. Tom i ja zawsze o tym wiedzieliśmy i dlatego Tom go nie cierpiał. To ja przyjaźniłam się z Doris, a teraz nawet i to się zmienia. Nie mamy już wiele wspólnego.

– No, ale zadzwoniła do ciebie. To wymagało sporo odwagi. Widocznie naprawdę jej na tobie zależy.

Eve nic na to nie odpowiedziała.

– W każdym razie... – zaczęła Annie i urwała.

– Co się właściwie stało, Annie?

Niskim, łamiącym się głosem Annie opowiedziała jej o wszystkim, co się zdarzyło w ogrodzie Bridgesów, o kłótni z Johnem i o dziwnej rozmowie z Doris.

- Biedna Annie. Aż nie wiem, co powiedzieć - zaśmiała się krótko Eve. - Obrywa ci się ze wszystkich stron. Annie, Annie, jak ty to robisz, że zawsze pakujesz się w takie dziwne sytuacje?

- Wiem. To klątwa.

- Nie, to tylko ty sama. Podejmujesz ryzyko. Mówisz, co myślisz.

- Jasne - zgodziła się Annie bez przekonania.

- Jakoś sobie to wyjaśnicie z Doris.

- Może. Ale John... Jeszcze nigdy nie był taki zimny. Niech sobie jeździ przez całą noc po mieście. Sam się przekona, że nic mnie to nie obchodzi.

- Nie powinnaś wystawiać go na takie próby.

- Cieszę się, że to zrobiłam. Gdy się odwrócił i odszedł, pomyślałam... - skrzywiła się - ...pomyślałam o nim: co za szmata. Straciłam do niego cały szacunek. Nic nie zrobił, po prostu zostawił mnie tam. Wiesz, jak się czułam?

Eve patrzyła na Annie z przerażeniem. Nigdy jeszcze nie widziała jej w takim stanie. Annie zawsze była jak skała. Stanowiła jej oparcie. Patrząc na nią teraz, Eve miała wrażenie, że ziemia usuwa jej się spod stóp. Najchętniej sprałaby ich obydwu, Johna i R.J. Musiała jednak pomóc jakoś Annie. Wiedziała, że jej przyjaciółka kocha Johna i że John kocha ją. Stając po stronie jednego z nich, nie pomogłaby żadnemu.

- Może on po prostu nie uznał, że zrobiłaś coś niestosownego - powiedziała, odgrywając rolę adwokata diabła. – W końcu było późno, a to był R.J. i zwyczajnie rozmawialiście...

– Tak, to był R.J.! Właśnie o to chodzi! – wykrzyknęła Annie. – R.J. jest nie tylko jego szefem, ale podobno również przyjacielem! Najlepszym kumplem! Nie pamiętam nawet, ile razy jadaliśmy z nim kolację, R.J. zawsze starał się domi... dominować. Wielki król! John skacze dokoła niego na czterech łapach, a ten nic, tylko siedzi i się uśmiecha. – Zaklęła pod nosem i dodała ze skruchą: – Może nie powinnam była mówić Doris o R.J.

Serce Eve na moment przestało bić.

– Czego mówić?

– O R.J. No wiesz, o kobietach – wyjaśniła Annie ponuro.

– Och, Annie – jęknęła Eve, zakrywając oczy dłonią. – Biedna Doris!

– Ale to prawda! – zawołała Annie.

– Mimo wszystko nie trzeba jej było tego mówić.

– Daj spokój... popatrz na to realnie. Moim zdaniem, dziś wieczorem sama się tego domyśliła. Chowała się w krzakach... Co jest z tymi krzakami? Wszyscy chowali się dzisiaj w krzakach, więc pomyślałam, dlaczego nie ja? Ja też chcę się bawić. Całkiem tu przyjemnie, prawda? Prawie jak tajna twierdza. – Ze smutkiem popatrzyła w stronę domu. – Tyle różnych, tajnych rzeczy, sekretów... Nie chcę być w tym domu.

Eve znów westchnęła, nadal myśląc o Doris.

– Jak to możliwe, żeby ona niczego nie zauważyła wcześniej?

– Powinnaś chyba zapytać: jak to możliwe, że ona jeszcze z nim jest?

Eve zamilkła. Doskonale rozumiała Doris. Wiedziała też, że siła Annie jest zarazem jej słabością. Annie zawsze szybko podejmowała decyzje i natychmiast wyrabiała sobie o wszystkim własne zdanie. To mogło być dobre w pracy, ale nie zawsze służyło związkom.

– Nic nie jest czarne lub białe – powiedziała w końcu. – Istnieje wiele dobrych, solidnych małżeństw, które trwają, bo obydwie strony pracują nad tym. Rozwód nie zawsze rozwiązuje problemy.

– Oczywiście. Wiem o tym. Ale zawsze cierpię, gdy widzę, że kobietom takim jak Doris dzieje się krzywda. To łatwe cele, Eve. Te dobre i ufne kobiety. Trzeba marzyć o szczęściu trwającym wiecznie, ale żyć tak, jakby miało się skończyć w przyszłym tygodniu. To moje nowe motto.

– Skąd ten cynizm, Annie? Martwię się o ciebie. Małżeństwo może być udane, jeśli obydwie osoby starają się uczynić życie tej drugiej lepszym. Może to staroświeckie i banalne, co powiem, ale wierność i monogamia naprawdę istnieją, tak samo jak miłość, romantyzm, zaufanie.

– Na przykład tak jak w twoim małżeństwie?

W pytaniu Annie brzmiała gorycz, niemal oskarżenie. Eve poczuła niepokój. Alkohol potrafi spowodować, że ludzie mówią prawdy, których na trzeźwo nigdy by głośno nie powiedzieli. Szczególnie te nieprzyjemne prawdy.

– Tak – powiedziała. – Tak jak w moim.

– Nie bądź taka pewna siebie, Eve. Czasami mówisz jak kaznodzieja.

– Co chcesz przez to powiedzieć? – zapytała Eve z osłupieniem.

– Ze swojego małżeństwa z Tomem próbujesz zrobić jakąś świętą, idealną... – Annie z trudem znajdowała słowa – ...rzecz. Ale Tom nie był żadnym świętym. Był zwykłym człowiekiem. Nie zapominaj, że byłam przy tym. Zanim umarł, miałaś z nim parę problemów. Tylko że teraz nie chcesz o nich pamiętać. Ale lepiej nie zapominaj i żyj dalej.

W oczach Eve zabłysła wściekłość.

– Nie zamierzam słuchać, jak po pijanemu oceniasz wartość mojego męża, mojego małżeństwa...

– Świątynia – wybuchnęła Annie, unosząc palec w górę. – Tego słowa mi brakowało. Widzisz swoje małżeństwo jako świątynię. Ale ono takie nie było! To kamień, który zawiesiłaś sobie na szyi i który ciągnie cię w dół. A ja cię uratuję.

– Nie wiesz, o czym mówisz – zirytowała się Eve. Miała już dość. – Nie musisz mnie ratować.

– Eve, Tom kogoś miał – wypaliła Annie.

Eve poczuła, że krew w jej żyłach zamienia się w lód.

– Dosyć. Wychodzę – stwierdziła i zaczęła się czołgać między gałęziami, ignorując protesty Annie.

Wypełzła wreszcie spomiędzy krzaków, wyprostowała się i poszła przez trawnik, ale zaraz uderzyła dużym palcem u nogi o jakiś metalowy przedmiot. Krzyknęła z bólu i do oczu napłynęły jej łzy. Za sobą słyszała przyspieszony oddech Annie.

– Przepraszam cię, Eve! – zawołała przyjaciółka, łapiąc ją za ramię. – Nie chciałam! Zapomnij o tym, co mówiłam.

Eve strząsnęła z siebie jej ręce.

– Idź spać, Annie.

– Eve, nie odchodź. Proszę cię. Jeszcze nie. Bardzo cię przepraszam. Nie chcę wracać sama do tego domu. Och... poczekaj – jęknęła, zakrywając usta ręką. – Niedobrze mi.

– Boże... – wymamrotała Eve, przytrzymując ją i gładząc po plecach. Annie wzięła kilka głębokich oddechów i splunęła. – Dobrze, już wszystko dobrze.

Dopiero teraz Eve zauważyła, jak bardzo Annie zeszczuplała.

– Już mi lepiej – powiedziała, przyciskając rękę do żołądka. Twarz miała bladą i ściągniętą.

– Wyglądasz okropnie. Chodź, zaprowadzę cię do łóżka.

– Nie chcę tam iść – upierała się Annie z niemal paranoicznym lękiem w głosie.

Eve znów zaczęła się o nią martwić.

– Annie, jesteś po prostu pijana. Musisz się położyć.

– Nie, nic nie rozumiesz. Ten dom jest jak grobowiec. Dlatego musiałam przyjść tutaj, żeby poczuć świeże powietrze. Proszę, nie zostawiaj mnie tu samej. – Wpiła się palcami w ramię Eve. – Proszę.

– Dobrze, nie zostawię cię. Nigdzie nie pójdę. Chodź, kochanie, razem wejdziemy do środka. Przyniosę ci wodę i aspirynę. Nie krzyw się, to twoja własna recepta. Sama mnie tego nauczyłaś. Rano poczujesz się lepiej.

Objęła Annie ramieniem i poprowadziła do drzwi. Annie oparła się na niej całym ciężarem i powiedziała głucho:

– Nie jestem tak bardzo pijana, Eve, tylko smutna... bardzo smutna.

Gdy już znalazły się w środku, Annie nadal upierała się, że nie chce spać w swoim łóżku, więc Eve przyniosła poduszki i koc i ułożyła ją na wielkiej kanapie w salonie. Potem poszła do kuchni, starannie omijając narzędzia i pył gipsowy, nalała do szklanki wodę i znalazła aspirynę. Gdy wróciła, Annie ponuro wpatrywała się w mrok. Wydawało się, że jest już trzeźwiejsza. Wypiła aspirynę jak posłuszna pacjentka, a potem podciągnęła kolana pod brodę i owinęła się prześcieradłem.

– Nie powinnam ci mówić tego o Tomie – stwierdziła. – Przykro mi, że tak to wyszło.

Eve znów poczuła ogarniający całe ciało chłód.

– Znalazłam fotografię kobiety – powiedziała cicho – w jego osobistych rzeczach. Zastanawiałam się, kto to jest, ale potem zapomniałam o tym. Ale wczoraj, gdy pojechałam z dziećmi na grób Toma, zobaczyłam ją przed mauzoleum. Byłam pewna, że gdzieś już widziałam tę twarz, ale nie mogłam sobie przypomnieć, gdzie.

– Ruda.

Eve zadrżała.

– Tak. Czy to ona... – Nie mogła skończyć zdania.

Annie westchnęła ciężko i powiedziała powoli i niechętnie:

– Jako twój prawnik powinnam ci o tym powiedzieć dawno temu, ale jako przyjaciółka nie mogłam. Ale teraz lepiej, żebyś poznała prawdę.

Położyła dłoń na kolanie Eve, ale czując jej sztywność, cofnęła rękę.

– Ja sama dowiedziałam się o tym tylko dlatego – ciągnęła – że znalazłam rachunki do zapłacenia: za hotel w Waszyngtonie, za kwiaty, i tak dalej. Sprawdziłam parę rzeczy, to nie było trudne. Ona jest lekarką, pracowała w tym samym szpitalu. – Annie szybko przesunęła wzrokiem po twarzy Eve. – To nie trwało długo, jeśli to ma jakieś znaczenie. Zaczęło się mniej więcej pół roku przed jego śmiercią.

– Boże – powiedziała Eve.

– Ona była na pogrzebie. Nie widziałaś jej?

– Była na pogrzebie? – Eve czuła się jak idiotka. – I przyniosła kwiaty na jego grób... To znaczy, że naprawdę go kochała. To jeszcze gorzej, Annie. Wolałabym, żeby to była tylko przelotna przygoda. Wiesz, czysty seks. To by mnie tak bardzo nie zabolało. Ale gdy pomyślę, że Tom kochał inną kobietę...

– To, że ona go kochała, nie znaczy jeszcze, że on ją też kochał. Eve, wierz mi, on kochał ciebie. Ciebie.

– Nie wiem, czy mogę w to wierzyć i czy w ogóle teraz mnie to obchodzi. Nic nie czuję. Mam pustkę w głowie.

– Ja też, skarbie. Zupełną.

Annie wystawiła język i wetknęła palec do ust. Wyglądała tak komicznie, że Eve musiała wybuchnąć śmiechem.

– Ależ ty jesteś głupia – wyjąkała w przypływie idiotycznego humoru.

– Jestem – przyznała Annie, gdy już przestała się śmiać. – Siedziałam w tych krzakach w środku nocy i zastanawiałam się, co właściwie zrobiłam ze swoim życiem i co mogę z nim jeszcze zrobić. Pamiętasz, kiedyś mówiłam, że nie istnieje coś takiego jak wiek. Ale istnieje. Czas jest prawdziwy, a życie krótkie. Nie ma sensu temu zaprzeczać. Rośniemy, a potem się starzejemy i nadchodzi śmierć, a ja chcę jeszcze tyle rzeczy zrobić! Jest mnóstwo miejsc, których jeszcze nie widziałam, ludzi, których nie znam i którzy nie znają mnie. Miliony książek, które pragnę przeczytać. Nie chcę spać, Eve. Szkoda mi czasu. To moje życie i chcę je przeżywać.

Eve słuchała tego z szeroko otwartymi oczami. Gdy Annie powiedziała: „to moje życie", poczuła, że jej własne kajdany również zaczynają pękać. Co właściwie robiła? Kochała swoje dzieci i kochała Paula. To było jej życie. Nie mogła pozwolić, by Bronte i Finney jej dyktowali, jak ma je przeżywać. Była matką, a oni zaledwie nastolatkami. Nie musieli wiedzieć o przygodach swojego ojca, ale powinni zrozumieć decyzję matki. Eve zrozumiała, że choć zawsze nią pozostanie, to jest również samotną, niezależną kobietą i że będzie musiała również im pomóc to zrozumieć.

Nagle poczuła się niewypowiedzianie zmęczona. Chciała zostać sama i pomyśleć o tym wszystkim, czego się dowiedziała.

– Muszę już wracać – stwierdziła.

– Nie idź.

Poczuła irytację. Chciała znaleźć się w swoim łóżku, wśród własnych poduszek.

– Daj spokój, Annie. Jak na jedną noc, opowiedziałyśmy sobie już dość sekretów. Poza tym nie mogę tu zostać do rana. Bronte jest w domu.

– Możesz. W moim domu nie brakuje miejsca, a Bronte jest już duża. Śpij tutaj.

– Annie, co się dzieje? To nie jest w twoim stylu.

– A co jest w moim stylu? Sama już nie wiem.

Eve przymrużyła oczy.

328

– Dobrze. Czego mi jeszcze nie powiedziałaś?

– Niczego. Wszystkiego. – Umilkła na chwilę. – A jeśli ci powiem, dasz słowo, że nikomu nie powtórzysz?

– Oczywiście, przyrzekam. – Usiadła na brzegu kanapy obok Annie, zdając sobie sprawę, że to coś poważnego. Spodziewała się oznajmienia jej decyzji o rozwodzie.

– Mam raka.

– Co?! – zawołała Eve z osłupieniem. Natychmiast zapomniała o zmęczeniu i wzięła przyjaciółkę za rękę.

– Dowiedziałam się wczoraj. Rak macicy. To wyjaśnia krwawienia. Kto by pomyślał? – prychnęła. – Zawsze mi się wydawało, że raka mają inni.

– Tak mi przykro, Annie – szepnęła Eve, nie mogąc znaleźć odpowiednich słów. Teraz było jasne, dlaczego Annie tak bardzo nie chciała zostać sama. Ale właściwie dlaczego była w domu sama? Eve poczuła wściekłość na Johna.

– Jak John mógł się dzisiaj z tobą kłócić? Dlaczego nie ma go przy tobie?

– Nie wie o niczym. Nie miałam czasu mu powiedzieć. Eve, musisz mi obiecać, że mu nie powiesz.

– Oczywiście, że obiecuję. Ale ty musisz mu to powiedzieć, gdy tylko wróci do domu.

Annie odwróciła głowę do ściany i nie odezwała się. Nie wiedziała, kiedy John wróci i czy wróci w ogóle.

– Jestem zmęczona – przyznała, opadając na poduszki. Za oknem właśnie zaczynało świtać. – Eve, zostań jeszcze przez chwilę. Już jest prawie rano. Niedługo dojdę do siebie. – Zamknęła oczy i mocniej uścisnęła rękę przyjaciółki. – Tylko do rana.

Eve poczekała, aż wzejdzie słońce i pokój napełni się szarym, porannym światłem. Annie zapadła w głęboki, niespokojny sen. Wyglądała mizernie. Eve otuliła ją pledem i pogładziła po włosach, myśląc, że musi być bardzo trudno zawsze grać rolę najsilniejszej osoby, która zna odpowiedź na każde pytanie. Może właśnie dlatego pociągał ją alkohol? Biedna, kochana Annie.

W końcu wyszła, cicho zamykając za sobą drzwi. Po północnozachodniej stronie nieba gromadziły się chmury – pewny znak, że nadciąga deszcz. To dobrze, pomyślała. Deszcz bardzo się przyda. W ogrodzie wszystko zaczynało już żółknąć, bo ziemia była wyschnięta.

Szczęśliwie przed domem znalazła wolne miejsce do parkowania. Weszła do mieszkania z uczuciem ulgi. Było tu przytulnie i bezpiecznie. Bronte jeszcze spała. Eve pocałowała ją w czoło i na palcach wróciła do swojej sypialni. W chwili gdy wsuwała się do łóżka, pierwsze krople deszczu zabębniły o szyby.

Jej ciało domagało się snu, ale umysł był zbyt pobudzony. Przewracała się z boku na bok, nie mogąc zasnąć. Myślała o Tomie. Słowa Annie wywołały lawinę wspomnień, wyraźnych i klarownych.

Podniosła się z łóżka, podeszła do szafy i wyciągnęła puszysty, biały szlafrok Toma, jedną z niewielu jego rzeczy, których nie oddała opiece społecznej. Zachowała jeszcze osobiste drobiazgi – złote spinki do mankietów dla Finneya, zegarek i pióro dla Bronte. Dla siebie zostawiła tylko szlafrok. Wciąż pachniał Tomem i gdy się nim owinęła, mogła sobie wyobrażać, że jest w jego ramionach; nie czuła się wtedy taka samotna. Były jeszcze inne rzeczy, do których nikomu się nie przyznawała. Nigdy nie siadała na jego miejscu przy stole ani nie kładła się po jego stronie łóżka. Te drobne symptomy świadczyły o tym, że okres żałoby jeszcze się dla niej nie skończył.

Nałożyła teraz szlafrok i zawiązała pasek. Położyła się tak na łóżku i zapatrzyła w sufit. Przeszłość wydawała jej się bardziej realna od teraźniejszości. Jak brzmiało to zdanie z Faulknera? „Przeszłość nie umarła i nie jest nawet przeszłością". No cóż, Faulkner się mylił. Przeszłość umarła, spłonęła na popiół. Eve mogła albo to zaakceptować, albo jak hinduska księżniczka rzucić się na stos pogrzebowy męża, by spłonąć razem z nim. Musiała również pogodzić się z tym, że Tom nie był ideałem ani ich małżeństwo nie było doskonałe. Annie miała rację. Dopóki będzie budować ten ołtarzyk, nigdy nie poczuje się wolna na tyle, by móc pójść własną drogą.

Nie miała pojęcia, co by się stało, gdyby dowiedziała się o zdradzie Toma przed jego śmiercią. Wolała myśleć, że jakoś udałoby im się przejść przez ten kryzys i że gdyby zdecydowała się pozostać z Tomem, to ze względu na uczucie, a nie dlatego, że tak byłoby łatwiej. Ale to już na zawsze pozostanie w sferze spekulacji. Czuła jednak, że jest już teraz inną osobą – silniejszą i bardziej niezależną.

Ulewa wkrótce minęła i przez chmury przedarło się słońce. Eve mocniej owinęła się szlafrokiem, wdychając resztki zapachu Toma. Wiedziała, że jest teraz blisko niej, bardzo wyraźnie czuła jego obecność. Był tu, obok, i emanował spokojem. Czuła jego miłość.

– Wybaczam ci, Tom – powiedziała głośno, przekonana, że on ją słyszy. – I chcę ci powiedzieć, że cię kochałam. Naprawdę cię kochałam.

ROZDZIAŁ SZESNASTY

Pani Pontellier zaczęła sobie uświadamiać swoją pozycję w kosmosie jako istoty ludzkiej oraz dostrzegać związek między sobą jako indywidualnością a światem wewnętrznym i zewnętrznym.

Kate Chopin, *Przebudzenie*

Doris obudziła się wcześnie, choć nie spała długo. R.J. nawet nie zauważył, że ostatniej nocy wymknęła się z małżeńskiego łóżka ani że w godzinę później wróciła zziębnięta i z mokrymi nogami. Chrapał jak drwal aż do rana, a potem wstał wcześnie i poszedł pod prysznic. Leżąc nieruchomo, Doris słuchała szumu wody w łazience. Nie poruszyła się również wtedy, gdy wrócił do sypialni i pełen wigoru przygotowywał się do nowego dnia. Wczorajsze przyjęcie bardzo się udało, toteż R.J. był teraz pełen energii i nowych planów. Z błyskiem w oku oznajmił jej, że wyjeżdża z miasta; wypadła mu niespodziewana podróż w interesach.

Poczekała, aż jej mąż zniknie w kuchni, a potem podniosła się, unikając patrzenia w lustro, zrzuciła nocną koszulę, i weszła do łazienki. Przypomniały jej się słowa Annie o kobietach, które patrzą w lustro i nie poznają własnego odbicia.

Poruszała się po śliskich kafelkach jak stary bokser, który po przegranym meczu idzie do szatni. Puściła do wanny wodę tak gorącą, że aż parzyła; pragnęła, by wszystko, co zaszło w ciągu ostatniej doby i oblepiało ją jak mroczna maź, wydostało się przez pory skóry na zewnątrz.

Leżała bezwładnie w wannie, nasłuchując kroków męża, który w sypialni otwierał po kolei szafy i szuflady. R.J. zawsze miał ciężki krok. Od czasu do czasu przystawał na chwilę przy drzwiach łazienki i wtedy Doris nakazywała mu w duchu: odejdź stąd, odejdź. W końcu odchodził. Potem usłyszała stuk walizki zrzucanej na podłogę i R.J. znów zatrzymał się przy drzwiach łazienki.

– Co ty tam robisz tak długo? Nic ci się nie stało?

Otworzyła usta, ale zaraz znów je zamknęła.

Klamka u drzwi poruszyła się.

– Otwórz!

To był rozkaz, nie prośba. Gdy znów nie odpowiedziała, mocniej szarpnął klamkę.

– Otwórz te drzwi, bo je wyłamię!

– Odejdź, R.J. Idź sobie tam, dokąd się wybierasz – odkrzyknęła. – Nie mam ochoty otwierać ci drzwi.

Po dłuższej chwili odezwał się szorstko, choć z pewną ulgą:

– Zachowujesz się jak primadonna. Myślisz tylko o sobie! Przez cały dzień wylegujesz się tutaj, nic nie robisz, gdy ja muszę zarabiać na życie. Ciekaw jestem, jak byś sobie poradziła beze mnie! Nie stać by cię było na wylegiwanie się godzinami w wannie! Ani na plotkowanie z przyjaciółkami. Dobrze o ciebie dbam, prowadzisz jedwabne życie i powinnaś to doceniać!

Doris zacisnęła pięści, mamrocząc pod nosem słowa, których nie miała odwagi wypowiedzieć głośno. Zbudowałeś swoją firmę dzięki moim pieniądzom. Mój tato dał te pieniądze mnie, a nie tobie. To przez ciebie czuję się nieszczęśliwa. Przez ciebie i przez twoje przyjaciółki. Już od wielu miesięcy nawet mnie nie dotknąłeś. Nie wiem, czy jestem dla ciebie kobietą.

– Nie otworzysz? – pieklił się R.J. – W porządku! Dla mnie możesz tam siedzieć, ile tylko zechcesz! Baw się dobrze. Ja idę do pracy. Będę w domu jutro wieczorem i mam nadzieję, że do tego czasu wróci ci rozum. Oczekuję kolacji na stole... Mam nadzieję, że to nie jest zbyt wiele!

Doris aż skręcało, postanowiła go jednak ignorować. Kroki przeniosły się do holu i wreszcie ucichły, a potem usłyszała trzaśnięcie drzwi wyjściowych.

Nie ma go, pomyślała z bezbrzeżną ulgą. Nie było nikogo, dzieci też. Znów została sama w tym wielkim domu, w którym spędziła całe życie. Słyszała głos matki: Popatrz realnie, Doris. Masz pięćdziesiąt lat i wciąż mieszkasz w domu swoich rodziców. Nadal ktoś ci mówi, co masz robić i jak się zachowywać. Kiedy ty wreszcie dorośniesz?

Wyjęła rękę z wody i popatrzyła na pomarszczone palce. Gdy była mała, zawsze w kąpieli zastanawiała się, jak to możliwe, by wyglądać tak staro na zewnątrz i czuć się tak młodo w środku. Tak właśnie czuła się teraz.

Wyszła z wanny, owinęła się żółtym ręcznikiem i przetarła lustro, a potem uważnie przyjrzała się swojej twarzy. Zobaczyła zapuchnięte niebieskie oczy o cienkich jak bibułka powiekach, spłowiałe włosy w kolorze brzoskwini i bladą skórę. Ale tym razem nie odwróciła się od swego odbicia z niechęcią, lecz przysunęła się bliżej i jeszcze uważniej spojrzała w oczy, w które patrzyła przez całe życie.

To była twarz kobiety, którą się stała, twarz Doris Bridges. Postanowiła, że nie pozwoli tej kobiecie umrzeć; najpierw musi ją dobrze poznać.

Chciała jak najszybciej wydostać się z tego pokoju, a potem z domu. Nie tylko R.J. mógł spakować się i wyjechać. Wrzuciła do walizki kilka niezbędnych rzeczy, z mokrymi włosami usiadła przy biurku i wyjęła swój najlepszy papier listowy.

Najpierw napisała kartkę do Sarah. Wiedziała, że jej córka nie będzie się posiadać z oburzenia, gdy się dowie, że teraz do niej należy gotowanie i sprzątanie. Doris uśmiechnęła się. W domu była gosposia i telefon. Czas już, by Sarah nauczyła się trochę odpowiedzialności, tak jak Bronte. A może jej córka zrzuci wszystkie obowiązki na R.J.? Doris zaśmiała się. Mimo wszystko macierzyńskie instynkty zrobiły swoje i wypunktowała na kartce długą listę wskazówek dotyczących prowadzenia domu.

Napisała również do syna, choć wątpiła, by jej zniknięcie sprawiło mu jakąkolwiek różnicę. Bobby miał swój świat i swoich przyjaciół. Tak powinno być, pomyślała, zaklejając kopertę.

Następny list był do R.J. Doris zastygła z długopisem w ręku. Jak miała mu opisać swoje uczucia? Czy powinna go poinformować, że wie o jego romansach? Przecież nie z tego powodu opuszczała dom. Teraz myślała tylko o jednej kobiecie – o sobie samej. A może napisać, że jest na niego zła, ponieważ zbyt długo zaniedbywał jej ciało i duszę? Ale czy mogła go za to winić? Czy ona sama nie zaniedbywała siebie bardziej?

Przygryzła końcówkę długopisu, próbując znaleźć odpowiednie słowa. Była więźniem tego domu pełnego zasad i wspomnień przez tak długi czas, że przestała się rozwijać. Pod wieloma względami wciąż była dziewczynką, która mieszkała tu z rodzicami. Opinie R.J. były jej opiniami. Jego przekonania zawsze brały górę nad jej przekonaniami. A czy ona również nie próbowała narzucać swoich przekonań innym? Stała się podporą społeczności, ale ta wypolerowana skorupka kryła pustkę. Była woskową lalką. Nie potrafiła dać siebie prawdziwej ani mężowi, ani dzieciom.

A teraz R.J. oddalił się od niej, a dzieci dorosły i dobrze widziały, że ich matka jak papuga powtarza słowa ojca. Gdy do nich mówiła, z zażenowaniem odwracały wzrok, a jeśli nawet słuchały, to z pobłażliwym uśmiechem.

Opuściła wzrok na szaroniebieski papier i napisała: „Drogi R.J., otworzyłam drzwi. Doris".

Pojechała prosto do domku nad jeziorem w Michigan. Drogi były zatłoczone samochodami wyładowanymi kempingowym sprzętem: wszyscy wyjeżdżali na wakacje. Doris przemierzała tę trasę już od pięćdziesięciu lat, czasami na miejscu pasażera, czasem jako kierowca. Tam, gdzie kiedyś znajdowały się tylko pola i gdzieniegdzie przydrożna restauracja, teraz lśniły nowością stacje benzynowe i bary szybkiej obsługi.

Ale gdy zjechała z autostrady, krajobraz zmienił się i zaczął bardziej przypominać widoki, jakie pamiętała z dzieciństwa. Jechała między wzgórzami, których zbocza pokrywały winnice, wielkie zagrody dla bydła i farmy. Zatrzymała się i kupiła sałatę, jagody i bukiet jaskrawych kwiatów na stół.

Przypomniała sobie, jak te podróże wyglądały w dzieciństwie: siedzieli z bratem na tylnej kanapie buicka matki i liczyli tablice rejestracyjne spoza stanu. To z nich, które naliczyło więcej, dostawało od ojca dolara. Zwykle wygrywał Bill. Doris zawsze podejrzewała, że jej brat oszukuje, ale to nie miało znaczenia. Mama i tato, babcia Alison, dziadek Jack, wujek Hugo, ciocia Deb... Wszystkie te twarze wydawały się zdumiewająco żywe i realne.

Zatrzymała się jeszcze raz i tym razem kupiła jajka, mleko, masło i chleb. Wkrótce potem dotarła na miejsce. Zatrzymała samochód na żwirowym podjeździe, wyłączyła silnik i z głową opartą na kierownicy głęboko westchnęła. Zza ściany drzew słychać było silniki pływających po jeziorze motorówek, krzyki dzieci i szczekanie psa. Nic się nie zmieniało przez lata. Zawsze czuła się tu bezpiecznie.

Zwykle po dotarciu na miejsce najpierw sporządzała listę rzeczy do zrobienia. Siatka na drzwiach wejściowych była zerwana, niecierpki domagały się wody, spod fundamentu wybiegała ścieżka mrówek. W pierwszym odruchu Doris pomyślała, że trzeba się zająć tym wszystkim, ale zaraz uświadomiła sobie, że wcale nie ma na to ochoty. Przecież gdyby nie ten nagły impuls i przyjazd tutaj, mrówki nadal spokojnie jadłyby kolację, komary bez przeszkód wlatywały do domu, a kwiaty po prostu więdły. Życie toczyłoby się swoim torem bez jej udziału. Nie była niezastąpiona; i zamiast wpędzić ją w depresję, ta myśl sprawiła, że Doris poczuła się wolna, jakby spadły z niej kajdany.

Nad drzwiami wisiała metalowa tabliczka z napisem „Zostaw swoje kłopoty przed tymi drzwiami". Jej ojciec wypatrzył ją na jakimś przydrożnym straganie, gdy Doris była jeszcze małą dziewczynką, i kupił. Matka zawsze wybuchała śmiechem na widok tego napisu; Doris podejrzewała, że wiązała się z nim jakaś tylko im znana historyjka. Tabliczka wciąż tu wisiała, z roku na rok coraz bardziej zardzewiała, i choć R.J. chciał ją zdjąć i wyrzucić, Doris nigdy mu na to nie pozwoliła.

– Zostaw swoje kłopoty przed tymi drzwiami – powiedziała głośno i weszła do środka.

John wrócił do domu dopiero przed południem. Stanął w drzwiach i spojrzał na Annie leżącą na kanapie, a potem bez słowa poszedł prosto do sypialni. Annie spokojnie leżała i czekała. Niedługo potem John wrócił na dół z walizką w ręku. Postawił ją na podłodze i wyprostował się godnie, jakby chciał obwieścić coś niezmiernie ważnego.

– Wyjeżdżam na Florydę – powiedział sucho. – Na tydzień. Pod koniec tego tygodnia zadzwonię i wtedy zdecydujemy, czy powinienem wrócić do domu.

Jego twarz nie zdradzała żadnych uczuć, Annie zauważyła jednak ciemne kręgi pod oczami. Patrzyła na niego z równą obojętnością, myśląc, że na pewno jest zaskoczony takim jej zachowaniem.

Zwykle wybuchała, domagała się wyjaśnień albo prowokowała go do kłótni czy do rozmowy. Teraz jednak nie czuła się na siłach walczyć z nim. Miała nadzieję, że on jak zwykle zapyta: „Chcesz porozmawiać?", a wtedy ona odpowie: „Tak" – i potem przez cały dzień będą leżeć razem na kanapie. Wyobrażała sobie, że powie mu o raku, oznajmi, że kocha go i potrzebuje, a on odpowie na to, że też ją bardzo kocha. Ale tym razem rzeczywistość była inna i John nie powiedział żadnej z tych rzeczy.

Dlatego Annie tylko wzruszyła ramionami.

– Dobrze.

Patrzył na nią jeszcze przez chwilę, coraz bledszy, a potem pochylił się, podniósł walizkę i wyszedł z domu.

Był wieczór. Annie siedziała na ogrodowym krześle i patrzyła w mrok, czując się tak, jakby spadała w dół bez spadochronu. Nie piła, nie zadzwoniła do żadnej z przyjaciółek ani nie oczekiwała na żadnego księcia, który na białym koniu przybędzie jej na ratunek. Nie oczekiwała już na nic. Naczynie było puste; brakowało jej nawet łez.

Zastanawiała się, dlaczego nigdy wcześniej nie przyszło jej do głowy, by posłuchać mowy drzew albo wpatrywać się w burzowe chmury. Jej rodzice zawsze mieli na to czas. Latem tańczyli z nią w deszczu i ze śmiechem wskakiwali w kałuże. Jesienią zabierali ją na wyprawy w góry, gdzie razem wdychali dojrzały zapach ziemi i podziwiali paletę jesiennych liści. Zimą mama ubierała ją ciepło i zabierała na podwórze, gdzie razem łapały na język płatki śniegu, a wiosną tato pokazywał jej, jak doskonale palec nadaje się do robienia dziurek w ziemi pod nasiona.

Uświadomiła sobie ze zdumieniem, że to są przyjemne wspomnienia. Łatwo było widzieć w rodzicach wyłącznie wady, obwiniać ich, wyrzucić na zawsze z życia i zapomnieć wielką prawdę: że ją kochali. Wiele lat temu uznała, że ich nie potrzebuje. Przez całe życie miała potrzebę kontroli wszystkiego, co ją otacza. Wydawało jej się, że zapewni jej to bezpieczeństwo, że jeśli będzie nad wszystkim panować, to nie stanie jej się nic złego. Spędzała życie w budynkach z klimatyzacją. Pogoda za oknem ani zmiany pór roku nie miały na nią żadnego wpływu. Zbyt późno uświadomiła sobie własną naiwność. Natura i tak robiła swoje.

Na wszystko jest czas. Czas, by się urodzić, i czas, by umrzeć...

Przed domem trzasnęły drzwi samochodu. Annie przechyliła głowę i nasłuchiwała. Usłyszała kroki na schodkach, odgłos otwieranych drzwi, uderzenie walizki o podłogę i brzęk kluczyków.

John wrócił.

Całe jej ciało napięło się. Podciągnęła kolana do piersi i otoczyła je ramionami, zwijając się w kulkę, ale nie zeszła z werandy. Kroki Johna przemierzały cały dom. Nie zawołał jej, ale wiedziała, że jej szuka, i czekała na niego.

Gdy stanął za jej plecami, wstrzymała oddech. Żadne z nich nie chciało odezwać się pierwsze, choć oboje wiedzieli o swojej obecności. Rusz się, błagała go w duchu. Pragnęła, by wykazał się odwagą, by wziął ją w ramiona i powiedział głośno wszystko, co leżało mu na sercu, by ją pocałował i wszystko naprawił. Nie chciała znów być tą, która pierwsza wyciągnie rękę, nie pragnęła być silna. Bała się i była zmęczona. Była dziewczynką z własnych wspomnień i chciała, by ktoś się nią zaopiekował. Chociaż raz.

Cisza przedłużała się i przez głowę Annie przebiegła myśl, że John znów próbuje odgrywać rolę bezradnego szczeniaka, którego trzeba pogłaskać po głowie. Poczciwa, dobra Annie powinna teraz rozładować sytuację serdecznym śmiechem, dobrym żartem albo namiętnym seksem. Nie tym razem, pomyślała, zaciskając pięści. Nie mam już siły. Jeśli John chce coś naprawić, sam musi wykazać inicjatywę.

– Chcesz porozmawiać?

A więc wyciągnął rękę, chociaż jego głos brzmiał jak szelest zeschłych liści. Powinna teraz powiedzieć: „Tak". Zbyt wiele jednak mieli sobie do wyjaśnienia. Otworzyła usta, ale z jej ściśniętego gardła nie wydobył się żaden dźwięk.

Usłyszała, że John odwraca się i odchodzi. Opuściła nisko głowę i jej ramiona zadrżały od szlochu.

Naraz jego kroki znów zadudniły na podłodze,

a drzwi na werandę otworzyły się z takim rozmachem, że uderzyły o ścianę. John obszedł krzesło dokoła i stanął przed nią. Włosy miał potargane, policzki nieogolone, a na jego twarzy malowała się determinacja. Wreszcie ich wzrok się spotkał. Miłość błyszcząca w niebieskich oczach Johna oślepiła Annie. Widok tej twarzy sprawiał jej fizyczny ból.

– Nie będę tego więcej robił! – wykrzyknął John. – Nic mnie nie obchodzi, czy masz ochotę rozmawiać, czy nie! Miałaś rację, Annie. Milczenie nie jest dla nas dobre. Potrzebujemy rozmowy i musimy porozmawiać. Teraz. Nie będziemy już więcej grać w żadne gry!

Annie była oszołomiona. Gdy nie zareagowała, John pochwycił ją za ramiona tak mocno, że zabolało, i postawił przed sobą.

– Popatrz na mnie, do cholery!

Podniosła wzrok. Przez łzy zobaczyła, że on również płacze.

– Annie, ja już nie mogę tego znieść – powiedział ochrypłym głosem. – Jestem tak zły i tak głęboko urażony, że sam nie wiem, czy mam na ciebie krzyczeć, czy może wyjść stąd i już nigdy nie wracać. Próbowałem to zrobić, ale nie mogę. Nie mogę. Kocham cię.

– John...

Puścił ją i z westchnieniem potarł czoło.

– Myślisz, że cię zawiodłem, że za mało cię kocham, że nie jestem prawdziwym mężczyzną, bo nie walczyłem o ciebie z R.J.? Nie rozumiesz, że to mnie zabija? Nic mnie nie obchodzi R.J. Bridges. Ty mnie obchodzisz. Jak myślisz, jak się czułem, gdy zobaczyłem jego rękę na twoim udzie? Nie byłem wściekły na niego, tylko na ciebie, że mu na to pozwoliłaś! Daj spokój, Annie, przecież nie jesteś głupia. Takie rzeczy nie zdarzają się same. To ty zawsze kontrolujesz sytuację.

– Ja... nie, John. To nieprawda.

– Owszem, to prawda – odwarknął ze złością i dodał po chwili: – A ja ci na to pozwalałem. Myślałem nawet, że właśnie dlatego jesteśmy tak dobrą parą. Ty byłaś lewą półkulą mózgu, a ja prawą. Zły gliniarz i miły gliniarz. Ale to nie zawsze dobrze wychodzi, prawda?

Annie potrząsnęła głową i wpatrzyła się w swoje stopy.

– Posłuchaj – podjął John, opacznie rozumiejąc jej milczenie. – Przez jakiś czas to działało, ale może czas już zmienić scenariusz. Jeśli tego chcesz, to ja się zgadzam. Nie zrozum mnie źle, nie chcę niczego robić na siłę. Jaskiniowe maniery może sprawdzają się w książkach, ale nie w życiu. W każdym razie nie w moim. Ja po prostu taki nie jestem. – Przerwał na chwilę i zmarszczył brwi. – Myślałem dzisiaj o wielu rzeczach. To były bolesne myśli. Sprawiłaś, że zacząłem się zastanawiać, czy jestem mężczyzną.

– Przepraszam cię, John – westchnęła Annie. – Nie powinnam tego mówić. Wielu rzeczy nie powinnam robić. Proszę, wybacz mi.

Zacisnął usta i przez chwilę wyglądało, że traci siły, ale wziął się w garść i odrzekł równym tonem:

– Annie, dla mnie mężczyzna to nie jest ktoś taki, kto wymachuje pałką. Mężczyzna trzyma się swoich zasad. Broni honoru swojego i rodziny. Troszczy się nie tylko o siebie, ale też o innych. Tysiące razy analizowałem tę scenę w ogrodzie i za każdym razem dochodziłem do tego samego wniosku: że moja żona rozpoczęła niebezpieczną grę, ryzykując to, co dla mnie było najcenniejsze na świecie – nasze małżeństwo. Więc czego miałem bronić? Z R.J. już to załatwiłem. – Machnął ręką. – Między mną a nim to zupełnie inna sprawa. Ale teraz chodzi mi o mnie i o ciebie. Dwoje dorosłych ludzi. Nie powinienem zostawiać cię samej. Przepraszam. Obiecuję, że więcej tego nie zrobię. Chcę ocalić nasze małżeństwo. Będę o to walczył i poszukam pomocy, bo potrzebujemy jej. Mówię ci również z góry, że jeśli tobie na tym nie zależy, to nie będę walczył o okruchy. To się nie mieści w mojej definicji mężczyzny. Jestem w stanie odejść i żyć bez ciebie. Ale nie chcę tego, bo cię kocham.

Annie poczuła się bardzo mała i nic nie znacząca, tak lekka, jakby mógł ją ponieść najlżejszy podmuch wiatru.

– Obejmij mnie, John – poprosiła cicho.

Poczuła wokół siebie jego ramiona, zapach jego skóry i włosów. Jego zarost drapał ją w policzek. Miał twarde palce i spierzchnięte usta. Całowała go, jakby od tego zależało jej życie. Potrzebowała go bardziej niż on jej. Nigdy nie była pewna, czy może mu zaufać, że podtrzyma ją w chwili niepewności, a teraz przekonała się o tym i już się nie bała. Czy nie o to chodziło w małżeństwie?

John wziął ją na ręce, przytulił i zaniósł do sypialni. Ich ciała przywarły do siebie gwałtownie. Krew z krwi i kość z kości. Annie nigdy jeszcze nie rozumiała tych słów tak dobrze jak teraz. W jego ramionach nie czuła się stara, chora ani umierająca, lecz młoda, piękna i bez wieku. Czuła się bezpiecznie.

Gdy leżała potem w ciepłym kokonie jego ramion, usłyszała jego cichy śmiech i poczuła, że ramiona Johna obejmują ją mocniej. Uśmiechnęła się i przytuliła się jeszcze bardziej.

– Może zrobiliśmy dzisiaj dziecko – szepnął.

Poczuła fizyczny ból i skurczyła się obronnie.

– Annie, co się stało? – zapytał John natychmiast, unosząc się na łokciu. – Annie?

Obróciła się tak, by widzieć jego twarz. Nie prosił, by go chroniła; przeciwnie, tym razem to on czekał z wyciągniętymi ramionami, by ją pochwycić. Ujęła jego dłonie w swoje, wzięła głęboki oddech i powiedziała:

– John, nie będzie dziecka. Mam raka.

W kilka dni później Midge zwołała nadzwyczajne spotkanie członkiń Klubu w ich ulubionej włoskiej restauracji o nazwie „Vivaldi". Przyszła tam pierwsza i od razu zamówiła warzywa z kozim serem z grilla i butelkę merlota. Spotkanie odbywało się w porze lunchu, nie miały więc wiele czasu. Midge nadal żywiła urazę do przyjaciółek za to, że nie pojawiły się na wystawie, na razie jednak ta sprawa musiała poczekać. Ważniejsza była Doris.

– Doris wyjechała do domu w Michigan – oznajmiła Midge, gdy już były w komplecie. – Sama.

Eve spojrzała na Annie i zapytała:

– Tak po prostu? Bez dzieci?

– To do niej niepodobne – westchnęła Annie. – Nie sądziłabym, że ją na to stać.

Midge wzruszyła ramionami.

– Zdziwiłabyś się. Doris to twarda sztuka.

– Owszem, gdy chodzi o szkolny budżet i podatki. Ale nigdy nie zostawiłaby R.J. samego! Jeśli kazałby jej podskoczyć, spyta tylko, jak wysoko!

Midge zatrzymała na niej spojrzenie.

– Co się ostatnio dzieje między tobą a Doris? – zapytała z troską.

Annie wsunęła na nos ciemne okulary i odrzekła spokojnie:

– Pracujemy nad tym.

– To sprawa między nimi dwiema – dodała Eve, wzrokiem sygnalizując Midge, by zostawiła ten temat.

– To jakaś rywalizacja – stwierdziła Gabriella

z przekonaniem. – Obydwie macie zdecydowane opinie na każdy temat, tylko ty nie boisz się jej wyrażać.

– A dlaczego miałabym się bać?

– Nie ma żadnego powodu. Tylko że zanim się do nas przyłączyłaś, niektóre z nas się bały. – Urwała, zaskoczona zdziwieniem na twarzach pozostałych kobiet. – Dlaczego tak na mnie patrzycie? Przecież tak było!

Midge potrząsnęła głową.

– Ja zawsze mówiłam wszystko, co myślę.

– Prawie wszystko – poprawiła ją Gabriella. – Doris była królową tego roju, a my jej na to pozwalałyśmy.

– Człowiek na piedestale jest samotny. Zawsze trzeba być doskonałym – uśmiechnęła się Eve.

– Doris pewnie chce mieć trochę czasu tylko dla siebie. – Gabriella wzruszyła ramionami. – Nie ma się czym przejmować.

Midge złożyła dłonie w trójkąt.

– Sama nie wiem. Nie podoba mi się ten jej nagły wyjazd. Szczególnie że Doris jest w depresji.

Eve szeroko otworzyła oczy.

– W depresji? Kto, Doris? Nie zauważyłam. Może zresztą za bardzo byłam zajęta własnymi problemami. Dlaczego tak myślisz?

Midge, Annie i Gabriella spojrzały na nią z niedowierzaniem.

– Nie zauważyłaś, jak bardzo ostatnio przytyła? – zapytała Midge.

– I jak ciągle czuła się zmęczona? – zawtórowała jej Gabriella. – Za każdym razem, gdy do niej dzwoniłam, budziłam ją z drzemki. Przestała dbać o odzież i malować się, chyba że już naprawdę musiała; a kiedyś było to dla niej bardzo ważne.

– Myślałam, że jest po prostu zła na R.J. – powiedziała Eve powoli. – Złość to nie to samo co depresja.

– Tak, ale razem dają bardzo niebezpieczną mieszankę – zauważyła Midge.

– Naprawdę wszystkie sądzicie, że Doris cierpi na depresję? – powtórzyła Eve. – Czy któraś z was rozmawiała z nią o tym?

Midge z irytacją odwróciła wzrok.

– Nie jestem pewna, czy rozmowa wprost jest zawsze najlepszym wyjściem.

– Ale czasami się przydaje. Pamiętacie, jak ja się zachowywałam po śmierci Toma? W ogóle nie zdawałam sobie sprawy, że jestem w głębokiej depresji i dopiero Annie mi to uświadomiła. Potrząsnęła mną. Udało jej się mnie rozśmieszyć i to mnie postawiło na nogi; to i jej szczerość. Po to właśnie są przyjaciele, żeby być przy nas, gdy ich potrzebujemy.

Midge prychnęła. Gabriella spojrzała na nią pytająco, ale została zignorowana.

Annie, do tej pory zdumiewająco cicha, naraz wyprostowała się i powiedziała:

– Ja rozmawiałam z Doris.

Midge i Gabriella utkwiły w niej zdumione spojrzenia.

– I co jej powiedziałaś? – zapytała Midge oskarżycielsko.

Annie patrzyła na swoje ręce.

– Że R.J. ugania się za kobietami.

– O mój Boże, nie – wymamrotała Gabriella. Midge patrzyła na Annie z milczącą wściekłością.

– Musicie posłuchać całej historii – wtrąciła Eve, również spoglądając na Annie.

Ta zaś westchnęła z niechęcią, po czym krótko, nie wdając się w szczegóły, opowiedziała im o feralnym wieczorze.

– Jak ona to przyjęła? Chyba nie zrobi niczego głupiego? – zmartwiła się Gabriella.

– Nie, nie... – powiedziała Annie bez przekonania. – Zareagowała całkiem spokojnie.

– Właśnie teraz czytamy *Przebudzenie* – mruknęła Gabby. – Nie można było lepiej trafić. Akurat wybrałyśmy książkę, której bohaterka wyjeżdża samotnie i popełnia samobójstwo, topiąc się w oceanie. Czy Doris umie pływać?

– Nie mów głupstw – prychnęła Annie, zdejmując okulary. – Nie sądzę, żeby postać z książki mogła do tego stopnia wpłynąć na Doris. Mam nadzieję, że nie jesteśmy jednak aż tak słabe.

– Ale książki naprawdę na nas wpływają, szczególnie w okresach przygnębienia – broniła się Gabriella.

– Myślę, że Doris instynktownie postanowiła

postąpić najlepiej, jak to możliwe – powiedziała Midge w zamyśleniu. – Chciała przez jakiś czas pobyć sama. Ale jeśli wpadnie w jeszcze głębszą depresję, to nie będzie miała przy sobie nikogo, kto mógłby jej pomóc.

– Może tam pojedziemy? – zaproponowała Eve.

– Pewnie nie chciałaby, żeby jej przeszkadzać. Doris nie lubi się skarżyć. Poza tym właśnie dostałam od niej list, w którym pisze, dokąd pojechała, i przeprasza, że nie pojawi się na naszym najbliższym spotkaniu. Wygląda na to, że myśli zupełnie jasno. Możemy do niej zadzwonić podczas następnego spotkania. Jeśli nie będzie chciała odebrać, to nie odbierze. W końcu to ona sama zawsze mówiła, że spotkań Klubu Książki nie wolno opuszczać.

W końcu lipca nadeszły upały. Nawet wieczór nie przynosił ulgi. Dzieci, które przedtem trzeba było siłą zabierać znad jeziora, teraz siedziały w domach i grały w gry planszowe albo oglądały telewizję. Niebo czerwieniało.

Doris stała przy oknie, myśląc, że zapada dziwna noc. W atmosferze było coś magicznego. Pełna tarcza księżyca wisiała nad jeziorem jak bogini doglądająca swego królestwa. Doris czuła jej przyciąganie. Świerszcze w trawie nad wodą wołały: przyjdź tu! Przyjdź tu! Wszystkie komórki jej ciała ożywały. Pomyślała, że może jak zawsze zostać w domu i patrzeć na księżyc przez okno albo wyjść i zatańczyć nad brzegiem. Właściwie dlaczego nie?

W półmroku zejście po długich, drewnianych schodach prowadzących nad jezioro było bardzo ryzykowne. Szła powoli, mocno ściskając poręcz i zatrzymując się na każdym stopniu. Na wodzie migotało kilka światełek: ostatnie motorówki wracały do brzegu, na tle zachodzącego słońca majaczyła stara łódź z siedzącym nieruchomo wędkarzem.

Niedaleko jakaś matka wołała swoje dziecko. Jednak Doris nie chciała wracać. Krok po kroku, schodziła coraz niżej. Fale rozbijały się o metalowy pomost.

Stanęła na brzegu, dotykając wody czubkami stóp. Była ciepła. Podniosła głowę i wielkimi haustami wdychała świeże powietrze. Miała wrażenie, że to powietrze wypycha z niej całe pokłady rozczarowania i znużenia. Umysł miała zupełnie pusty, bez żadnej myśli. Otaczało ją wonne powietrze i szum fal rozbijających się o brzeg, między palcami stóp przesypywał się miękki piasek, a przed nią na czarnej wodzie kusząco rozpościerała się smuga księżycowego blasku.

Doris poszła w jej stronę. Szła coraz dalej, po drodze zdejmując sukienkę, biustonosz, majtki. Fragmenty ubrania odpływały od niej i znikały w ciemnościach. Wyciągnęła ręce do ciepłej, jedwabistej w dotyku wody. Jezioro zlewało się z niebem, tu i tam zaczynały migotać pierwsze gwiazdy. Doris miała wrażenie, że płynie wśród diamentów. Zapragnęła stopić się z tymi światłami i pozostać tu już na zawsze, w spokoju i samotności dryfując razem z gwiazdami.

Usłyszała swój wewnętrzny, znajomy głos, który szeptał: po prostu się poddaj, płyń przed siebie i nie oglądaj się. Naraz poczuła chłód. Zadrżała i obejrzała się przez ramię. Daleko na brzegu zobaczyła światło w oknie swojego domu.

Wypłynęła za daleko. Sparaliżował ją nagły strach. Na oślep rzuciła się na lewo, potem na prawo. Znajdowała się dokładnie pośrodku kręgu świateł. Uświadomiła sobie, że wypłynęła na środek jeziora.

Znów spojrzała na brzeg i odnalazła swoje światło. Było niewielkie, ale świeciło jasno, tak jak przez wiele lat świeciło matce i ojcu, przyjaciołom, dzieciom i mężowi. Poczuła spokojną determinację i zaczęła płynąć w tę stronę.

Ramiona miała zmęczone, serce biło jej szybko, ale w równym tempie zbliżała się do domu. Droga powrotna była bardzo męcząca. Fale zalewały jej usta, kilkakrotnie musiała wypluwać wodę, ale nie poddawała się i w końcu dopłynęła do brzegu.

Upadła na miękką trawę i przez chwilę świadoma była tylko własnego oddechu oraz gorzkiego zapachu ziemi. Między drzewami grały świerszcze, nad jej głową brzęczał pojedynczy komar. Było jej dobrze i w ogóle nie myślała o tym, że jest naga. Czuła się chroniona przez noc, kołysana przez matkę ziemię. Nie bała się ciemności ani owadów. Miała wrażenie, że jej krwioobieg stopił się z ziemią i że zapuszcza korzenie. Nie była w stanie się poruszyć. Przymknęła oczy i usnęła.

Gdy się obudziła, noc była już chłodna i nawet blask gwiazd wydawał się zimny. Spała z kolanami przyciągniętymi do piersi i dłońmi zwiniętymi w pięści. Podniosła się, drżąc na całym ciele. O kilka metrów dalej znalazła swój ręcznik, owinęła się nim i w świetle gwiazd dotarła do domu.

Poranek był piękny. Za oknem głośno śpiewały ptaki. Doris przeciągnęła się i ziewnęła głośno, a potem pochwyciła swoje odbicie w lustrze. Tym razem nie odwróciła się od niego z niechęcią, lecz długo patrzyła na swoje ciało: na piersi, które wykarmiły dwoje dzieci, rozstępy pokrywające uda i brzuch, zaokrąglone biodra. Przesunęła po nim rękami od góry do dołu. To było jej ciało, wehikuł, który pozwalał jej wędrować przez odyseję doświadczeń. Nie było słabe ani brzydkie. Było piękne i mocne, odporne i trwałe. Było po prostu tym, czym było, i tego ranka Doris zawarła z nim przyjaźń.

Najchętniej przez cały dzień pozostawałaby naga, ale uznała, że lepiej nie szokować dzieci sąsiadów. Nie chciała jednak nakładać niczego obcisłego i krępującego ruchy. Przejrzała szafę pełną nagromadzonych przez lata starych ubrań i znalazła powiewną spódnicę z gniecionej bawełny w malinowym kolorze oraz żółtą koszulkę. Kupiła te rzeczy na Jamajce, podczas podróży poślubnej, i nigdy ich nie nosiła. Na szczęście były w uniwersalnym rozmiarze. Lekka bawełna przyjemnie owijała się wokół nóg, materiał koszulki ocierał się o piersi. Doris czuła się w tym stroju prawie tak, jakby była naga. Przejrzała się w lustrze i pomyślała, że wygląda jak dziwaczny, tropikalny owoc. Gabriella byłaby zachwycona.

Potężny głód wygonił ją do kuchni, nie sięgnęła jednak po rogaliki, które zwykle jadała. Ogarnął ją niepowstrzymany apetyt na owoce i wodę – mnóstwo wody, całe litry, jakby musiała wypłukać z siebie resztki czarnej trucizny. Po śniadaniu przeszła się po domu i odkryła, że zamknięta przestrzeń jej nie służy. Czuła się jak w więzieniu. Poszła więc na długi spacer nad jezioro, podlała niecierpki i wyczyściła kajak. Potem zebrała dojrzałe jagody i urządziła sobie piknik pod wielkim klonem, na który wspinała się w dzieciństwie.

To drzewo ma dobre konary, pomyślała, leżąc na plecach na miękkiej trawie. Założyła ręce pod głową i podziwiała światło słońca prześwietlające liście jak bibułkę. W dzieciństwie godzinami siedziała na tym drzewie, patrząc na jezioro i domy, pogrążona w marzeniach. Bywała królową, pasażerką statku kosmicznego, a czasami zwyczajnym dzieckiem, szczęśliwym, że ma najlepsze drzewo do wspinania na całym świecie.

Szkoda, że nigdy nie zbudowano tam domku. Prosiła o to ojca każdego lata, ale on zwyczajnie nie miał na to ochoty. Potem znów przez całe lata prosiła R.J., by zbudował domek dla ich dzieci, on jednak z kolei nigdy nie miał na to czasu. Westchnęła, patrząc na grube konary rosnące równolegle do ziemi. Byłyby doskonałą podporą nadrzewnego domku.

Naraz coś jej przyszło do głowy. Kiełkująca myśl szybko się rozrastała i po chwili na twarzy Doris pojawił się szeroki uśmiech.

— Gdzie ja widziałam ten młotek?

Droga Midge,

Musiałam na jakiś czas oderwać się od R.J. i dzieci, od samotności, w której żyłam. Wiem, że może wydawać ci się dziwne, że uciekłam od samotności w jeszcze głębsze odosobnienie. Ale to wcale nie tak! Oto największa niespodzianka. Tutaj mogę przebywać ze sobą w zupełnie nowy dla mnie sposób. Może będziesz się ze mnie śmiała, gdy ci napiszę, że przez cały czas śpiewam tę piosenkę, którą tak bardzo lubiłyśmy w szkole średniej: „Poznaję cię". Ta melodia mnie uszczęśliwia, bo właśnie teraz poznaję siebie. Ostatni miesiąc był niezwykły. Czasami jestem małą, smutną dziewczynką, która płacze i tupie nogami. Czasami znów czuję się bardzo stara i zmęczona. Wtedy po prostu leżę na werandzie i pozwalam, by łaziły po mnie różne owady. Nic mnie nie rozprasza, więc mam czas, by poznawać wszystkie swoje wewnętrzne głosy. Często słyszę matkę i ojca. Przez cały czas osądzają mnie i krytykują. Ale ich głosy stają się coraz cichsze. Ich akceptacja i aprobata przestały mnie już obchodzić. Ich już nie ma, a to jest moje życie.

Oczywiście słyszę też R.J. i dzieci. Gdy mam ochotę popływać nago w jeziorze – owszem, robię to! – czasami w mojej głowie odzywają się przerażone głosy dzieci: ,,Mamo, jak możesz przynosić nam taki wstyd!" Albo R.J.: ,,Zastanów się, jaki przykład dajesz dzieciom!" Myślę o tym, jaki byłby na mnie zły, i tylko się śmieję! Tra la la!

Nie, nie zwariowałam, naprawdę, Midge. Czuję się dobrze. Mam nadzieję, że ty zrozumiesz mnie najlepiej ze wszystkich. Zapisz mnie na te warsztaty poznawania siebie, na które zawsze mnie namawiałaś. Gdy wrócę, pójdę tam z tobą, obiecuję. Ale jeszcze nie teraz. Głosów jest wciąż zbyt dużo i brzmią zbyt mocno. Jeszcze ich wszystkich nie poznałam. Mam wrażenie, że krążą dokoła i wykradają cząstki mnie. Zatruwają mnie. Ale nie stanę się Emmą Bovary. Jestem zdecydowana przepędzić je wszystkie, jeden po drugim. Nie mogę wciąż słuchać innych, bo czuję się wtedy słaba i nic nie znacząca. Budzi się we mnie złość. Och, Midge, jestem już bardzo zmęczona tą złością.

Proszę więc, przekaż moje przeprosiny przyjaciółkom z Klubu. Na następnym spotkaniu też się nie pojawię, a może również i na kolejnym. Nie

*wiem, kiedy wrócę, więc na razie nie wiążcie ze
mną żadnych planów. Nie chcę, by ktokolwiek
liczył na mnie teraz w jakiejkolwiek sprawie. Muszę zająć się sobą.*

    *Ktoś mówił mi kiedyś o kobietach, które dają
i dają, aż wreszcie nic im nie pozostaje. Wtedy mnie
to rozzłościło. Uznałam, że to słowa egoisty. Ale
w ciągu ostatnich tygodni przekonałam się, że to
prawda. Teraz więc muszę dać coś sobie i mam
nadzieję, że później znów będę potrafiła dawać
innym.*

    Uściski, Doris.

ROZDZIAŁ SIEDEMNASTY

Wszystko ma swój czas i jest wyznaczona godzina na wszystkie sprawy pod niebem: jest czas rodzenia i czas umierania...

Koh 3, 1-8

Jasnozielona szpitalna koszula nadawała twarzy Annie żółtawy odcień.

– Powinni wprowadzić tu jakieś żywsze kolory, nie sądzisz? – skrzywiła się, patrząc na cienki materiał. – Za te pieniądze, które się im płaci, mogliby wynająć jakiegoś plastyka-konsultanta. Nie trzeba być geniuszem, by wpaść na to, że zielony plus chory to nie jest dobra kombinacja. Nawet w weselszych okolicznościach wyglądałabym w tym fatalnie, a co dopiero w dniu operacji. Ciekawe, czy mogłabym ich zaskarżyć? Na pewno patrzenie w lustro powoduje u mnie jakiś uraz psychiczny.

Eve roześmiała się i wzięła ją za rękę.

– Wyglądasz pięknie – skłamała. – Dla mnie zawsze wyglądasz pięknie.

Annie uścisnęła jej dłoń, zdejmując z twarzy maskę fałszywej wesołości.

– Wszystko będzie dobrze – pocieszała ją Eve. – Lekarz powiedział, że masz wszelkie szanse na wyzdrowienie.

Annie skinęła głową i niespokojnie spojrzała na zegar. Operacja miała się zacząć za godzinę i jej niepokój wzrastał z minuty na minutę.

– Czekanie jest najgorsze. Po co wieszają tu zegary? Jeśli już, to powinni wieszać takie z kukułką. Jeszcze nigdy nie miałam żadnej operacji.

– Wierz mi, nie będziesz niczego pamiętać. Najgorsze jest wychodzenie z narkozy, ale wszystkie będziemy na miejscu i będziesz nas mogła zawołać.

– Jeśli obiecasz, że będziecie przy mnie, to ja obiecuję, że nie będę krzyczeć.

Widok Annie był trudny do zniesienia: z oklapniętymi włosami i ściągniętą twarzą przypominała leżący na szpitalnym łóżku worek kości. Kontrast z energiczną, zadbaną kobietą, którą Eve znała i kochała, był szokujący.

– Oczywiście. Będę tu przez cały czas – zapewniła przyjaciółkę. – John też. Przecież wiesz, że on nie odstępuje cię na krok.

– Wiem. Nie miałam pojęcia, że potrafi być taki silny. Przynosi mi witaminy i lekarstwa, rozmawia z lekarzami, karmi mnie ekologicznym jedzeniem, a z homeopatą przeszedł już na ty. Gdzie on teraz jest?

– Rozmawia z pielęgniarkami. Nie przysięgnę, ale zdaje mi się, że kupił im roczny zapas batoników.

Annie pokręciła głową.

– On chyba naprawdę mnie kocha.

– Wydajesz się tym zdziwiona.

– Bo jestem – przyznała Annie, obracając obrączkę na palcu. – Nigdy nie uważałam się za osobę, którą można kochać.

– Albo zwariowałaś, albo jesteś zwyczajnie głupia. Wszyscy cię kochamy.

Na bladych policzkach Annie pojawiły się słabe rumieńce. Eve nigdy nie przypuszczała, że doczeka się widoku Annie w takim stanie.

– Rozmawiałaś z Doris? Powiedziałaś jej, że mi przykro? To znaczy... Nie chciałabym zabierać ze sobą tej winy na tamten świat – dodała nieprzekonująco kpiącym tonem.

– Tak – odrzekła Eve poważnie.

– I co jej powiedziałaś?

– Wszystko.

Annie nerwowo poruszyła palcami.

– A ona co ci powiedziała?

Na ustach Eve zadrgał uśmiech.

– Niewiele. Głównie płakała.

– Cała Doris – zaśmiała się Annie z wyraźną ulgą i, zmieniając ton, zapytała: – A co tam słychać u profesora? Czy znów jesteście razem? Jeśli mi nie powiesz prawdy, to przysięgam, będę cię straszyć po śmierci.

– Rozmawialiśmy i przedstawiłam go dzieciom. Bronte przygotowała kolację. Możesz w to uwierzyć? Myślę, że wszystko się jakoś ułoży, ale nie chcę niczego przyspieszać. Paul przeciwnie. On wie, czego chce. Twierdzi, że mnie kocha.

– Ty jednak masz szczęście do małżeństw.

– Hola, hola! Jeszcze nam do tego daleko. Poza tym wcale nie chcę na razie wychodzić za mąż. Zbyt wiele trudu kosztowało mnie dotarcie do miejsca, w którym jestem teraz. Tak łatwo nie wyrzeknę się niezależności.

– Przecież wcale nie musisz. Ale obiecaj mi, że nikomu się nie przyznasz, że nie chcesz wyjść za Paula Hammonda. Nie chciałabym, żebyś została zamordowana we śnie.

Eve zaśmiała się. Do sali wszedł John w towarzystwie pielęgniarki i lekarza z zawodowymi uśmiechami przylepionymi do twarzy.

– Annie, teraz zaśniesz, a gdy się obudzisz, poradzisz mi, co powinnam zrobić – powiedziała Eve na ten widok i pochyliła się, by ucałować przyjaciółkę. – Kocham cię – szepnęła jej do ucha.

Uścisnęły sobie dłonie i wymieniły jeszcze jedno, ostatnie spojrzenie.

– No dobrze – powiedziała Annie, patrząc na lekarza i ukradkiem ocierając łzy. – Róbcie swoje i niech już będzie po wszystkim

Odwróciła głowę do ściany, żeby nie patrzeć,

jak pielęgniarka wkłuwa jej igłę w żyłę. Obok stał student medycyny pochłonięty robieniem notatek.

– Doktorze, może pan przypadkiem wie, jak się robi hormony? – zapytała go Annie. Słysząc to, John jęknął, a Eve wzniosła oczy ku niebu. Student jednak potraktował pytanie poważnie i potrząsnął głową. Annie uwielbiała naiwnych chłopców.

– Nie płaćcie mu! – zawołała jeszcze.

Gdy Doris pojawiła się w poczekalni w dwie godziny później, Eve, Midge i Gabriella zerwały się ze swoich miejsc i podbiegły, by ją uścisnąć. Dopiero po chwili zauważyły, jak bardzo Doris się zmieniła w ciągu ostatnich sześciu tygodni.

– Wspaniale wyglądasz! – zachwyciła się Gabriella.

I rzeczywiście, Doris zrzuciła sporo kilogramów, była opalona, a przede wszystkim jej oczy odzyskały blask. W długiej dżinsowej spódnicy, niebieskiej bawełnianej bluzce i z narzuconym na ramiona ażurowym szalem wyglądała jak bohaterka westernu.

Midge przymrużyła oczy i obrzuciła ją wzrokiem od stóp do głów.

– Przyznaj się, Bridges, ile kilogramów straciłaś?

– Nie mam pojęcia – odrzekła Doris beztrosko. – W domku nie ma wagi, a, szczerze mówiąc, nie interesuje mnie to. Nie myślę o kaloriach ani gramach tłuszczu i już nigdy w życiu nie zdecyduję się na żadną dietę. Jem zdrowe jedzenie, gdy jestem głodna, a przestaję jeść, gdy głód mija, codziennie pływam i chodzę na spacery. To się nazywa zdrowy tryb życia, dziewczyny. Prawdę mówiąc, w ogóle nie zamierzałam się odchudzać, to się stało samo. Bardziej mnie teraz interesuje zdrowie niż wygląd, a przede wszystkim to, co się dzieje w mojej głowie.

– Skoro już wspomniałaś o głowie, to zauważyłam, że na zewnątrz też się trochę zmieniła – stwierdziła Midge z aprobatą.

Doris przesunęła palcami po włosach, ufarbowanych na srebrzysty blond.

– Znudziło mi się już to farbowanie. Pomyślałam, że zrobię to jeszcze tylko raz, żeby pozbyć się tamtego koloru i żeby włosy mogły sobie dalej spokojnie rosnąć. A prawda jest taka, że większość moich włosów jest siwa.

– Więc dlaczego nie chcesz ich farbować? – zdziwiła się Gabriella, przerażona na samą myśl, że mogłaby posiwieć.

– Nie chcę sztucznego koloru włosów, tak samo jak nie chcę sztucznych tkanin na ciele. Może pomyślicie, że zwariowałam, ale na samym początku, gdy przyjechałam nad jezioro, miałam wrażenie, że jakaś czarna trucizna wypełnia mnie całą i wychodzi ze mnie wszystkimi porami skóry, nawet przez cebulki włosów. Piłam mnóstwo wody, codziennie pływałam, jadłam owoce i robiłam pompki. Teraz czuję się czysta w środku. Czysta i pusta, jak wielki parowiec, który czeka na załadunek. Ale tym razem będę bardzo dokładnie sprawdzać, co ze sobą zabieram.

– Więc nie chcesz niczego sztucznego? – zapytała Midge, zafascynowana.

– Niczego. To wcale nie jest trudne, gdy się raz zacznie.

Gabriella wciąż przyglądała się włosom Doris.

– To dziwne – mruknęła. – Siwe włosy kojarzą się ze starością, z kimś takim jak Barbara Bush. Ale tobie jest w nich do twarzy. Twoja cera wydaje się przy nich żywsza, a oczy bardziej niebieskie. Nie mogę uwierzyć, że tak mówię – dodała z szerokim uśmiechem. – Podobają mi się te włosy. To znaczy, twoje.

– Mnie też – zgodziła się z nią Eve.

Doris promieniała.

– Jeśli chodzi o włosy, to rzeczywiście początkowo obawiałam się, że z dnia na dzień zmienię się w staruszkę – przyznała. – Ale starzałam się już przecież od lat, udawałam tylko, że tego nie widzę. Przez cały czas było we mnie mnóstwo złości, chociaż nie wiedziałam, dlaczego właściwie jestem zła; a teraz starość wcale mnie nie martwi. Ignorowałam te siwe włosy, tak samo jak wiele innych sygnałów. Czego ja się właściwie bałam? To tylko moje ciało i moje włosy. Zamierzam używać ich jeszcze przez jakieś dwadzieścia albo trzydzieści lat, więc powinnam jak najlepiej o nie dbać. A gdy już zaczęłam to robić, to polubiłam moje ciało razem z jego wszystkimi niedoskonałościami, polubiłam nawet tę siwiznę. Akceptuję wszystko, co jest częścią mnie, i dzięki temu czuję się silna. Może nie jestem już młoda, ale na pewno jestem młoda duchem. W każdym razie to jestem ja. Siwizna zostaje.

– A co o tym myśli R.J.? – zapytała ostrożnie Midge.

– Nie pytałam go i nic mnie to nie obchodzi.

To stwierdzenie zostało przyjęte wybuchem entuzjazmu. Doris zaśmiała się:

– Nie cieszcie się tak. Nie jestem pewna, czy on to w ogóle zauważy.

– To już inna sprawa. – Eve wzruszyła ramionami, patrząc z przyjemnością na Doris.

Jej przyjaciółka była znów tą samą kobietą, którą Eve poznała wiele lat temu, zaraz po przeprowadzce do Riverton. Tamtą Doris, która pewnego dnia zastukała do jej drzwi z małą Sarah uczepioną spódnicy i na początek znajomości przyniosła jej ciasto z wiśniami.

– A jak tam w głowie? – dopytywała się Midge.

– Nieźle – odrzekła Doris krótko, trochę w swoim starym stylu. – Wciąż nad tym pracuję, ale wszystko jest w porządku. Porozmawiamy o tym później. Co z Annie? – zmieniła temat. – Czy już coś wiadomo?

– Nie – odrzekła Eve, poważniejąc. – Operacja zaczęła się jakąś godzinę temu i wciąż czekamy na wiadomości.

Doris potrząsnęła głową.

– Tak mi przykro. Pomyśleć tylko, że martwiłyśmy się o menopauzę i starzenie. Powinnyśmy się cieszyć, że w ogóle mamy okazję się zestarzeć. Żałuję, że nie wiedziałam o wszystkim wcześniej. Może wtedy nasze kontakty wyglądałyby inaczej.

– Masz jeszcze szansę – zauważyła Midge. – Annie niedługo wyjdzie ze szpitala.

– Chcę spróbować – powiedziała Doris cicho.

– Zrobiłaś już dobry początek, przyjeżdżając tutaj z tak daleka – uśmiechnęła się Eve.

– Prawdę mówiąc, niewiele brakowało, żebym została. Gdy do mnie zadzwoniłyście, przestraszyłam się. Wolałam nie znać żadnych nowin, bo jeśli o czymś nie wiedziałam, to nie musiałam się o to martwić.

– Chyba wszystkie czułyśmy się podobnie – zauważyła Eve. – Taka wiadomość stwarza poczucie zagrożenia. Myśl, że jedna z nas ma raka... i to właśnie Annie, która ćwiczy i zdrowo się odżywia. Skoro ktoś taki jak ona może zachorować, to cóż dopiero inne?

– A jak Annie to zniosła?

– Znasz ją. Nie stosuje uników. – Eve podeszła do krzesła i usiadła. Naraz poczuła się bardzo zmęczona. – Ale martwię się o nią. Najgorsze jest przed nią. Jeszcze nie miała czasu pogodzić się ze świadomością, że już nigdy nie urodzi dziecka.

– Przez kilka miesięcy będzie w depresji. – Midge pokiwała głową.

– Wszystkie będziemy ją wspierać – powiedziała cicho Gabriella.

Zapadło milczenie.

– Przyszło mi do głowy – odezwała się po chwili Eve – że może na następny miesiąc powinnyśmy wybrać książkę, która zainspiruje Annie. Coś, co skieruje jej myśli we właściwym kierunku.

– Dobry pomysł – ożywiła się Midge. – Macie jakiś pomysł?

Wymieniły kilka tytułów najnowszych bestsellerów, opowieści o przyjaźni kobiet, wspomnień osób, które przeżyły życiowe dramaty, kilka biografii, ale żadna z tych książek nie wydawała się właściwa.

– To musi być coś, co daje prawdziwą pociechę, książka wielkiej siły i mądrości – powiedziała Gabriella.

– Może Biblia? – rzuciła ni stąd, ni zowąd Midge.

Zapadła cisza. Eve przechyliła głowę. Doris wydęła usta.

Midge potrząsnęła głową.

– Może jednak nie.

– Dlaczego nie? – ożywiła się naraz Gabriella.

– Jak to? Cała Biblia? – jęknęła Midge z przerażeniem.

Eve ten pomysł podobał się coraz bardziej.

– Może być cała. Muszę się przyznać, że nigdy nie przeczytałam całej Biblii, a wy? Większość jej fragmentów, które znam, słyszałam podczas mszy. To może być bardzo ciekawe.

– Będziemy teraz grupą badaczek Biblii? – zaśmiała się Midge i wszystkie roześmiały się z nią razem, było jednak jasne, że pomysł zdobył uznanie.

– Nie musimy czytać całości. Możemy się jakoś podzielić – zauważyła Doris.

– Ja chcę przeczytać całą, od deski do deski – stwierdziła Gabriella. – Inne książki czytałyśmy w całości. Pamiętacie *Odyseję*? Możemy to uznać za projekt specjalny.

– To kamień węgielny naszej kultury – przyłączyła się Eve. – Mnóstwo dzieł literackich wywodzi się z Biblii. No i jeszcze psalmy. Trudno znaleźć coś piękniejszego.

Gabriella wyciągnęła z torby kalendarz.

– Nie wybrałyśmy jeszcze terminu. Wszystkie daty są wolne. Doskonale.

Doris zajrzała jej przez ramię.

– To może zabrać sporo czasu, ale cóż, może przyda się nam wszystkim, nie tylko Annie.

Midge pochyliła się na krześle i złożyła ręce na brzuchu. Czuła, że decyzja już zapadła, nie pozostało jej więc nic innego, jak tylko się z nią pogodzić. Wzruszyła ramionami i powiedziała z niepewnym uśmiechem:

– Tylko nie mówcie nic mojej matce, bo nie da mi spokoju do końca życia. Będzie palić świece, odmawiać nowenny i twierdzić, że zdarzył się cud.

– Teraz musimy jeszcze tylko przekonać Annie – westchnęła Eve. – Ona nie jest zbyt religijna.

– Od jutra będzie – stwierdziła Gabriella z przekonaniem.

Doris pokiwała głową, krzyżując ramiona na piersiach.

– Po tym wszystkim każda z nas stanie się religijna.

W dwie godziny od rozpoczęcia operacji do poczekalni wszedł John w towarzystwie doktor Gibson. Członkinie Klubu Książki zerwały się na równe nogi.

John był bardzo blady i wydawał się wstrząśnięty.

– Nowotwór sięgał głębiej, niż wszyscy przypuszczali – powiedział i spojrzał na lekarkę, a ta podjęła wyjaśnienia:

– Nowotwór zaatakował ściankę macicy. Usunęliśmy macicę, obydwa jajniki i jajowody. Niestety, konieczna będzie radioterapia. Ale Annie zniosła to doskonale – dodała z ciepłym uśmiechem. – Wsparcie bliskich osób jest bardzo ważne w walce z nowotworem. Myślę, że mając takie przyjaciółki, Annie bardzo szybko wyzdrowieje.

Gdy lekarka i John wyszli, cztery kobiety splotły ramiona i rozpłakały się z ulgi. Z powodu Annie wszystkie musiały stawić czoło własnej śmiertelności i wiedziały, że każda z nich może być następna w kolejce. Jednak tego dnia Doris, Eve,

Midge i Gabriella były tymi, którym udało się przetrwać.

Doris wędrowała po zalanych słońcem pokojach domu, który przez pięćdziesiąt lat był jej miejscem na ziemi. Pamiętała te pomieszczenia jeszcze z dzieciństwa. Patrzyła na stare meble i czuła, jak energia mieszkających tu pokoleń wnika w jej ciało, zupełnie jakby z prochów przodków powstawało nowe oblicze jej samej.

Gdy tak szła, jej umysł odruchowo zaczął sporządzać listę rzeczy do zrobienia. Trzeba umyć okna, wytrzeć kurz pod meblami w salonie... na każdym kroku było widać, że w domu zabrakło gospodyni. W kuchni przejrzała szafki i lodówkę i ułożyła następną listę, tym razem koniecznych zakupów. Z rozbawieniem zauważyła w lodówce niskotłuszczowe i niskokaloryczne dania. Oczywisty dowód, że to Sarah zajmowała się zakupami.

Musiała jednak przyznać, że jej córka radziła sobie całkiem nieźle i bardzo wydoroślała podczas nieobecności matki. Ich długie rozmowy telefoniczne stopniowo zmieniały swój charakter: litanie skarg i narzekań po jakimś czasie przekształciły się w szczere rozmowy, w których każda z nich dowiadywała się czegoś o drugiej. Sarah nie oczekiwała, że Doris będzie usuwać z jej drogi wszystkie przeszkody; potrzebowała raczej modelu kobiecej roli. Doris czuła, że po raz pierwszy od wielu lat córka zaczęła wreszcie uważnie się jej przyglądać.

Poszła do biblioteki, usiadła przy biurku i jedną ręką zaczęła porządkować długie listy rzeczy do zrobienia, a drugą sięgnęła po telefon. Najpierw zadzwoniła do sprzątaczki i zapytała, czy ta mogłaby kilka razy przyjść dodatkowo. Potem była firma strzygąca trawniki, następnie pralnia i mleczarz. Minęło dwadzieścia pięć minut i Doris uświadomiła sobie ze zgrozą, że nadal znajduje się na samym początku listy. Potrzebowała wielu dni, by doprowadzić wszystko do należytego porządku, a trzeba jeszcze było kupić dzieciom ubrania do szkoły i...

W drzwiach biblioteki stanął R.J. Patrzył na nią z mieszaniną zdumienia i pobłażliwości. Doris powoli odłożyła długopis. Zastanawiała się wcześniej, jak zareaguje na widok męża. Nienawiść już w niej wygasła; niestety, razem z nią zniknęły miłość i szacunek. Teraz, patrząc na niego, uświadomiła sobie ze zdumieniem, że zupełnie nic do niego nie czuje.

– A więc wróciłaś – powiedział.

Milczała, podświadomie oczekując, że R.J. zapyta o swoją kolację.

– Był już najwyższy czas – mruknął, mierząc ją wzrokiem generała, który zastanawia się, jaką karę wymierzyć podwładnemu.

Doris w dalszym ciągu milczała, przyglądając mu się uważnie. Jeszcze miesiąc temu zapewne od razu zaczęłaby mu nadskakiwać albo wybuchnęłaby płaczem. Bogu dzięki, ta nieszczęsna istota, jaką wtedy była, już nie istniała. Pomyślała o domu nad jeziorem, przypomniała sobie poranki spędzane na werandzie i wolność, która płynęła z poczucia, że nie musi bezustannie spełniać życzeń męża i dwojga dzieci.

Opuściła powieki i jej wzrok padł na starannie spisane listy. Zaśmiała się krótko z ich niedorzeczności. Jak łatwo było wpasować się w starą foremkę.

Spojrzała w rozzłoszczone oczy R.J. Jej dwudziestojednoletni syn Bobby miał taki sam wyraz twarzy, gdy mu powiedziała, że w tym roku sam musi spakować walizkę przed wyjazdem do college'u.

– To dobrze, że wróciłaś – powiedział R.J. – Dom rozsypuje się bez ciebie. Jesteś tu potrzebna.

Nie powiedział: kocham cię, ani: tęskniliśmy za tobą. Tylko: jesteś tu potrzebna.

– Ale ja wcale nie wróciłam – odrzekła Doris spokojnie.

– Jak to? – zająknął się R.J., czerwieniejąc z oburzenia. – Chyba nie sądzisz, że znów pozwolę ci spakować manatki i zniknąć?

Doris z trudem powstrzymała się od śmiechu.

– Nie ma najmniejszego znaczenia, na co mi pozwolisz, a na co nie – rzekła sucho.

– Jeszcze zobaczymy.

– Usiądź, R.J. Właściwie możemy porozmawiać już teraz. I zamknij drzwi, proszę.

Był tak osłupiały, że posłusznie zrobił, co mu kazała. Zamknął drzwi, podszedł do biurka i nonszalancko usiadł na swoim ulubionym fotelu, zakładając nogę na nogę.

– O czym mamy rozmawiać?

– Ja tu nie wrócę, R.J. – powiedziała Doris, podnosząc na niego wzrok. – A w każdym razie nie w taki sposób, jak myślisz. Zostanę przez kilka dni, żeby móc odwiedzić w szpitalu moją przyjaciółkę, Annie, i pomóc dzieciom przygotować się do szkoły. Dam im pieniądze i wyślę na zakupy. Zanim wpadniesz w szał, chcę ci jeszcze powiedzieć, że moje plany są już ustalone. Rozmawiałam już o tym z Bobbym i Sarah. Prawdę mówiąc, Sarah jest zachwycona tym, że nie będę jej przez cały czas wisieć na karku.

Uśmiechnęła się na wspomnienie rozmowy, jaką przeprowadziła z córką poprzedniego wieczoru. Obydwie leżały na jej łóżku i po raz pierwszy od lat rozmawiały zupełnie szczerze.

R.J. patrzył na nią takim wzrokiem, jakby widział ją po raz pierwszy w życiu.

– Dobrze wyglądasz – rzekł wspaniałomyślnie. – Chyba trochę schudłaś? I zrobiłaś coś z włosami. Nie wiem co, ale wyglądasz zupełnie inaczej.

– Bo jestem inna – ucięła krótko Doris, nie pozwalając się złapać na haczyk komplementu.

R.J. poprawił się na fotelu.

– Może jednak te wakacje dobrze ci zrobiły. Chyba potrzebowaliśmy trochę dystansu, żeby za sobą zatęsknić. Ten dom bez ciebie jest inny. Chyba nie doceniałem tego wszystkiego, co tu robiłaś. Może za bardzo się do tego przyzwyczaiłem. Sarah radziła sobie zupełnie dobrze, no i mamy przecież sprzątaczkę, ale nikt tak nie potrafi wszystkiego dopilnować jak ty. Masz wyjątkowy dar. Chyba za rzadko ci o tym mówiłem.

– R.J., jak ja mam na imię?

– Co? – zdumiał się.

– Pytam, jak mam na imię. Nigdy nie mówisz do mnie po imieniu. Już od kilku lat. Ktoś powiedział, że dla każdego człowieka najpiękniejszym dźwiękiem na świecie jest dźwięk własnego imienia. Myślę, że to prawda, bo przez wiele lat bardzo chciałam je usłyszeć z twoich ust.

– Doris, ja...

Podniosła rękę i potrząsnęła głową.

– Proszę cię, R.J., nie teraz. Już jest za późno.

– Za późno? Na co? Co to ma znaczyć? – zapytał zimnym, rzeczowym tonem.

– To znaczy, że nasze małżeństwo jest już skończone. – Widok jego twarzy sprawił jej niekłamaną przyjemność. – Rozmawiałam już z prawnikiem i dowiedziałam się, że dowody twoich zdrad, które posiadam, absolutnie wystarczą do uzyskania rozwodu. Radzę ci, żebyś także poszukał sobie prawnika, bo zamierzam rozpocząć postępowanie rozwodowe najszybciej, jak to możliwe. Skontaktowałam się również z agencją nieruchomości i wystawiłam dom na sprzedaż. Zamierzam podzielić posiadłość na cztery działki i każdą z nich sprzedać osobno.

Oniemiały R.J. wstał i podszedł do niej.

– Nie możesz tego zrobić!

– Owszem, mogę. I zrobiłam. To ja jestem właścicielką tego domu, a także połowy twojej firmy. – Zgarnęła swoje notatki z biurka i wrzuciła je do kosza.

R.J. stał naprzeciwko niej, ciężko oddychając, i obserwował każdy jej ruch. Wstała i wygładziła spódnicę.

– Masz czas do końca września, a potem musisz się stąd wyprowadzić. Ja teraz wracam nad jezioro. Kiedy znów przyjadę, ma cię tu nie być. To chyba wszystko, co mieliśmy sobie do powiedzenia, prawda? – zakończyła z uprzejmym uśmiechem i wyszła z biblioteki.

Zaczął się kolejny rok szkolny. Wakacje się skończyły i ruch uliczny w Oakley wrócił do normy. Matki w całym mieście znów pakowały kanapki, kupowały skarpetki i bieliznę, wnosiły różne opłaty i z ulgą odprowadzały swoje dzieci na inaugurację roku szkolnego.

Bronte i Finney denerwowali się bardziej niż zazwyczaj, ale to było normalne, zważywszy na to, że szli do nowej szkoły. Sarah Bridges i Bronte znów były bliskimi przyjaciółkami i spędziły razem cały poprzedni tydzień, chodząc po sklepach i kupując wszystkie niezbędne rzeczy. Finney denerwował się, czy zostanie przyjęty do drużyny futbolowej. Cały sierpień spędził na obozie treningowym i teraz też ćwiczył w każdej wolnej chwili.

Eve również została studentką. Zapisała się na wieczorowe kursy, które miały odnowić jej nauczycielski certyfikat. Dzieci całym sercem popierały tę decyzję i obiecały jej pomoc w domu, Eve miała więc nadzieję, że jakoś uda jej się pogodzić dom, pracę i życie uczuciowe. Gdy Bronte i Finney poukładali sobie własne sprawy, przestali widzieć w Paulu Hammondzie zagrożenie dla siebie i rodziny.

Eve zaparkowała przed domem swoje stare volvo, które musiało wytrzymać jeszcze rok, i czule poklepała staruszka po kierownicy. Już na progu domu poczuła zapach bazylii i czosnku. Z uśmiechem na ustach stanęła w progu salonu.

Bronte i Sarah siedziały na zielonej kanapie, zajęte okładaniem podręczników w gruby, brązowy papier. Na podłodze Finney i dwóch jego kolegów, których Eve nie znała, grali w grę wideo. Była to zwykła scena, jakie matki widują codziennie, dla Eve jednak była ona balsamem na duszę: życie ich trójki znów wracało do normalności.

– Cześć, dzieci! – zawołała z szerokim uśmiechem.

– O, cześć, mamo – powiedziała Bronte życzliwie, podnosząc głowę. – Jak tam Annie? Lepiej się czuje?

– Wszystko jest w najlepszym porządku. Za to ja jestem wyczerpana.

Bronte podeszła i obdarzyła ją mocnym uściskiem.

– O ciebie też się martwiłam, mamo. Wyglądasz na zmęczoną. Jadłaś coś? Zrobiłam kolację.

Eve spojrzała na swą córkę z podziwem, zastanawiając się, jak udało jej się wychować tak wspaniałą kobietę.

Finney również podniósł się z podłogi i pomachał do niej.

– Hej, tygrysie – zawołała Eve. – Co nowego?

– Dostałem się do drużyny! – zawołał z błyskiem w oczach.

– Naprawdę cię przyjęli? – zakpiła Bronte, ale na jej twarzy malowała się duma nie mniejsza niż na twarzy Eve. Finney zaczerwienił się z radości. Był w tej chwili tak podobny do Toma, że Eve poczuła ucisk w gardle.

– Jestem z ciebie bardzo dumna – powiedziała. – Tato też byłby z ciebie dumny.

Chłopiec poczerwieniał jeszcze bardziej i pod wpływem impulsu szybko się do niej przytulił. Znowu był dawnym sobą, jej ukochanym synkiem, choć sylwetkę miał już niemal męską.

Po chwili obydwoje, Bronte i Finney, wrócili do swoich zajęć i Eve poczuła się niewidzialna we własnym domu. Dzieci były tuż obok, ale krążyły po swoich własnych orbitach. Czy nie tak właśnie powinno być?

Annie szybko wracała do zdrowia i w kilka tygodni później Klub Książki zebrał się na nieformalnym spotkaniu w ogrodzie jej domu. Był pogodny, wrześniowy wieczór. Przyjaciółki urządziły sobie piknik na trawniku, a gdy zaczął zapadać zmrok, w zacisznym, osłoniętym zakątku rozpaliły niewielkie ognisko i rozsiadły się dookoła, patrząc w płomień. Tym razem nie rozmawiały o książkach, ważniejsze bowiem były zmiany, które zachodziły w życiu każdej z nich.

– Lato już minęło – stwierdziła Doris. – Jakie macie plany na jesień? Jeśli chodzi o mnie, no cóż... Moje dzieci są już dorosłe. Zastanawiałam się, co chciałabym zrobić z resztą życia, i postanowiłam wrócić do szkoły. Zawsze żałowałam, że nie skończyłam college'u. Teraz mam chyba okazję to nadrobić.

– Świetny pomysł! – zawołała Eve z uznaniem.

– Moja matka zostaje w Chicago na stałe – westchnęła Midge z rezygnacją. – Ale nie jest już tą samą kobietą co kiedyś. Teraz potrzebuje mnie bardziej niż ja jej. Chyba obydwie trochę złagodniałyśmy.

– A ja mam dobre wiadomości – oznajmiła Gabriella. – Fernando został zaproszony na decydującą rozmowę w sprawie pracy, na której naprawdę mu zależy. Zapaliłam na tę intencją tuzin świeczek w kościele Wniebowstąpienia. Jeśli dostanie tę pracę, a jestem pewna, że tak, zrezygnuję z nadgodzin i będę miała więcej czasu dla rodziny. No i wreszcie odzyskam wstęp do mojej kuchni!

Wszystkie roześmiały się głośno, a potem zamilkły, patrząc teraz wyczekująco na Annie. Ta poruszyła się i po chwili zaczęła mówić spokojnym, cichym głosem:

– Właściwie mogę wam powiedzieć już dzisiaj. Doris, nie wspominałam ci o tym wcześniej, ale John rozstał się z R.J. Teraz rozgląda się za pracą i być może wyjedziemy, chociaż będzie mi trudno opuścić Chicago. Nie tylko z powodu mojej pracy. Jesteście jedyną prawdziwą rodziną, jaką mam... – Głos jej zadrżał i na chwilę umilkła. – Ale gdy tylko dostanę błogosławieństwo od doktor Gibson, wezmę kilka miesięcy urlopu i wyruszymy w drogę. John nie może się już doczekać. Codziennie coś kupuje. Mam już całą szafę ubrań z polaru, szwajcarski scyzoryk i podróżną apteczkę wielkości walizki – prychnęła z rozbawieniem. – Zachowuje się jak dzieciak, ale miło patrzeć na jego entuzjazm. Pojedziemy na zachód. Będziemy się zatrzymywać w różnych miejscach, robić mnóstwo zdjęć i zachowywać się jak prawdziwi turyści... Chcę odwiedzić rodziców – wyznała naraz chłodnym, trzeźwym tonem, ale trwało to tylko chwilę. – Nie zdziwcie się, jeśli wrócimy obwieszeni koralikami, śpiewając mantry.

Ze wszystkich stron posypały się słowa aprobaty dla planów Annie. Doris zerknęła przez ramię na Eve, która siedziała na trawie, obejmując ramionami kolana i patrząc w niebo.

– A ty? – zapytała, wyrywając ją z zamyślenia. – Jakie masz plany na jesień?

Eve przez chwilę zbierała myśli.

– Właśnie się nad tym zastanawiałam. Nie mam chyba żadnych planów. W moim życiu tyle się już zmieniło, że nie chciałabym planować niczego nowego. Mam nadzieję na odrobinę spokoju.

– Mam pomysł! – zawołała nagle Gabriella i wyciągnęła z kieszeni notes. – Kiedy byłam mała, bawiłam się w pewną grę. Niech każda z nas napisze na kartce swoje życzenie.

Wyrwała z notesu kilka kartek i rozdała je przyjaciółkom, a gdy wszystkie zapisały już to, czego pragną najbardziej, kazała im mocno zmiąć kartki.

– Teraz trzeba je wrzucić do ogniska – powiedziała, pochylając się nad płomieniem, i wrzuciła swoją kulkę w ogień, szepcząc coś do siebie.

Jedna po drugiej karteczki znikały w płomieniach. Naraz rozległ się głośny trzask i gruba gałąź w samym środku ogniska pękła na dwoje, wysyłając w niebo snop iskier. Eve poczuła mocne bicie serca. To był znak! Napisała na swojej karteczce prośbę do Toma, by pokierował jej następnym krokiem. Prosiła go o jakiś znak – i oto go otrzymała. Teraz wiedziała już, co powinna zrobić.

EPILOG

Był zimny, listopadowy wieczór. Gwiazdy świeciły jasno jak kryształki lodu. W oddali fale jeziora Michigan rozbijały się o granitowy brzeg. Drzewa w parku dawno już straciły liście i teraz stały, nagie i szare, jak wartownicy podczas uroczystości.

Niebo przeszyła pomarańczowa raca wystrzelona o jakieś trzysta metrów dalej nad brzegiem jeziora. Był to sygnał, że wszyscy mają się zgromadzić w jednym miejscu. Zapanowało wyczekujące milczenie. Zbliżała się wyznaczona pora. Stanęli w kręgu na trawiastym zboczu nad plażą. Byli tu dzisiaj wszyscy: Annie i John, Midge, Susan i Edith, Gabriella i Fernando razem z czwórką dzieci, Doris z Bobbym Juniorem. Sarah i Bronte trzymały się za ręce.

Eve miała po obu stronach dwóch swoich mężczyzn: po lewej Finneya, który już dorównywał jej wzrostem, a po prawej Paula, który zachowywał pełen szacunku dystans. Prosiła go o przyjście, bo bardzo chciała, by był tu razem z nią.

Naraz w ciszy rozległ się głośny dźwięk i w górę poszybowało pomarańczowe światełko, które po chwili rozprysło się w symetryczny kwiat. Złote smugi opadały w dół jak gałęzie płaczącej wierzby.

Łzy spłynęły jej po policzkach, gdy patrzyła na złocisty pył zastygły na tle czarnego nieba; uświadomiła sobie, że prochy Toma mieszają się z gwiazdami.

Finney objął ją mocno. W świetle fajerwerku widziała jego twarz tak podobną do twarzy ojca. Bronte podeszła do niej z drugiej strony i również ją objęła. Stali nieruchomo, czekając, aż wszystkie drobinki iskier spadną do jeziora.

– Do widzenia, Tom – powiedziała Eve, pewna, że ją usłyszał.

Potem otarła oczy, pocałowała dzieci, pożegnała przyjaciół i, trzymając Paula za rękę, poszła w stronę domu.